JN234495

WIZARD BOOK SERIES vol.6

ヒットエンドラン株式売買法

超入門！ 初心者にもわかるネット・トレーディングの投資技術

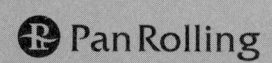

ジェフ・クーパー
Jeff Cooper

訳 清水 昭男

The Short-Term Stock Traders' Bible

Pan Rolling

**Hit and Run Trading—The Short-Term Stock Traders' Bible and
Hit and Run Trading II—Capturing Explosive Short-Term Moves in Stock**
Jeff Cooper
Copyright©1996,1998 by Cooper Trading,Inc.

This translation published by arrangement with M.Gordon Publishing Group,Inc.
through The English Agency (Japan)Ltd.

日本語版への序文

　『ヒットエンドラン・トレーディング　Ｉ』をアメリカで最初に出版したとき、その反響は想像以上のものだった。株の短期売買に関する情報が少ないのは理解していたが、何千人ものトレーダーがそんな情報を渇望していようとは、思いもよらなかったのである。

　『ヒットエンドラン・トレーディング　Ｉ』については、良いところも悪いところも、多くの読者から意見をいただいた。悪いところについての意見は、５０００ドルを数百万ドルにしたかったトレーダーから寄せられたものだった。私の取引手法を用いる限り、そんなことは起こらない。良いところは、私の取引手法を使って取引口座の残高を増やした多くのトレーダーから寄せられたものだった。また、あるディスカウント・ブローカーの取締役からは、この業者の顧客の１人が『ヒットエンドラン・トレーディング　Ｉ』で紹介した手法の１つを使いながら、２４カ月で口座残高３万ドルを３０万ドルに増やしたということを聞いた。素晴らしいことで、私にもそんなことがいつか起きないものかと願うばかりである。

　『ヒットエンドラン・トレーディング　Ｉ』はいかに株価の勢いに乗るか、というテーマだった。短期で収益を確定するために、トレンドの強い株価にどう乗るかがテーマだった。また、そのためのトレード・リスクは、損切りを置くことで限定的なレベルに抑えられていた。

　最近、『ヒットエンドラン・トレーディング　Ｉ』の様々な取引手法を検証したザ・ストリート・ドット・コム（TheStreet.com）のゲリー・スミスは、次のように述べている。

> 　ジェフが開発したのは、成功の方法論である。再びモメンタム（勢い）がついたときだけポジションを取り、リスクは少なく、収益は無制限である。そんな有利さを基にトレードすれば、みなさんも私と同じような発見をされることだろう。勝つ回数が負ける回数よりも多く、平均収益が平均損失よりも大きいのである。

　ゲリーの分析は正しい。大きな収益可能性に対して取るリスクが小さいということは、トレードの有利性を表している。

次に刊行した『ヒットエンドラン・トレーディング　Ⅱ』では、さらに優秀なトレーダーとなるために、最高の価格パターン、取引概念、テクニックを用意した。

　トレンドの継続性を扱った部分は、トレンドが強く現れている株価に特有の具体的なパターンを示した。主にデイ・トレード戦略だが、その後の価格変動の展開に沿っては数日間のトレードとなる戦略もある。

　その他、短期の価格反転戦略も用意した。勢いのある株価の反転は迅速で、誤ったポジションを処理するのに忙しいトレーダーたちがいる中で、ここでの戦略を用い、そんなマーケットで積極的なトレードを可能にする。

　最後に、さらにトレードを向上させるため、多様なテクニックを考察している。損切りの配置、翌日までのポジションの抱え方、トレーディングにおける技術革新などをはじめとする概念である。

　日本では、『ヒットエンドラン・トレーディング　Ⅰ』と『ヒットエンドラン・トレーディング　Ⅱ』が１冊として刊行されることになった。この多くの戦略の中から自分に合った戦略を探し当て、日本の読者の投資の指針になれば幸いである。また、上に書いたような成功者が１人でも多く現れることを遠くアメリカから祈っている。

２０００年２月
ジェフ・クーパー

訳者まえがき

　カネの実る樹を、持っている人たちがいる。
　段違いの棚に、よく訓練された盆栽のようにその樹をいくつも並べ、そのすべてにカネを実らせている人たちである。
　ただ、そんな盆栽を育てることに関して書かれた本は、「こうすれば勝てる」式のトレーディングに関して書かれた本に比べれば、はるかに少ない。

　１２カ月で１万ドルを１１０万ドルにするという不倒の記録を打ち立て、１９８７年の先物ロビンズ・ワールドカップ・チャンピオンとなったラリー・ウイリアムズは、「ラリー・ウイリアムズの短期売買法――投資で生き残るための普遍の真理」（パン・ローリング刊）の中で、こんなエピソードを紹介している。

　ラリーの友人（ジェイク）は、ある証券会社の客を相手に、投資セミナーをしていた。
　そして、その中にたった１人だけ儲けている客がいて、セミナーの後、紹介を受ける。しばらくしてジェイクと打ち解けたこの顧客は、自分の取引手法を開示しようと、チャートを開き、糸の付いた振り子を取り出す。

　チャートの上に振り子をかざすと、彼はジェイクに言った。
　「このページの上で、振り子が縦に振れたら買い、横に振れたら売りなんだよ。ジェイク、見てしまったね、私のシステムを」

　ジェイクは後ずさりすると、
　「それだけですか？　他に、何もありませんか？」
　「えーっと……」と、この相場師は口ごもり、
　「もう１つあるけど、あんまり意味がないと思うね。その日の終わりで損をしていたら、そのトレードは仕切ることにしているんだ」

　カネの実る樹は、野にも育つのである。

そんな取引手法は「マネできない」、と思われるだろうか？　トレーディングで儲けるには、この振り子を手に入れることだ、と考える読者もいるだろうか？
　実際には、この振り子は世界に１つしかないので、自分自身が、この振り子のようにチャートを読めればいいのである。
　「バイ・アンド・ホールド」の被害者だった原作者のクーパーは、この振り子が反応したに違いないチャート・パターンを紹介して、アメリカのインターネット・トレーダーたちから大好評を得た。それに続いた第２弾（パートⅡ）も入れて、再編集したのがこの日本語版である。したがって、ヒットエンドラン戦略のすべては、この１冊でカバーされている。

　ファンダメンタル分析では機関投資家にかなわないものの、チャート分析では、個人投資家は機関投資家と対等なのであり、そこに散在する有効なチャート・パターンを認識できることは、トレーダーとして必須の条件といえる。
　この本で学習され、あなたの振り子が振れ始めれば幸いである。

　最後に、先の逸話では、本人が「あんまり意味がない」と思っていた「仕切り」が、彼の取引戦略のすべてであった、というのが本来的に導きたかったラリーのポイントであることを付け加えておきたい。

　出版にあたっては、完璧なプロダクション・マネジメントで作業をサポートしてくれた後藤康徳氏（パン・ローリング）、マーケティング・プランを担当した長澤正樹氏（パン・ローリング）、助言で作品の質的向上を図ってくれた柳谷雅之氏と野村光紀氏（パン・ローリング）、編集を担当してくれた阿部達郎氏（ＦＧＩ）、完璧な組版をしてくれた細田聖一氏（マイルストーンズ）、装丁を担当してくれた江畑雅子氏（キュー・グラフィック・スタジオ）の各氏にお世話になった。ここに記して、感謝の意を表したい。

２０００年２月

清水昭男

『ヒットエンドラン株式売買法』で
日本株を売買するにあたって

1. はじめに

　本書の売買戦略は、米国市場の株式に対して考案されたものであり、米国株式に適用されるのが本来の姿です。したがって、本戦略を用いて日本株を売買するにあたっては、以下に述べる米国市場と日本市場の売買仕法の違いについて十分に理解しておく必要があります。また、その違いが原因となるリスクに対して十分に意識する必要があります。

2. 呼値の単位と値幅

　米国株式は分数で値段が唱えられ、通常 1／8、1／16ドルが最小値動き幅となりますが、日本株式では２０００年２月２１日現在、表１に示すように呼値制度が決まっています。本書の随所に現れる、「1／8 ポイント上で買う」「1／16ポイント下で売る」といった表現の、「1／8」「1／16」は最小値動き幅と考えることができます。したがって、1／8、1／16 に相当する日本株の値幅は株価に応じて、１呼値、もしくは２呼値単位を用いるのが妥当と考えます。例えば、５００円の株価の場合は１円もしくは２円を用い、２万５０００円の株価の場合は１０円もしくは２０円を用います。

　また本書には、「1ポイントの損切り幅」が随所に登場しますが、日本株式では８〜１６呼値単位に相当します。例えば、５００円の株価の場合は８円〜１６円を用い、２万５０００円の株価の場合は８０円〜１６０円を用います。ただし株価の位置によっては小さすぎたり、大きすぎたりしますので、個人の許容できるリスクの大きさや好みにより適切に調節する必要があります。一般に損切り幅を大きくすると、損切りにかかる確率が減少しますが、損切りになったときの損失が大きくなるというトレードオフの関係があります。

表１　日本市場における呼値制度

株価	呼値の単位
〜2,000円	1円
2,000円超〜3,000円	5円
3,000円超〜30,000円	10円
30,000円超〜50,000円	50円
50,000円超〜100,000円	100円
100,000円超〜1,000,000円	1000円
1,000,000円超〜	10000円

３．売買単位

　米国株式には日本市場でいうところの単位株制度がなく、原則的に何株でも売買できますが、日本株は単位株（通常１０００株）の整数倍でしか売買できません。本書の戦略の仕掛け、仕切りとは直接関係ありませんが、制御できるリスクの単位が大きくなる場合があり得ます。

４．注文方法

　米国株式では逆指値注文（ストップ・オーダー）が可能で、本書の仕掛けの多くは逆指値注文を用います。また、仕掛け直後の損切り、その後のトレーリング・ストップによる仕切り注文も、逆指値注文を用います。日本市場では残念ながら逆指値注文を受け付けてもらえません。自分で値段を監視し、想定した値段に達したら成り行き注文を入れることにより、実質的に逆指値注文と同等のことができます。ただし、価格端末の性能に依存する執行までの遅延時間が存在することに注意が必要です。

５．値幅制限

　本書の戦略と直接関係はありませんが、米国株式には値幅制限がありません。

６．空売り

　米国株式を空売りする場合、値上がり（アップ・ティック）が必要です（アップ・ティック・ルール）。例えば現在、３０１／２ドルの売り気配、３０３／８ドルの買い気配で、最後に取引された値段が３０３／８ドルの場合、空売りは３０７／１６ドル、またはそれ以上の値段が付かなければできません。これは売り叩きを防止するためのルールで、売り仕切りには適用されません。日本ではこのような規制はなく、安値を売ることができます。

編集部より

お知らせ

　この本についての質問は、http://www.panrolling.com/books/new/cooper.htmlで、定められたフォームでのみ受け付けています。寄せられた質問の中から、より多く寄せられたもの、より重要と思われるものなどから随時、ＨＰ上で更新していきたいと思います。なお、売買指示や個別銘柄については一切の質問には応じかねます。

妻スージー、父ジャック、そして亡き母ジョセフィーンへ

内容責任について

　過去のパフォーマンスは、将来的な成功を約束するものではあません。発行者、原作者、その他の関係者は、この本で解説されている戦略が将来的にも有効であることを主張するものではありません。引用されている例は、取引戦略の理解を目的とするもので、特定の売りや買いを推奨するものではありません。

CONTENS

日本語版への序文 ———————————————————— 3
訳者まえがき ————————————————————— 5
『ヒットエンドラン株式売買法』で日本株を売買するにあたって ——— 7
謝辞 ————————————————————————— 15

第1章　取引開始 ————————————————————— 17
第2章　用語の確認 ———————————————————— 21
第3章　ルール――決して背いてはいけない事柄 ————————— 23
第4章　銘柄リストの作成 ————————————————— 25

PART1　主要な取引戦略 ———————————— 29

第5章　拡大ブレイクアウト ———————————————— 31
第6章　1－2－3－4 ——————————————————— 43
第7章　拡大ピボット ——————————————————— 59
第8章　180 ——————————————————————— 69

PART2　勢い（モメンタム）の継続パターン ———— 79

第9章　ノンADX1－2－3－4 —————————————————— 81
第10章　ジャック・イン・ザ・ボックス ————————————— 87
第11章　ブーマー ————————————————————— 95
第12章　スリング・ショット ———————————————— 103
第13章　Vスラスト ———————————————————— 111
第14章　リバーサル・ニュー・ハイ・メソッド（反転新高値手法）—— 117
第15章　ELB —————————————————————— 123
第16章　ホットIPOプルバック ——————————————— 129
第17章　セカンダリー（増資銘柄）—————————————— 135

PART3　反転相場での取引戦略 ——— 143

- 第18章　拡大タートル・スープ ——— 145
- 第19章　フップス ——— 153
- 第20章　ギリガン・アイランド ——— 163
- 第21章　リザーズ ——— 171
- 第22章　イグアナ ——— 177
- 第23章　ブーメラン ——— 183
- 第24章　値幅拡大ダブル・スティック ——— 191

PART4　プロのテクニック ——— 197

- 第25章　複数パターンの同時発生 ——— 最も重要な章 ——— 199
- 第26章　トレイリング・ストップを使い、収益を最大化する ——— 209
- 第27章　いつ抱え、いつ仕切るのか？ ——— 217
- 第28章　日々の戦いに対する準備 ——— 223
- 第29章　株式トレーダーの教育 ——— 227
- 第30章　終わりに ——— 235

付録

- 銘柄リスト ——— 237
- 収益を最大化する最良の方法 ——— 239
- いかにトレイリング・ストップを使うか ——— 242
- リスクと収益 ——— 245
- ADXの計算 ——— 246
- 証券アナリストを、なぜ信じないのか？ ——— 248

[お知らせ] チャートソフトによるADXの使用例 ——— 253

免責事項

　この本で紹介してある方法や技術、指標が利益を生む、あるいは損失につながることはない、と仮定してはなりません。過去の結果は必ずしも将来の結果を示したものではありません。

　この本の実例は、教育的な目的でのみ用いられるものであり、売買の注文を勧めるものではありません。

　以下の声明はNFA（NATIONAL FUTURES ASSOCIATION＝米国先物協会）の勧告によるものです。

　「仮定に基づいた、あるいは実験によって得られた成績は、固有の限界があります。実際の成績記録とは異なり、模擬的なものは実際の取引を示しているものではありません。また、取引は実際行われたわけではないので、流動性の不足にみられるようなある種の市場要因により、利益が上下に変動する可能性があります。実験売買プログラムは、一般に、過去の事実に基づく利益を元に設計されがちです。本書の記述によって引き起こされたと考えられるあらゆる不利益に関する抗議は、一切行われるべきではありません」

謝辞
ACKOWLEDGMENTS

　この本を筋の通った作品に仕上げてくれた編集者、ビル・マシアレリ。

　忙しい中、原稿の下読みをしてくれたボブ・ピサニ、トニー・ワインコフ、ジョセフ・バセット博士、パム・ギプソン、それにダニーロ・トーレス、デビッド・ランドリー、ジェフ・コックスに感謝する。

　素晴らしいレイアウト・デザインを提供してくれたジュディー・ブラウン（ブラウン・エンタープライズ／イリノイ州ウッドストック）、表紙を担当したデビッド・コジモト（プログレッション社／カリフォルニア州ロサンジェルス）。

　また、長年にわたってマーケットに対する洞察や考え方を私と共有してくれたマイケル・バーガー（マンハッタン・インベストメント・ファンド）、デビッド・リー（パターソン・インセノグル）、マイク・ジェンキンス（ストック・サイクルズ・フォーキャスト）、マイク・ブラッドレー（プロ・アクティブ・インベスター）、エド・カサンジャン（カサンジャン・リサーチ）。

　最後に、そして特に、この本のインスピレーションであったラリー・コナーズ。

謝辞
ACKNOWLEDGMENTS

第1章　取引開始
THE OPENING BELL

> 倒されるか、ではなく、立ち直れるか、ということなのだ。
>
> 　　　　　　　　　　　　　　　　　　ビンス・ロンバルディ

　１９５０年代の後半、父は絵に描いたようなアメリカン・ドリームを生きていた。４２歳。経営していた繊維会社を数百万ドルで売ったばかり。ビバリーヒルズで、妻と２人の子供たち。満ち足りた生活をしていた。そして父は、暇に任せて株投資を始めた。

　業者たちは、１日に２度、３度、４度と父に電話してきて、それぞれの"投資"戦略を売り込んだ。「ジャック、ベスレヘム製鉄、いいんじゃないかな？　自動車株なんか、どうかな？　ウールワースはどれくらい買う？　２０年くらい持っていれば利が乗るさ」。現金が底をつくと、父は業者たちに新型の投資方法を教授されることになる。証拠金取引、である。「ジャック、手持ちの株を差し入れるだけで、今までの倍の株数を仕込むことができるんだ。儲けも倍なんだよ。株は必ず、持っていれば値上がりする。分かっているだろう？」

　父にとっては、証拠金取引は合理的であり、その戦略は実行に移された。１９６２年５月、父は破産する。母がガン手術を受けていたその日、「株は必ず、持っていれば値上がりする」と言っていた業者たちは、父が差し入れていた株を現金化していた。追証を払うために。一家の資産は消え失せ、その上、業者に対して負債をつくらねばならなかった。最近、再びウォール街でも人気復活中の**長期保有（バイ・アンド・ホールド）**戦略に関する、私の最初の体験である。

　一家は引っ越し用のミニバンに荷物を積み込み、故郷に身を寄せるべく東へ車を走らせた。辛い出来事だった。そして、悲劇は追い討ちをかける。アリゾナ州のニードルで、このミニバンが炎上し、一家には、結局、何一つ残らなかったのである。

　死にそうな犬を蹴り上げたとしたら、もがいて死ぬ。もしくは、遂に耐えられなくなって、その犬は飛びかかってくる。そんな、古い諺がある。そして、父は飛びかかった犬になった。５年の間に、父は２番目の繊維会社を設立し、それを数百万ドルで

CHAPTER 1 THE OPENING BELL

　売却したのである。ビバリーヒルズのレベルまで、一家の生活水準は戻った。
　自らの労に報いるため、父は、満ち足りた生活、というようなことも考えていた。しかし、今度は例の重要な問題にけじめを付けなければいけない、とも考えていた。株で失ったカネを取り戻すこと、である。
　負けを取り戻すためには、**長期保有（バイ・アンド・ホールド）**ではなく、何か別の手法をベースとする取引戦略を考え出さなければならない。父には、分かっていた。それなりに調べてみると、有望なＩＰＯ（新規上場）や流通市場の銘柄を買い、薄利で売り逃げるというのが有効な作戦であることが分かってきた。数年後、ＩＰＯ銘柄に関して、父はウォール街で最大のプレーヤーになり、１９６２年の負けも取り戻していた。その２年後、復讐心を満足させた父は、当初の資金に数百万ドルが上積みされた取引口座を閉じ、足を洗った。私が登場するのは、ここからである。
　１９８０年代の初め、創業した小さなビジネスを売却した私は、ウォール街に魅せられている自分に気が付いていた。６カ月の短期間、ドレクセル・バーナム証券で仕事をした後、父がＩＰＯ関連株で収めた成功をわがものにしようと、私は独立したのである。不幸だったのは、父の時代に比べて、規則に少し変更が加えられいたことであった。業者がＩＰＯを優先的に割り当てるのは、投資信託（ミューチャル・ファンド）であり、個人ではなくなっていたのである。個人に割り当てられる株数では、並みの生活費を稼ぎ出すのも不可能だった。そこで、ちょっと真剣にマーケットを調べてみた。皮肉なのは、１９８７年までに、大雑把に言えば**長期保有（バイ・アンド・ホールド）**と言える手法をベースとするトレーダーに、私自身がなっていたことである。業者からもらった電話での会話を、はっきりと覚えている。「ジェフ、エンゾバイオケミ・インフォメーション・システムズ・テクノロジーズの株がいくら当期配当を払っているか知ってるかい？　３０セントだよ。来年は２ドル、その次の年は１５ドルさ。今、株価が配当の１００倍だとしても、１９８９年には倍でしかないのさ。間違いない」。そして、浮ぶ船を波が押し上げるときもあれば、強気なマーケットが株価を総体的に上昇させることもある。１９８７年の１０月、**長期保有（バイ・アンド・ホールド）**の呪いがクーパー家の別の１人に襲いかかるまで、私は唸るほど稼いでいた。幸運にも破産はしなかったが、私は痛手を負い、苦い教訓を学ぶことになった。そして、２０年前に父がそうしたように、マーケットに勝つ方法を、私も見つけ出そうとしていたのである。
　それから９年の時が過ぎ、私は見つけ出した。自信を持って、それに成功した、といえる。株取引を私は職業としており、さらに重要なことは、売りからでも買いからでも、新規の取引を始められることである。もしマーケットが弱気になって株価が下げても、私の収益が影響を受けることはない。私は、弱気市場で生活水準を落とすことがない、数少ないトレーダーの１人なのである。
　私の取引戦略は、簡潔で明確である。それは株価動向に関するもので、株価が変動している銘柄は、現在変動しているその方向に、少なくとも（数分から数日の）短期間は変動し続けようとする、という概念をベースにしているものである。この手法は、

マーケットに対する１５年にわたる私の観察、実験、そして最も重要なものである実績に裏打ちされている。本を売るために、自分の取引手法を読者に信じ込ませようとするトレーダーとは異なり、私はこの手法が完全なものであるとは言わない（ほとんど完全なもの、と言っている訳でもない）。しかし、この手法はトレードを有利にし、有利であることとリスクをコントロールすることで、私は収益を上げ、標準以上の生活をしている。

次の章から始まるこの取引手法の解説に進む前に、その背景と、この手法を適切に使いこなすための規則を、最初に確認しておきたいと思う。この本の第４章に注意を払われることを、特にお勧めする。この章は、いかに適切な銘柄を見分けるかを解説しており、私が達成した成功の根幹をなす部分である、と考える。

最後に、私がこの本を書いた目的は、読者に低リスクな短期取引戦略パターンを幾つか紹介するためである。これらのパターンは、**長期保有（バイ・アンド・ホールド）**という戦略によってもたらされる悲惨な状況を回避することを可能にし、一生使うことができ、株取引で稼ぐための道具を与えてくれるのである。この本で勉強した読者が、この本は私の目的を達成していると思ってくれたなら、幸いである。

第2章　用語の確認
TERM YOU NEED TO KNOW BEFORE STARTING

憶測と確信を混同してはいけない。

　　　　　　　　　　　　　　　　　　アイザック・ニュートン

　ポイントを掲げ、取引手法の話を始める前に、この本で使われている用語の定義を確認しておこう。

ADX　トレンド（価格傾向）の継続性（強さ）を計算する数式。数値が３０以上のとき、トレンドは強い。**下降トレンド**のときも、上昇トレンドのときと同様、数値は大きくなることに注意（算出方法については付録を参照）。

バー・チャート（棒足）　株価の取引値幅（高値から安値を引いたもの）、始値、高値、安値、終値を示すチャート。例えば、ある銘柄の株価の取引が６５で始まり、６４まで売られ、６６まで買われ、終値が６５１／２であったとすると、このバー・チャートは次のようになる。

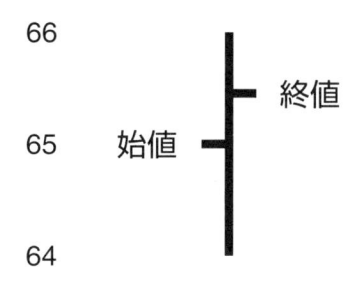

```
66 ─┐
    ├─ 終値
65 始値┤
    │
64 ─┘
```

買値（ビッド）　その時点で最も高い買値。
ブレイクダウン　安値を更新すること。
ブレイクアウト　高値を更新すること。
＋ＤＩ、－ＤＩ　ＡＤＸに付随する数値。ＡＤＸはトレンドの強さを表す数値であったのに対し、＋ＤＩ、－ＤＩはトレンドの方向を表す。株価が高値で推移していると

き、＋ＤＩの数値は－ＤＩよりも大きく、安値で推移しているときはその反対である（算出方法については付録を参照）。

窓（ギャップ）　今日の始値が、前日の高値よりも高かったり、前日の安値よりも安かったりする状態。

●　←今日の始値

はらみ足（インサイド・デイ）　今日の高値が前日の高値と同じか、それに届かない状態で、同時に、今日の安値が前日の安値と同じか、それに届かない状態。

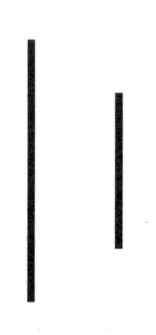

価格の継続性　１つの方向に株価が継続している状態。例えば、ある銘柄が、今日、明日、明後日と株価を上昇させていく状態。

ＲＳ（レラティブ・ストレングス）　（『インベスターズ・ビジネス・デイリー』紙の数値に基づく）過去１２カ月の間、その銘柄の株価上昇率が勝っていたのは全銘柄の何％に対してであるかを示す数字。これが大きいほどその銘柄の株価は腰が強いことになり、小さいほど弱いことになる。

反転（リバーサル）　株価が上昇し、その後、方向を変えて下落すること（または、その反対で、株価が下落し、その後、方向を変えて上昇すること）。

セカンダリー・オファリング（ＳＯ）　上場会社が増資株を放出すること。

移動平均　Ｘ日間の終値を平均したもの。１０日間の移動平均とは、過去１０日間の終値の平均値のこと。

売値（オファー、またはアスク）　その時点で最安値の売値。

逆指値（ストップ）　特定の価格（ストップ・プライス）で、またはその価格を超えて株価が取引されたときに、成り行きで買いや売りとなる注文。

第3章　ルール──決して背いてはいけない事柄
RULES ARE MADE TO BE BROKEN—EXCEPT THESE

戦略は、運には恵まれないという前提で、練る。

　　　　　　　　　　　　　　　　　　　　　　　　ナポレオン

　１．資金管理は、新規のポジションを建てるよりも重要である。損失を最少に保たなければならないのである。残念なことに私の経験から言うと、大きな損失の９８％は小さな損失から始まっている。このことを、決して忘れてはならない。ポジションのサイズ（建玉数）と損切り（ストップ）を組み合わせることは、最終収益に貢献するだけでなく、リスクを軽減するのである。

　２．**トレンド（価格傾向）がすべて**、である。私がトレードする９０％のマーケットは、トレンドの方向が強いマーケットである。トレンドの明確さは、ＡＤＸ、ＲＳ（相対力）、高値更新株と安値更新株の銘柄数の割合、移動平均などで見分けることができる（第４章参照）。

　３．スポンサーシップ（主要な投資資金）は重要、である。マーケットがマイクロソフトに続く優良株を探し当てるまで待っている暇は、私にはない。私が取引する銘柄は、勢いを増長させる資金が流入している銘柄である。ルイス・ネーブリアのニュースレター『ＭＰＴレビュー（Investor's Business Daily）』などは、どの銘柄がこの種のスポンサーシップ（主要な投資資金）を集めているのか、または流失しているのかを判断する上で、重要な情報源である。

　４．私は毎日、１日をマルから始める。これは、思った方向にマーケットが動いていないポジションは、直ちにすべてを手仕舞うという意味である。このことで、私はリスクを軽減し、同時に収益を守ることになる。

　５．忘れてはならない。ポジションを長く抱えれば抱えるほど、事態が悪化する可能性は増大するのである。

　６．トレードのサイズが小さいので、取引コストを最小限に抑えなくてはならない。１株当たり６セント以上払っているとしたら、収益を最大限にまで持っていくのは難しいかもしれない。

Chapter 3 RULES ARE MADE TO BE BROKEN—EXCEPT THESE

７．ほとんどの業者は、良識のある人々である。しかし、残念なことではあるが、ほとんど（すべてではない）の業者はマーケットのことを理解していない。したがって、取引の決断は自分で下す。

８．トレーディングは、真剣なビジネスである。もしあなたが小売店でも開業するなら、レジスター、電話、そんな器材が必要となるだろう。トレーディングも同様である。賄える範囲で最高のマーケット・データ、コンピューター、ソフトウエア、そんな器材をそろえる必要がある。マーケットでは、証券会社や最高の器材を備えたトレーダーたちと戦わなくてはならないことを、忘れてはならない。

９．将来の株価を予測するのは、なかなか面白い作業である。しかし、数日以上先の株価を予測するのは不可能である。私の戦略は、短期の要素に基づいたものであり、マクロ経済に基づいたものではない。

１０．ほとんどの取引戦略は、テクニカル分析や価格パターンの認識をベースとするものである。考慮されなくはないが、ファンダメンタルズな要素はテクニカルな要素ほど重要視されない。

１１．前夜のうちに、できるだけその日の用意をしておくこと。マーケットの朝は混乱することが多く、きちんとしたスタートが切れないこともある。

１２．トレードをスクラッチ（ポジションを建てたときと同等価格で手仕舞い）することで、私はさらに収益を上げられるトレーダーになった。同価格で手仕舞ったり、１／８ポイント、１／４ポイントで損切る。エゴを抑えて、自分が正しいのは６０％の確率でしかない、と悟ったのである。間違ったトレードの損益を最小限に抑えることができれば、最終的には収益を上げられる。

１３．**ナンピンは負け戦である**。マーケットが反対方向に動いたとき、私は手仕舞いを考えるのであって、負け幅を増大することを考えるのではない。マイクロン・テクノロジーを８５ドルから２０ドルまでナンピンした友人がいるが、**損を出さずに手仕舞うには**、数年かかることだろう。私は、まっぴらである。言ったように、ポジションが含み損を計上し始めたら、**手仕舞うこと**。これが、鉄則である。

１４．（経済指標、収益予測などの）主要な発表が控えているとき、私はポジションやトレードを減らすことにしている。発表される内容に賭けて、大損をするトレーダーが多いものである。ギャンブルならラスベガスでするべきである。ラスベガスなら、たとえ負けたとしても、ドリンクはタダである。

１５．（例えば１９８２年に始まった強気相場などの）主要トレンドが終焉を迎えるときなどに、トレードするのはなかなか難しい。**フルタイムでトレードする人の数は、プロスポーツ選手の数よりも少ないかもしれない**。スポーツ選手のように、一生懸命、辛抱強く仕事をする心構えが必要である。

第4章　銘柄リストの作成
CREATING THE HIT LIST

> 混沌としたものを単純化し、雑然としたものの中に、ハーモニーを見いだせ。
> 　　　　　　　　　　　　　　　　　　　　　アルバート・アインシュタイン

　この本で一番重要なのが、この章である。私の手法が有効なのは、銘柄の選定が正しいからだと信じている。したがって、取引する銘柄をリストアップし、その後の状況によって、リストアップされた銘柄を常に入れ替えていくのは、非常に大切な作業なのである。

　株取引で生計を立てていくには、株価のトレンドが強い銘柄を取引していなくてはならない。ほとんど毎日、（トレンドのある）適正な銘柄を取引していなくてはならないのである。（株価が動かずに横ばいに動いている）トレンドのない銘柄を取引しながら生計を立てるのは、ほとんど不可能に近い。また、高価格の銘柄を取引する傾向にあるのも事実である。６０ドルの株価が６４ドルに値上がりするのは、１２ドルが１６ドルになるよりも容易に起り得ることなのである。最後に、資金が流入・流出していて比較的流動性の高い銘柄であることが理想的である。これによってボラティリティ（価格変動率）が高まり、収益機会も拡大することになる。

　私は毎週日曜日に銘柄リスト（ヒット・リスト）を作成し、毎晩、このリストの銘柄入れ替えを行う。リストの利点は、少数（１５～２５）の銘柄に注意を集中させることで、何千もの他の銘柄で起こっていることに惑わされなくなることである。

　このリストを作成するに当たっては、ある程度の個人差があると思われるが、私の考える選定銘柄には次のような要素がある（次章からの取引戦略の部分を読み終えたら、付録を参照していただきたい。銘柄選定の要素については、そこでも解説しておいた）。

　取引銘柄を選定する要素には、２つの主要なもの、２つの付属的なものがある。主要な要素はトレンドと株価であり、付属的なものはスポンサーシップ（主要な投資資金）と流動性である。

主要要素

１．トレンド

Ａ．ＡＤＸ

　第２章でも述べたように、ＡＤＸはトレンドの強さを表す。トレーダーにとって、これほど有用な指標はない。しかし、この指標はあまり多用されていないのが実情である。ＡＤＸを備えた取引ソフトを買うとか、自分でシステムに組み込む（付録に計算式を掲載）ことを強くお勧めする。これに関する労力は、必ず報われる。

　通常、私が選定する銘柄は、ＡＤＸの１４日平均が３０以上（指数は高ければ高いほど良いことになる）の銘柄である。３０以上ということは、この株価の総体的なトレンドが強い、ということになる。上昇局面では資金の流入を、下降局面では流出を示しているのである。上昇トレンドの銘柄は、＋ＤＩの数値が－ＤＩよりも高くなければならないし、下降トレンドの銘柄は、－ＤＩの数値が＋ＤＩよりも高くなければならない。したがって、１番目のルールは、ＡＤＸが３０以上の銘柄をトレードしろ、ということになる。

または、

Ｂ．ＲＳ（リラティブ・ストレングス）

　何かの理由でＡＤＸを使えなければ、『インベスター・ビジネス・デイリー』紙によるＲＳで、その数値が９５以上の銘柄を選定すること。

　ＲＳは、同紙によって提供されているとても有効な指数である。同紙を通じて投資家やトレーダーに優良銘柄を認識する機会を提供したことは、ウィリアム・オニール氏の功績である。しかし、もしも言わせてもらえるなら、ＲＳは保有していない銘柄の空売りリストを作成するのには適さない。ＲＳの数値が極端に低い銘柄は２ドルとか３ドルで取引されている銘柄が多く、私がその種の銘柄を取引することはないからである。この空売りリストを作成する１つの方法は、ＲＳが最近３０を割った銘柄を見つけることである。同紙にはそんなリストも掲載されているので、参考になるかもしれない。

　そこで２番目のルールは、ＡＤＸを用いていないのであれば、銘柄のＲＳが９５以上であること。空売りの候補としては、ＲＳが最近３０を割った銘柄であることである。

Ｃ．移動平均

　私の取引手法は、ほとんどの場合、移動平均をベースとしてはいない。しかし、移動平均をベースとした戦略であるならば、買い銘柄は１０日移動平均と５０日移動平均よりも高値で推移している銘柄であり、空売り銘柄は１０日移動平均と５０日移動

平均よりも安値で推移している銘柄、ということになる。

D．新高値／新安値

２カ月ぶりの新高値／新安値更新を必要とするような取引戦略を執行することはあまりないが、そんな銘柄はコンピューターに認識させることにしている。その後、株価や日中平均取引量、スポンサーシップ（主要な投資資金）などを調べることになる。

２．株価

前述したように、私は株価の高い銘柄を好む。１０ドルの銘柄が３ドル動くのは３０％の変動率であるが、５０ドルの銘柄が３ドル動くのは６％の変動率でしかない。このことは常識とも思えるが、多くのトレーダーが低位株に殺到し、あたかも伝染病のように値嵩株を避けているのが現状である。したがって、３番目のルールとしては、株価が３０ドル、できれば４０ドル以上の銘柄を取引すること。

付属的要素

３．スポンサーシップ（主要な投資資金）

主要な取引参加者が参入し、資金が流入している状態の銘柄を買い、流出している状態の銘柄を空売りすべきなのである。スポンサーシップ（主要な投資資金）とは、株価の価格変動性を高めるもので、私はルイス・ネーベリアの『ＭＰＴレビュー』というニュースレターの助けを借りて、そんな銘柄を選択している。ルイスはどの業種に資金が流入し、どの業種から流失しているかを認識することで、投資を大成功に導いた男である。彼のニュースレターを購読されることを強くお勧めする。

４．流動性

いわゆる"勢いがある"と言われる銘柄のすべてを取引しているが、より流動性の低い（日中売買高平均が２０万株以下）の銘柄が、収益チャンスが大きいと思われる動きを示すときがある。したがって、マイクロソフト、シスコ・システムズ、ナイキなどを取引するのもよいが、それらに相当する流動性の低い銘柄を取引する方が効率的なのである。

さて、リストに載るためには、これまでのすべての要素に合致していなければならないのか？ そんなことはない‼ これらの要素は、取引戦略をより有効に運ぶために、幾つかの銘柄を浮かび上がらせてくれるものでしかないのである。私が実際に使

CHAPTER 4　CREATING THE HIT LIST

っていた銘柄リストを見てみると、すべての要素に合致しているのはほんの数銘柄でしかない。**リストで共通しているのは、すべての銘柄は高価格であり、トレンドが確認されていて、状況が整えば、直ちに動き出す銘柄、と言うことである。**

　リスト作成の詳細については、付録を参照していただきたい。参照していただければ、リスト作成上のプロセスを簡略化できることと思う。このリストを毎週作成することに慣れるまでには、時間を要するかもしれない。しかし、それは習慣となり、あなたは毎日、その日に注意を払うべき銘柄を認識していることになる。

PART 1

MAIN STRATEGIES

主要な取引戦略

　私の主要な取引戦略は、最高と思える4つの手法を反映したものである。もし私がトレードをするのに2つか3つの手法しか用いることを許されないとしたら、その戦略はこの4つの中から選ばれることになる。それは私の生活の糧であり、私をプロのトレーダーとして成り立たせてくれているものである。野球でいえば、私はチームにサンディー・コファックス、ロジャー・クレメンツ、ボブ・ギブソン、ウィティー・フォード、そしてノーラン・ライアンのピッチャー陣を抱えており、もしその中の1人がうまくいかなくても、ゲームを挽回し、勝利に導いてくれるプレーヤーが他に4人もいるのである。

　先に進む前に、ここで忠告を一言。この本で提示されている例は内容を理解するためのものであり、その多くは成功例である。実際には、負けトレードは勝ちトレードと混在している。しかし、提示されている例は、取引戦略によって導かれる収益可能性のレベルを表しているのである。

第5章　拡大ブレイクアウト
EXPANSION BREAKOUTS ™

幸運は、勇気ある者に微笑む。

シーザー

　２つの金言──
　１．新高値は"必ずしも"、買いではない。
　２．ブレイクアウトも様々である。

　これを悟るには、時間とカネを要した。最初のころ、高値を更新した銘柄は、"必ず"買わなければいけない、と思い込んでいた。その後、マーケットが反転し、ブレイクアウトで抱えたポジションに損が発生しているとき、この手法には何かが欠けていることに気が付いた。
　１日から５日間で、いつも収益に導いてくれるブレイクアウトを調べていたとき、ある共通点に気が付いた。最高のブレイクアウトは、過去９日間の中で最大の値幅を記録した日の後に発生していたのである。
　さらに、（これを私のすべての戦略に応用するようになったのだが）過去９日間で最大の値幅を記録した翌日は、拡大ブレイクアウトした日の上値で取引されていなければならない。前日からの買い圧力が、今日も継続しているのを確認するためである。
　最後に、最も成功したトレードでは、日中の押しの値幅は小さいため、このトレードが間違っていた場合に備えて入れた損切り注文はきつめに置くことが可能だった。

さて、そこで、拡大ブレイクアウトのルールを確認しておこう。

買いルール

1．今日（第1日目）、株価は過去2カ月間の高値を更新しなければならない（この手法では、ＡＤＸやＲＳを使わない。ただ単に、日中の値幅を拡大しながら、高値を更新していってほしいのである）。

2．今日の値幅（高値と安値の差）は、過去9日間で最大、または、最大のものと同じ。

3．上の2つが成立するならば、明日に限って、今日の高値の1／8ポイント上に買い注文を置く。

4．この買いに対する損切りは、**前日の終値の1ポイント下に置く**。

空売りルール（拡大ブレイクダウン）

1．今日（第1日目）、株価は過去2カ月間の安値を更新しなければならない。

2．今日の値幅（高値と安値の差）は、過去9日間で最大、または、最大のものと同じ。

3．上の2つが成立するならば、明日に限って、今日の安値の1／8ポイント下に売り注文を置く。

4．この売りに対する損切りは、**前日の終値の1ポイント上に置く**。

この手法を理解するため、いくつか例を見てみよう。

第5章　拡大ブレイクアウト

図表5.1　ナイキ

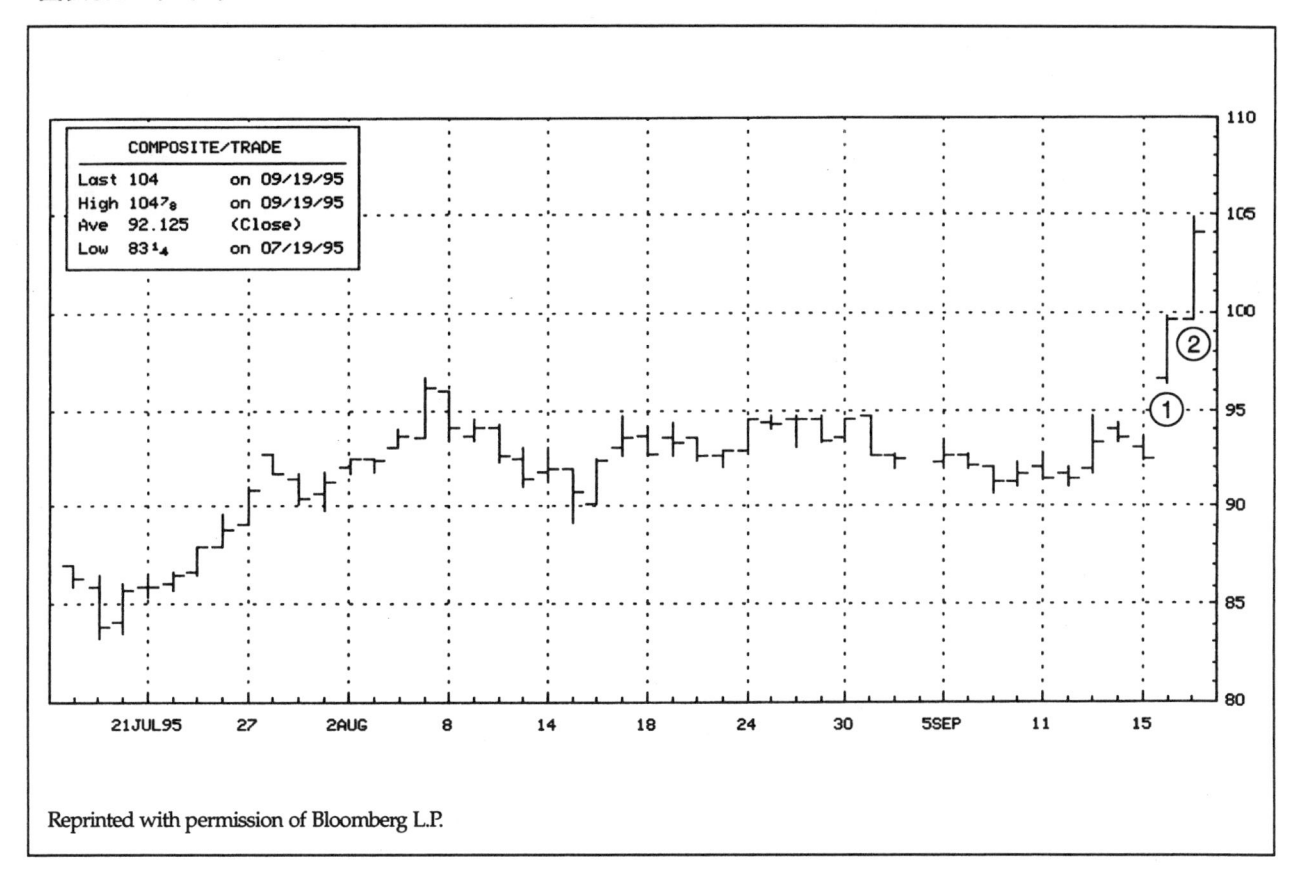

1．１９９６年９月１８日、ナイキは過去２カ月間の最高値を付け、その日中の値幅は過去９日間で最大である。明日、今日の高値である９９３／４ドルよりも１／８ポイント上で株価が取引されるなら、そこで買いポジションを建てる。

2．寄り付きは９９５／８ドル。株価は９９７／８ドルまで上昇し、そこで買う。これに対する損切りを、前日の終値である９９５／８ドルの１ポイント下に置く。前日からの拡大ブレイクアウトは続き、株価は１０４ドルでこの日の取引を終える。これは、買値から４１／８ドル上である。

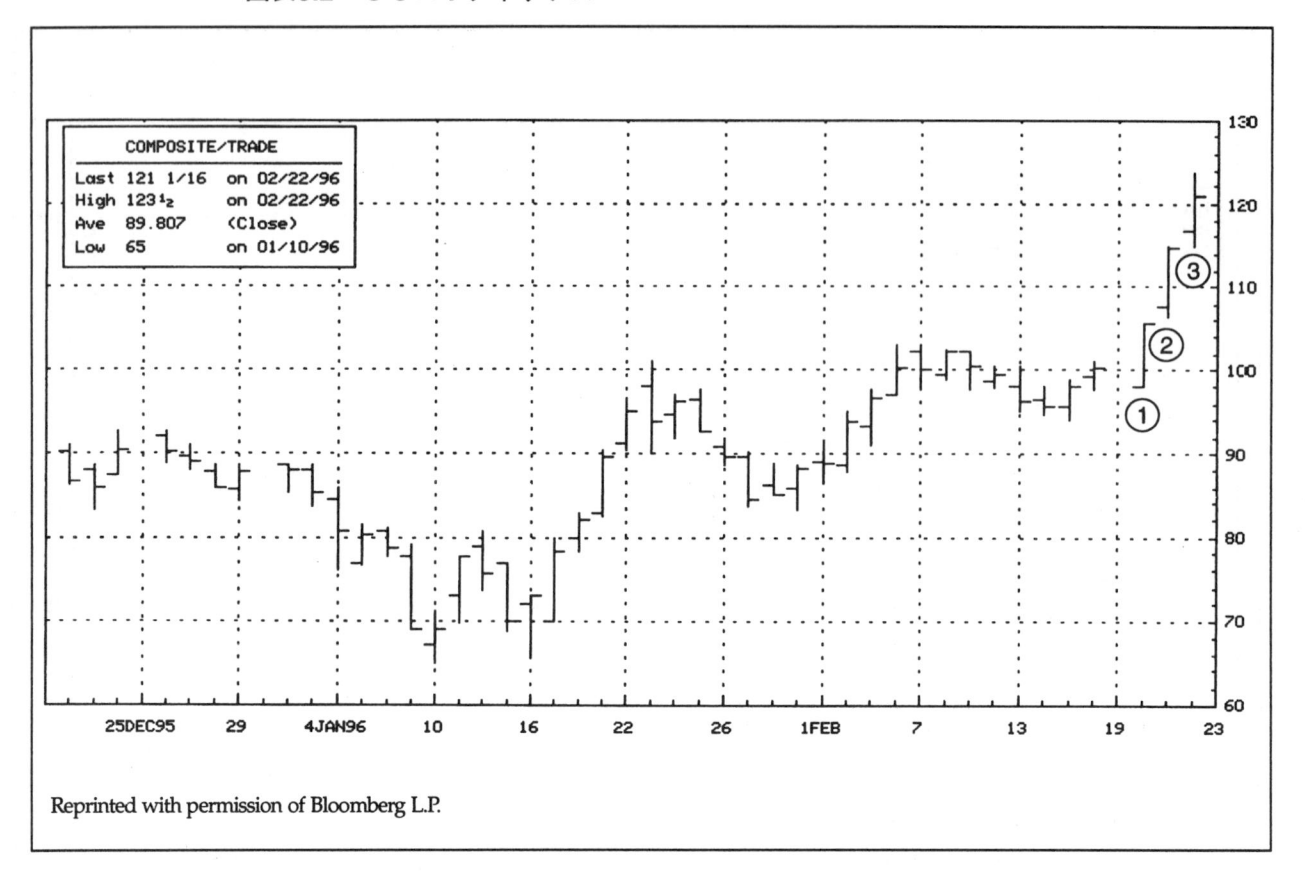

CHAPTER 5 EXPANSION BREAKOUTS ™

図表5.2　ＵＳロボティックス

```
COMPOSITE/TRADE
Last  121 1/16  on 02/22/96
High  123 1/2   on 02/22/96
Ave   89.807    (Close)
Low   65        on 01/10/96
```

Reprinted with permission of Bloomberg L.P.

　１．１９９６年２月２０日、ＵＳロボティックスは過去９日間で最大の値幅を示し、過去２カ月間の最高値を付ける。

　２．翌日の朝、株価は前日の最高値よりもさらに高い値で寄り付き、上に窓を空けた。１０７１／２ドルで、買い注文が通る。前日の終値の１ポイント下の１０４３／４ドルに損切りを置く。株価は１０６１／２ドルまで売られるが、上昇トレンドを取り戻し、買値から７１／４ドル上で取引を終了。

　３．株価は、その次の日も上昇を続け、１２３１／２ドルまで上げる。

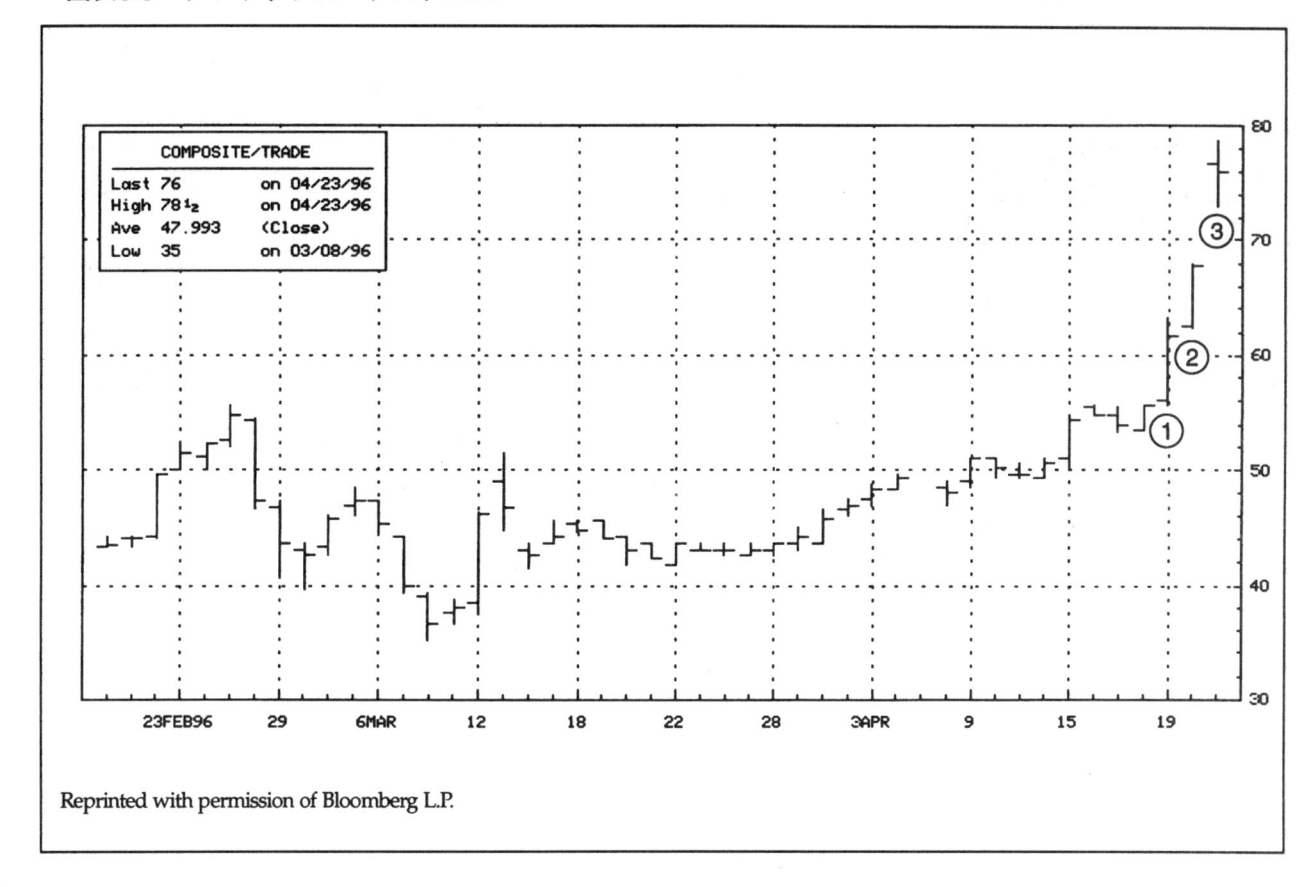

図表5.3　シトリックス・システムズ

　1．１９９６年４月１９日、シトリックス・システムズは拡大ブレイクアウトした。

　2．翌日、コンピューターのソフトウエア・サーバーを製造しているこの会社の株価は、前日の高値よりも1／8ポイント高で取引され（これについては、株価に大きな窓があったとしても、私は有効とする）、６３ ３／８ドルで買い注文が通る。損切りを前日の終値の１ポイント下の６０ ３／４ドルに置く。

　3．時として、利口であることよりもツイていることの方が重要なときがある。次の朝、株価は上に向かって爆発し、寄り付きは７６ ３／４ドル。買値から１３ ３／８ドル上だった。

　一言、言っておくと、株価のこんな動きが起こると、興奮させられる。しかし実際には、これらは例外的な動きであり、必ずこのように推移する訳ではない。

CHAPTER 5 EXPANSION BREAKOUTS ™

図表5.4 シバ

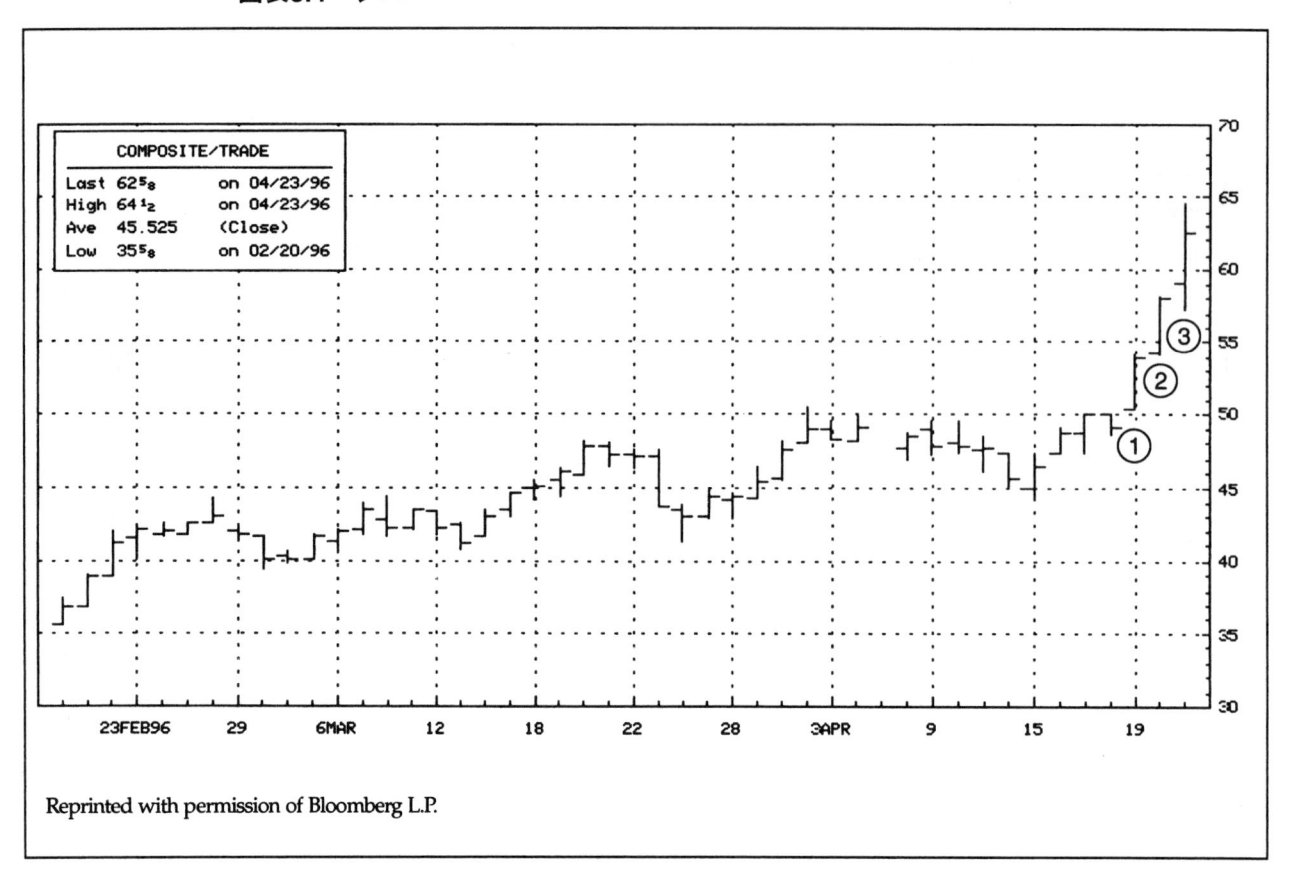

```
COMPOSITE/TRADE
Last  62 5/8    on 04/23/96
High  64 1/2    on 04/23/96
Ave   45.525   (Close)
Low   35 5/8    on 02/20/96
```

Reprinted with permission of Bloomberg L.P.

　収益に結びつけることのできる興味深い現象であり、知っていなければいけない現象の１つは、同業種の複数の銘柄が同じ日に拡大ブレイクアウトする、ということである。この現象は強烈なシグナルであり、認識したら必ず利用すること。このシバの例で分かるように、図表5.3のシトリックスが拡大ブレイクアウトしたその日に、同業種のシバも拡大ブレイクアウトしている。

１．拡大ブレイクアウト。

２．５４　3/8ドル（寄り付き）で買う。損切りは、５３ドル。

３．翌日の午後までに、株価は６４　1/2ドルまで上昇した。

第5章　拡大ブレイクアウト

図表5.5　オックスフォード・ヘルス

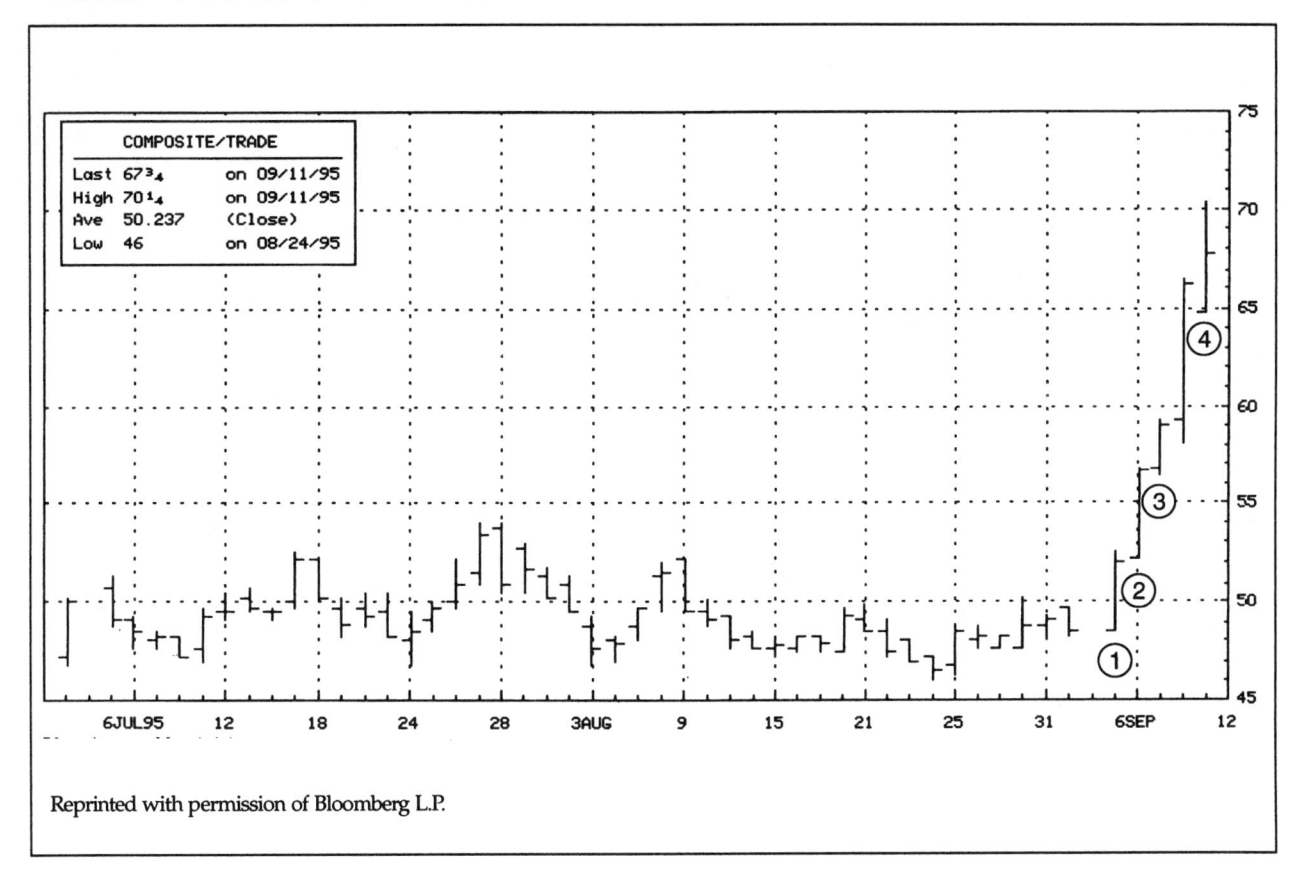

1．過去２カ月間での最高値ではないので、拡大ブレイクアウトではない。

2．拡大ブレイクアウトとしてのお膳立ては完璧。過去２カ月間の最高値を付け、かつ過去９日間で最大の値幅。

3．前日の終値から1／8ポイント上の５６ 3／4ドルで買い注文が通る。最初の損切りを５４ 3／4ドルに置く。

4．１週間で、株価は２０％上昇。

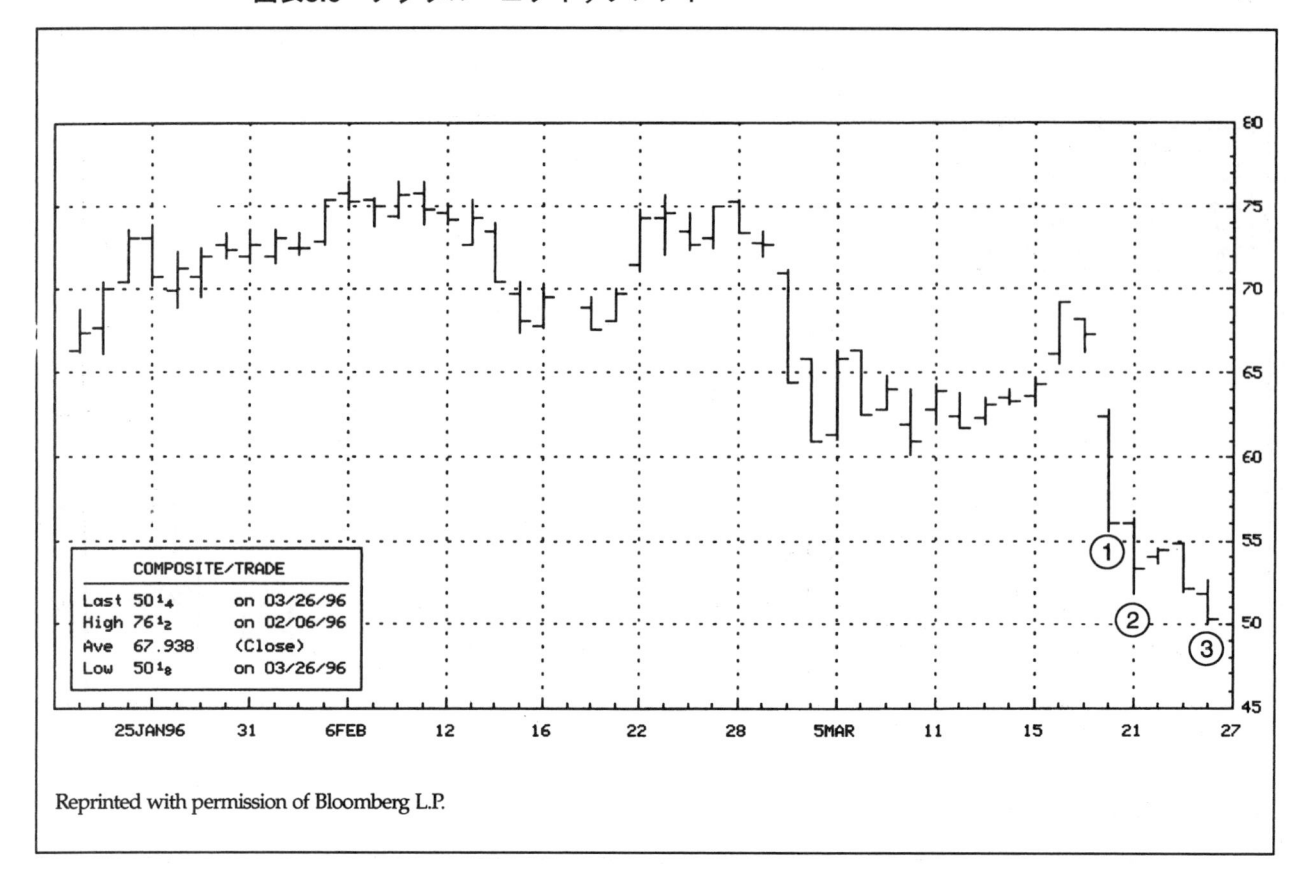

Chapter 5 EXPANSION BREAKOUTS ™

図表5.6　デジタル・エクイップメント

買いから入ることがほとんどだが、この戦略は、下降トレンドでも同等に有効である。

1．拡大ブレイクダウン。

2．株価は、前日の安値である５５　１／２ドルよりも１／８ポイント下で取引される。５５　３／８ドルで売り注文（空売り）が通り、前日の終値の１ポイント上の５７ドルに損切りを置く。この日の終値は５３　１／４ドルだった。

3．４日間で、株価は１０％下落した。

図表5.7　シロン

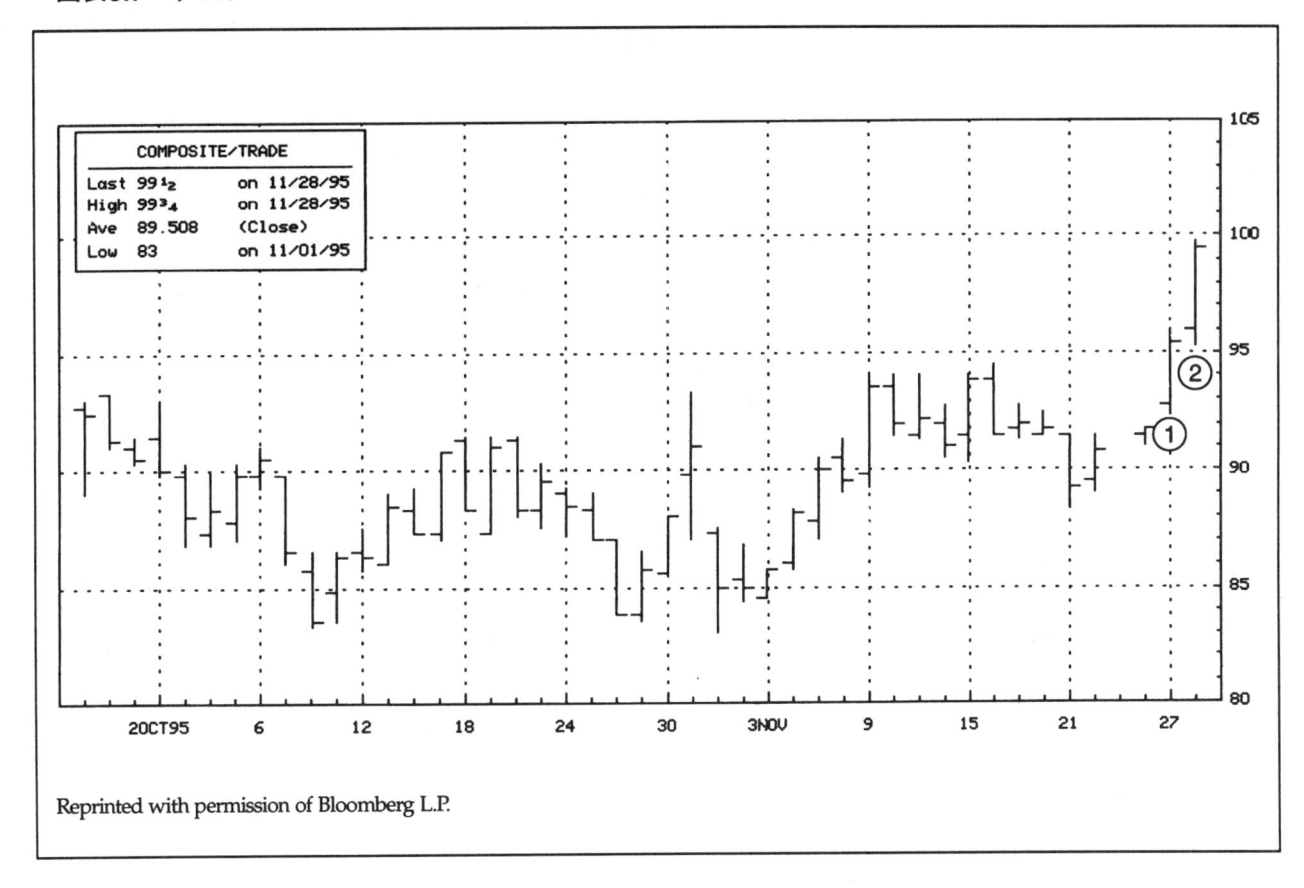

1．過去2カ月間の最高値を付け、かつ過去9日間で最大の値幅。

2．買い注文が96 1/4ドルで通る。この日の終値は、買値から4 1/2ドル上。

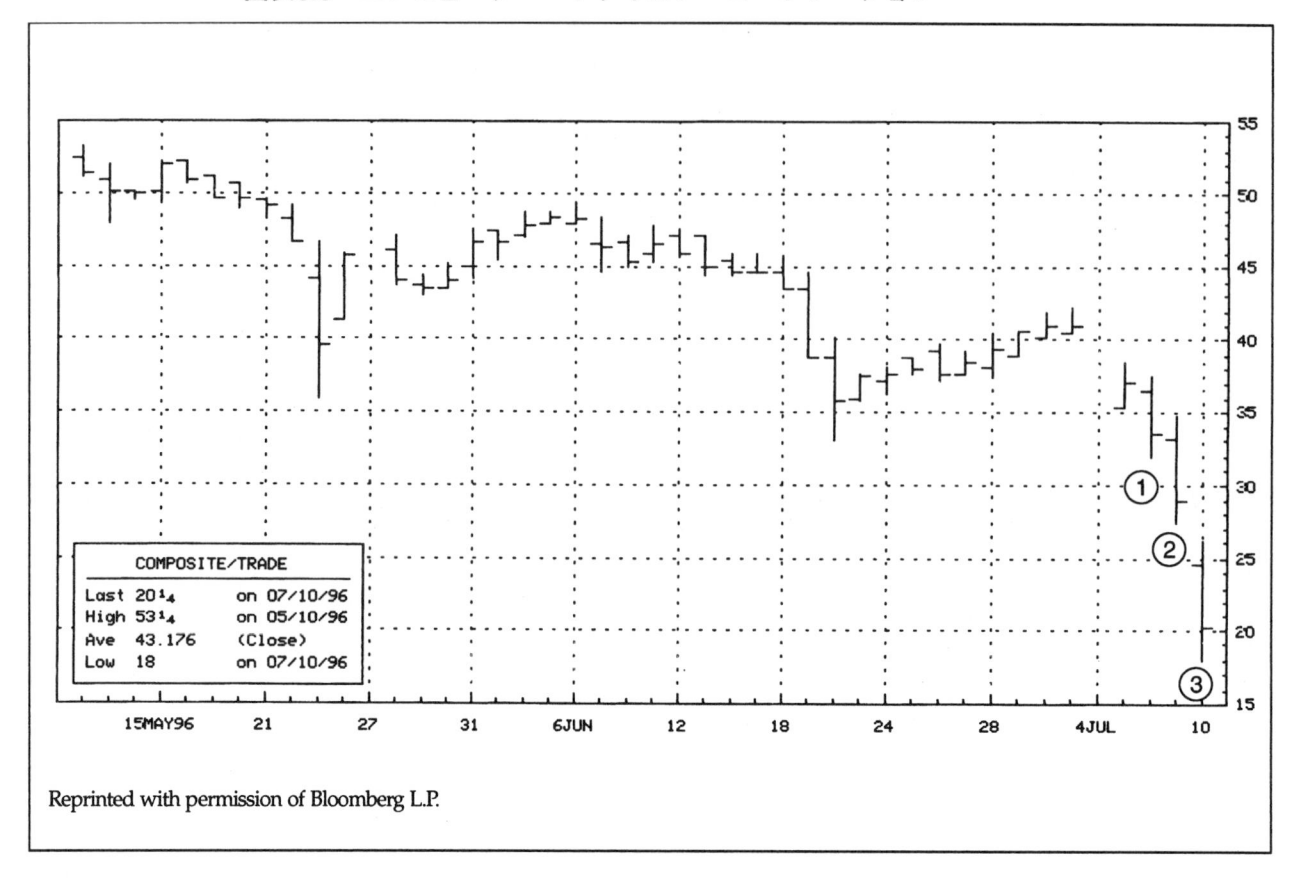

CHAPTER 5 EXPANSION BREAKOUTS ™

図表5.8　コンピューター・ホライズン・コーポレーション

```
COMPOSITE/TRADE
Last  20 1/4    on 07/10/96
High  53 1/4    on 05/10/96
Ave   43.176   (Close)
Low   18        on 07/10/96
```

Reprinted with permission of Bloomberg L.P.

1．過去１０日間で最大の値幅であり、かつ過去２カ月間での最安値。

2．３１ 7/8 ドルで売る。

3．継続的に売られ、株価は翌日に１８ドルまで売り込まれる。

まとめ

　なぜ、この戦略は成功するのか？　様々な事情が重なって、ではないかと思う。まず第一に、トレンド（新高値・新安値の継続性）が強い、ということ。第二に、実際問題として、大きなブレイクアウトは目につきやすい。勢いのある銘柄を好んで取引する多くの投資家、加えて、マーケットの強気を買い、弱気を売るタイプのファンドなど、このサインに注目しているトレーダーは多い。大きな値幅を伴ったブレイクアウトは、マーケットの目を引く。この現象は買いを呼び、その買いがもっと多くの買いを呼び込む。また、この現象はニュースに引き続いて発生することが多い——予想外の高収益、新商品、業者の銘柄推奨——このすべてが、その銘柄に注目を集める結果となる。そして、流動性の低い銘柄でブレイクアウトが発生することが少なくないことから、機関投資家にとってその銘柄を買い集めることは、しばしば困難を伴うことになる。したがって、機関投資家は高値で買わされることが多く、このことが株価をさらに上昇させることになる。

　全体的な状況を見極めるのは、トレーダーとしての仕事ではない。空売りにしろ、買いにしろ、探しているのは勢いを伴った短期的な株価の動きであり、その動きに乗ることである。ブレイクアウトは、まさにそのためのものである。強い持続性を伴ったブレイクアウトを探すとき、ここで示した手法はとても有効である。

第6章　1-2-3-4

1-2-3-4's

> 偶然に価値あることをなすことがないのと同様に、私の発明品も偶然ではない。努力の賜物なのだ。
>
> 　　　　　　　　　　　　　　　　　　　　　　　　トーマス・エジソン

　トレーダーとして直面しなければならない問題の中で最も難しいのが、押しや戻りがなく、直線的にトレンドが継続していく（ランナウエー）銘柄に対して、どのレベルで新規のポジションを建てるべきかを決断するときである（ランナウエー銘柄のトレンドは、極端に強い）。買い（または、空売り）の決断を下した銘柄に対して、その株価の動きがあまりにも速かったため、注文を執行する機会を得ることができなかった経験が、多くのトレーダーにはあるはずである。

　友人のラリー・コナーズが考案したこの1－2－3－4は、そんなとき、特に有効な手法である。ラリーはフルタイムのトレーダーで、トレーディングに関する優れた著書（『魔術師リンダ・ラリーの短期売買入門』パン・ローリング刊など）を何冊も出版している。

　コナーズがこの取引手法を開発していたとき気付いたのは、トレンドの強い銘柄はどのくらいの頻度でトレンドの進行を3日間だけ休止し、その後でトレンドを再開するか、であった。このトレンド休止期間を待つことで、どの銘柄が息を継いでいるのかを判断することができ、また、その株が新しいレベルに突き進む前に、そのトレンドに乗ることが可能になるのである。

このルールは以下の通りである。

買いルール

1．１４日間ＡＤＸが３０以上の銘柄であること。**この数値は、高ければ高いほどよい**。もし、ＡＤＸを使っていないのなら、ＲＳが９５以上であること。

2．１４日間＋ＤＩが１４日間－ＤＩを上回っている。

3．マーケットが１－２－３という株価調整局面（押し）を迎えるのを待つ。この局面では、株価は３日間続けて前日の安値を更新するか、もしくは、どんな組み合わせにしろ、２日間の安値更新と１日のはらみ足（インサイド・デイ）という３日間を形成する。図表6.1、図表6.2を参照すると分かりやすい。

4．そんな３日間の後の４日目に限り、３日目の高値から1／8ポイント高い付近に買い注文を置く。

5．買い注文が通ったら、３日目の安値付近に最初の損切りを置く。

6．株価が上昇するのに伴って、損切り（仕切り）注文のレベルを上げていくことも忘れずに。このパターンでは、株価が上昇する可能性が高いため、私の場合、損切り（仕切り）注文に幾分余裕を持たせる。

空売りルール

１．１４日間ＡＤＸが３０以上の銘柄であること。この数値は、高ければ高いほどよい。

２．１４日間－ＤＩが１４日間＋ＤＩを上回っている。

３．マーケットで１－２－３という戻りを確認。３日連続で高値を更新するか、もしくは２日間の高値更新と１日のはらみ足（インサイド・デイ）という組み合わせを形成する。

４．そんな３日間の後の４日目に限り、３日目の安値から1／8ポイント安い付近に売り注文を置く。

５．売り注文が通ったら、３日目の高値付近に最初の損切りを置く。

６．株価が下落するのに伴って、損切り（仕切り）注文のレベルも下げていく。

CHAPTER 6 1-2-3-4'S

図表6.1 フィラ

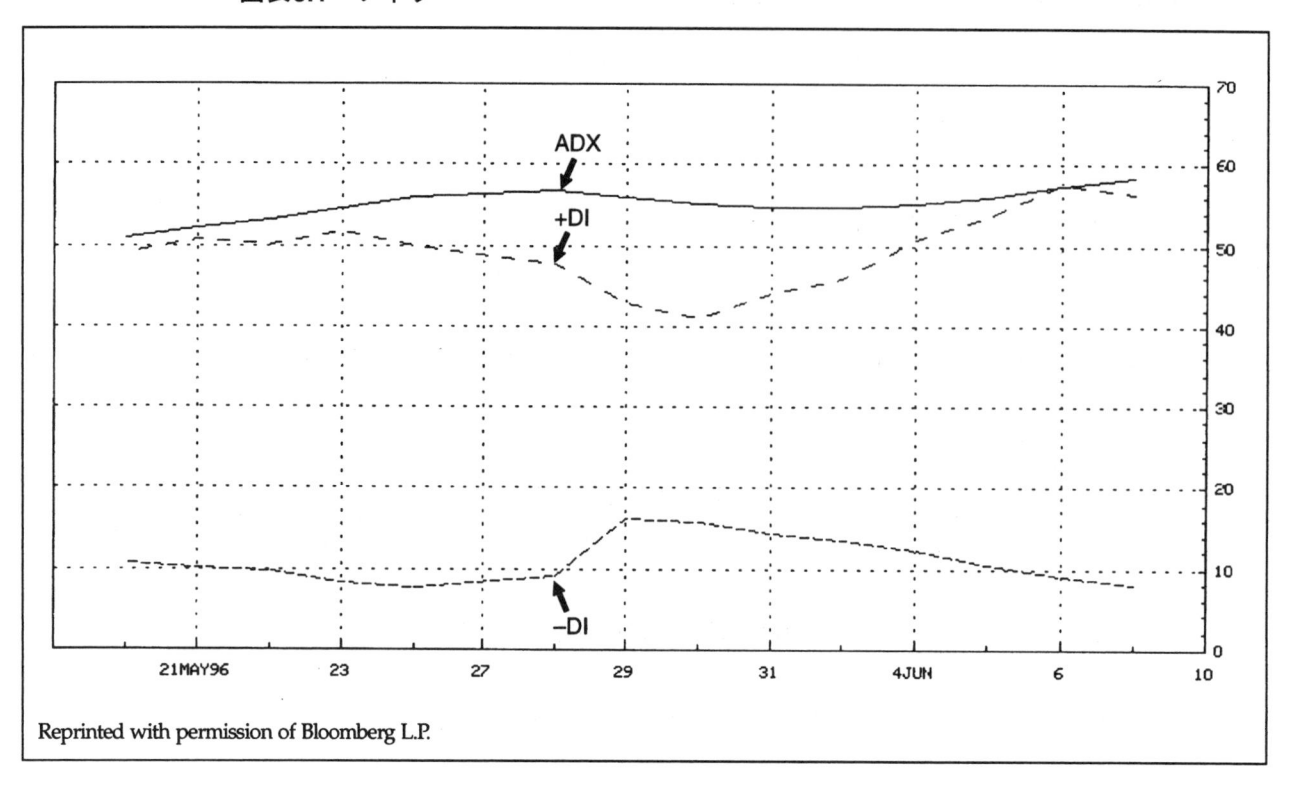

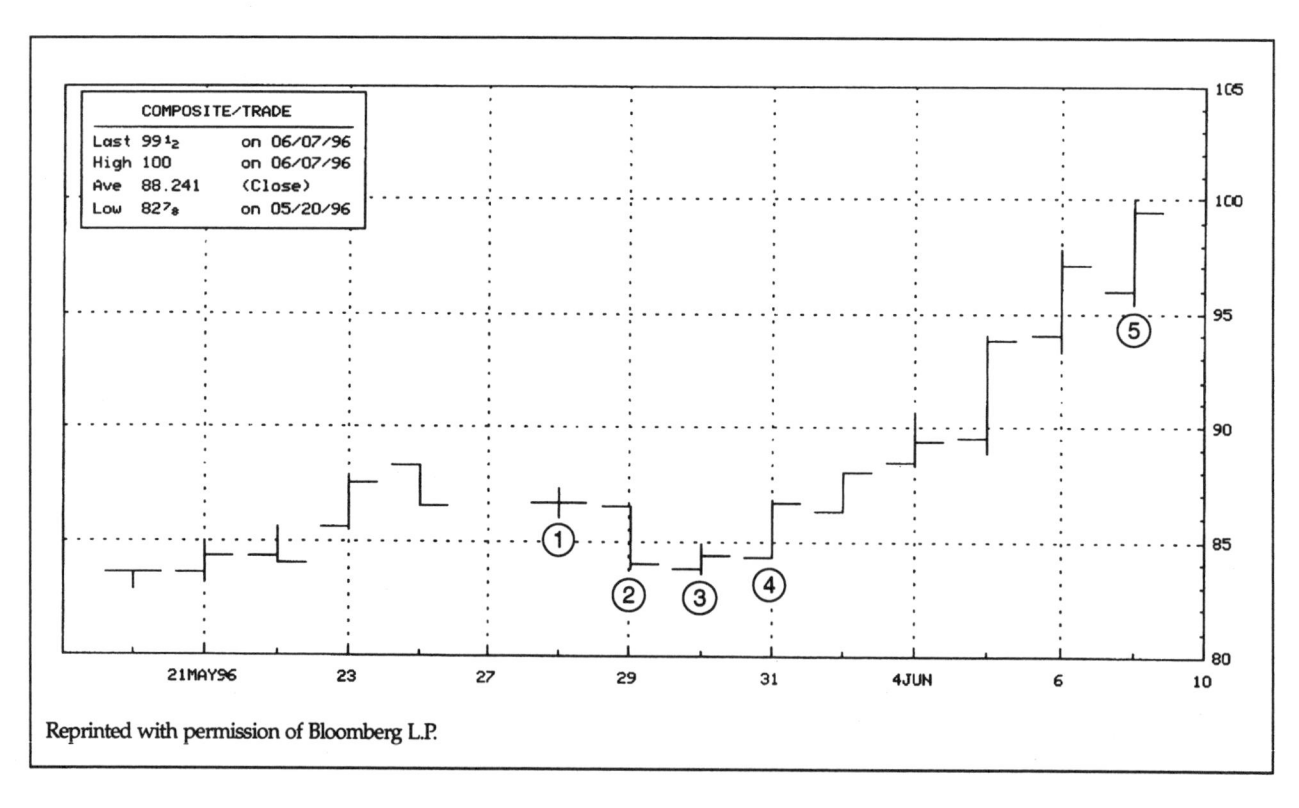

Reprinted with permission of Bloomberg L.P.

Reprinted with permission of Bloomberg L.P.

５月後半、フィラは強い上昇トレンドで高値を更新している。ＡＤＸは５０を超え、＋ＤＩは－ＤＩよりも大きい。

１．最初の安値更新。

２．２番目の安値更新。

３．３番目の安値更新。

４．８５１／８ドル（３の高値の1／8ポイント上）で買う。

５．株価は上昇トレンドを取り戻し、６営業日で１５ポイント上昇。

CHAPTER 6 1-2-3-4'S

図表6.2　アクセス・ヘルス

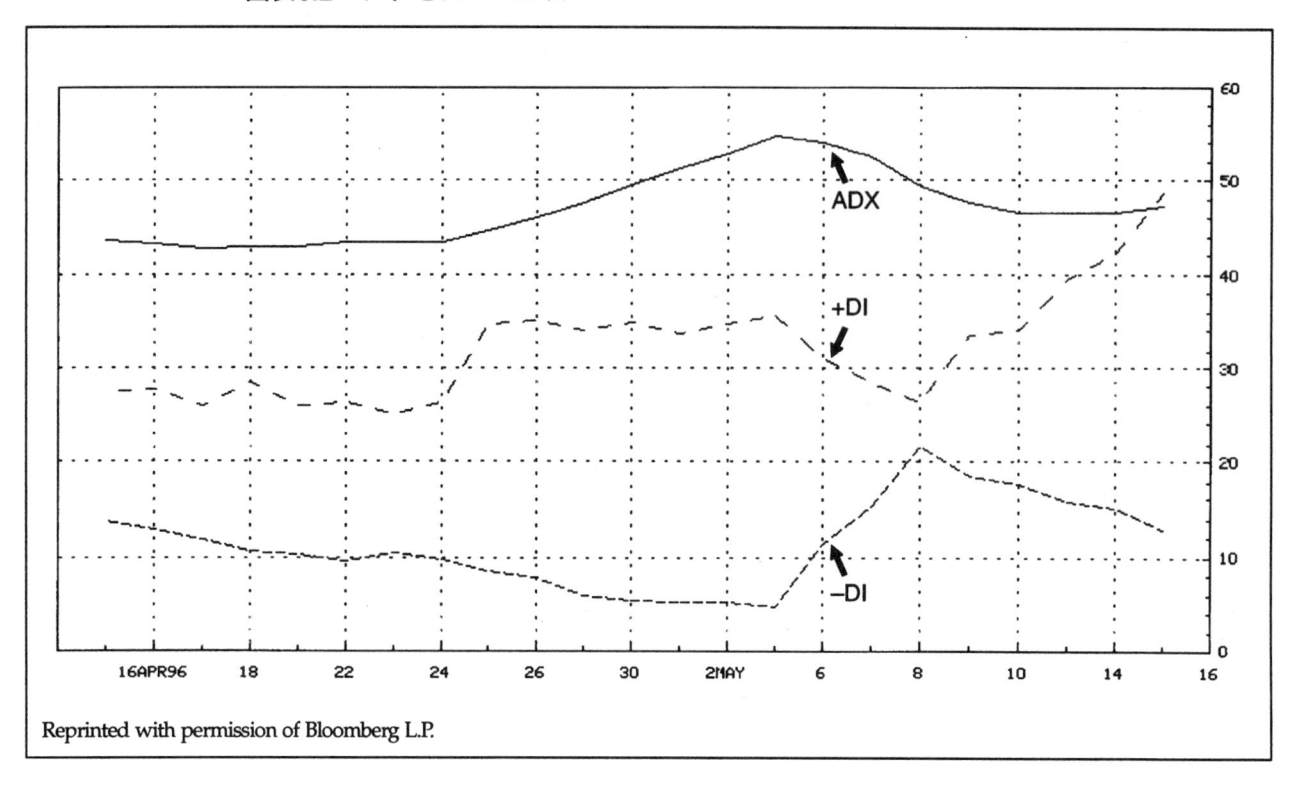

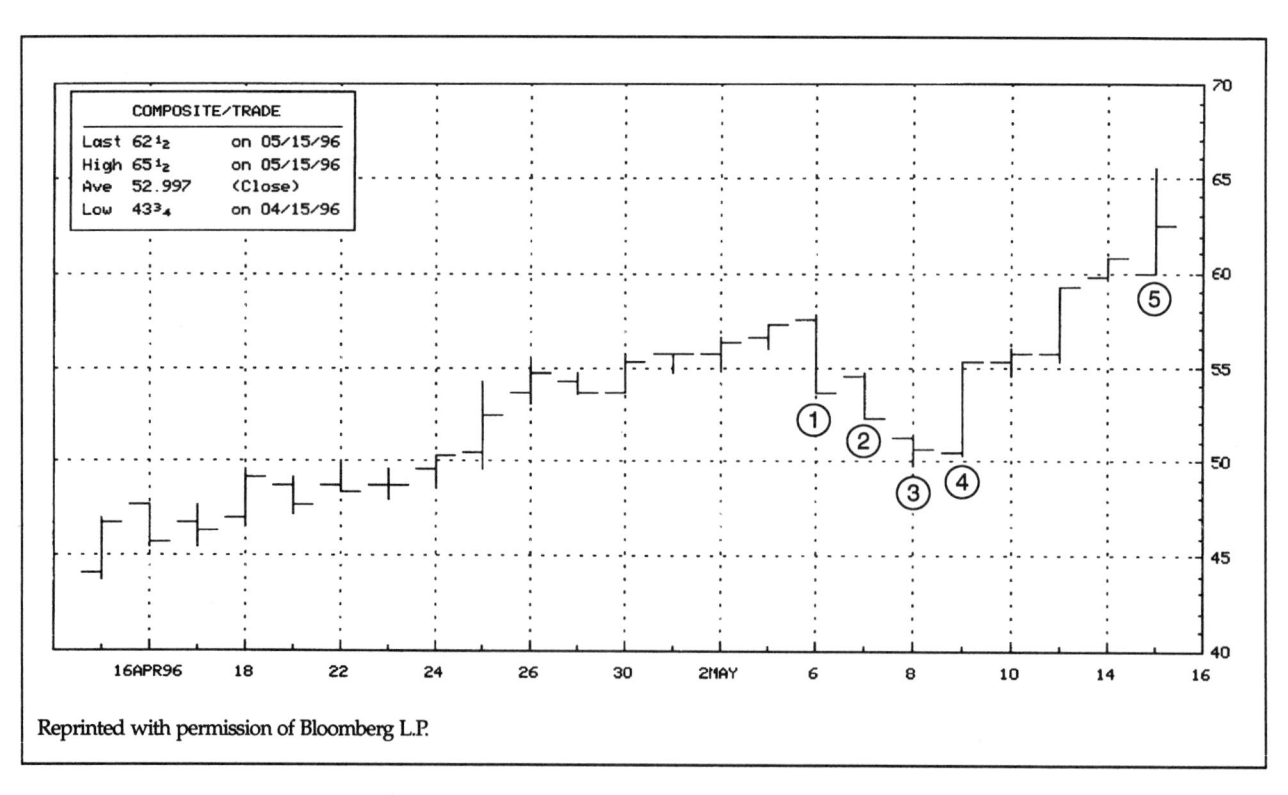

アクセス・ヘルス株は上昇トレンドにあり、ADXも高い。

1．最初の安値更新。

2．2番目の安値更新。

3．3番目の安値更新。

4．3日目の高値より1／8ポイント上の５１ ５／８ドルで買う。損切りは４９ ３／４ドルである３日目の安値付近に置く。

5．株価は火を噴き、買値から１４ポイント上昇する。

図表6.3 マイクロン・テクノロジーズ

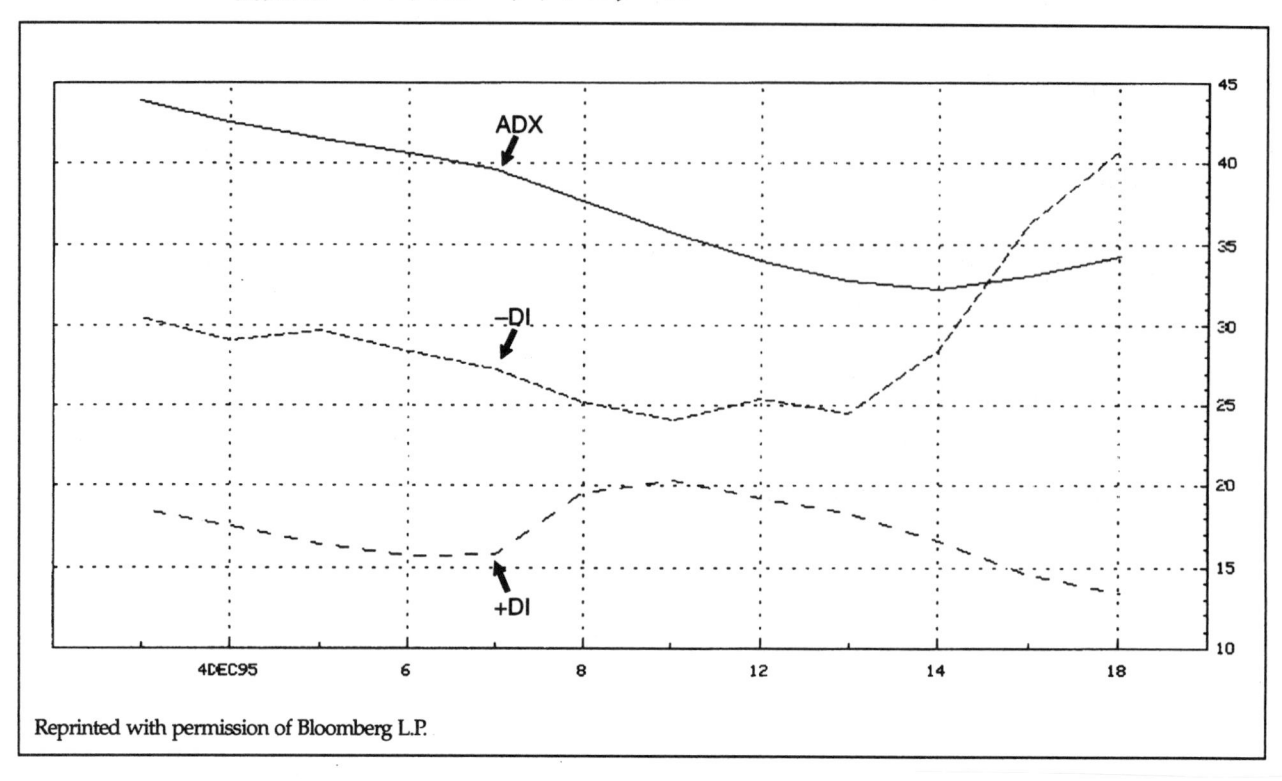

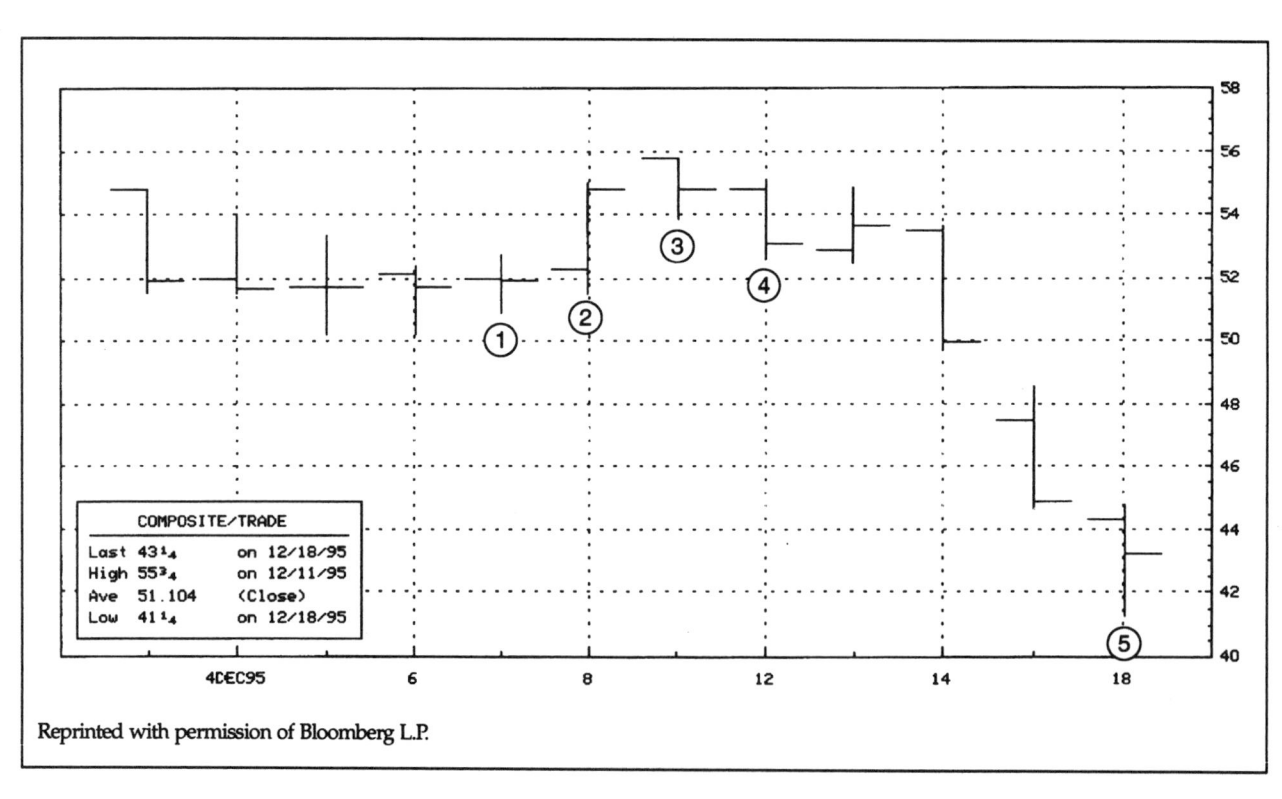

Reprinted with permission of Bloomberg L.P.

Reprinted with permission of Bloomberg L.P.

空売りでも、この戦略は有効である。ここでの例は、セミコンダクター関連の銘柄が値下がりしたときのものである。

マイクロン・テクノロジーズのＡＤＸは３０以上。－ＤＩは＋ＤＩを上回っている。したがって、株価は下降トレンドである。

1．最初の高値更新。

2．２番目の高値更新。

3．３番目の高値更新。

4．５３ ３／４ドルで売る。

5．５営業日で１２ポイントの収益。

CHAPTER 6 1-2-3-4'S

図表6.4 ルクソティカ・グループ

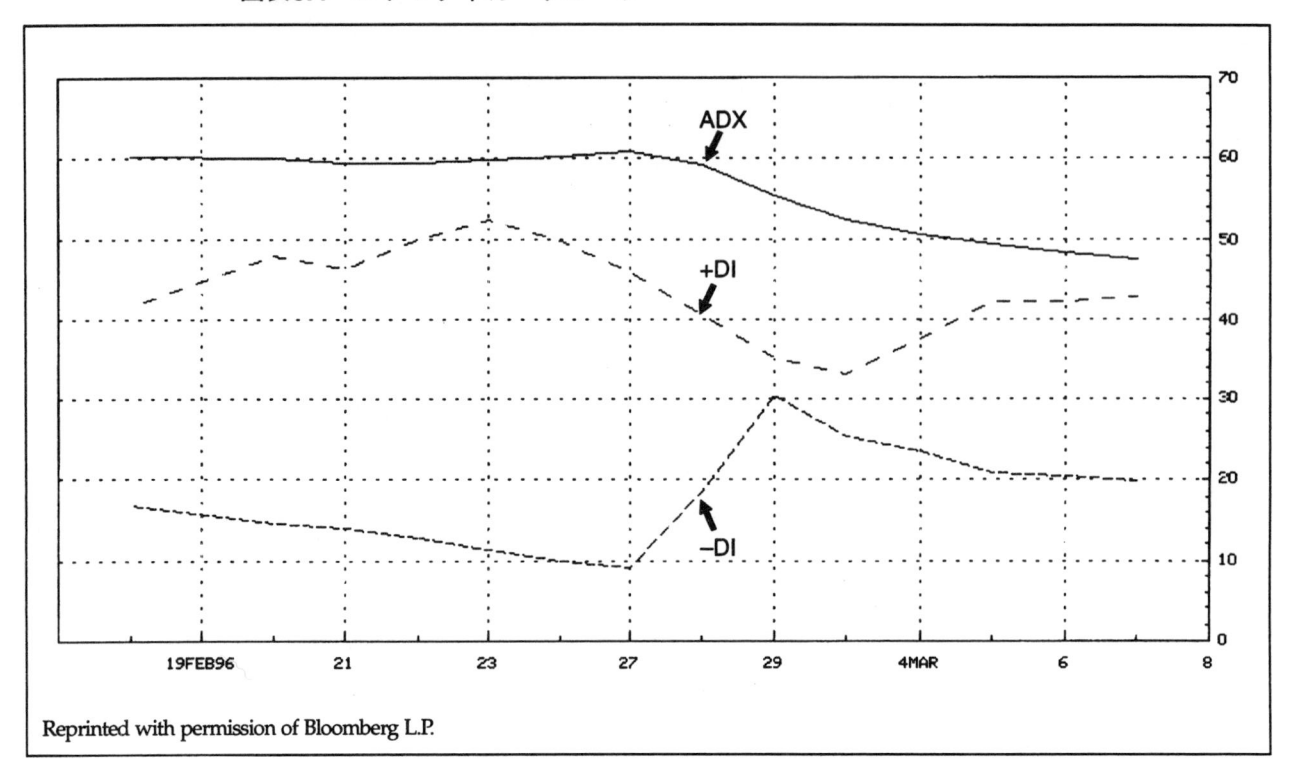

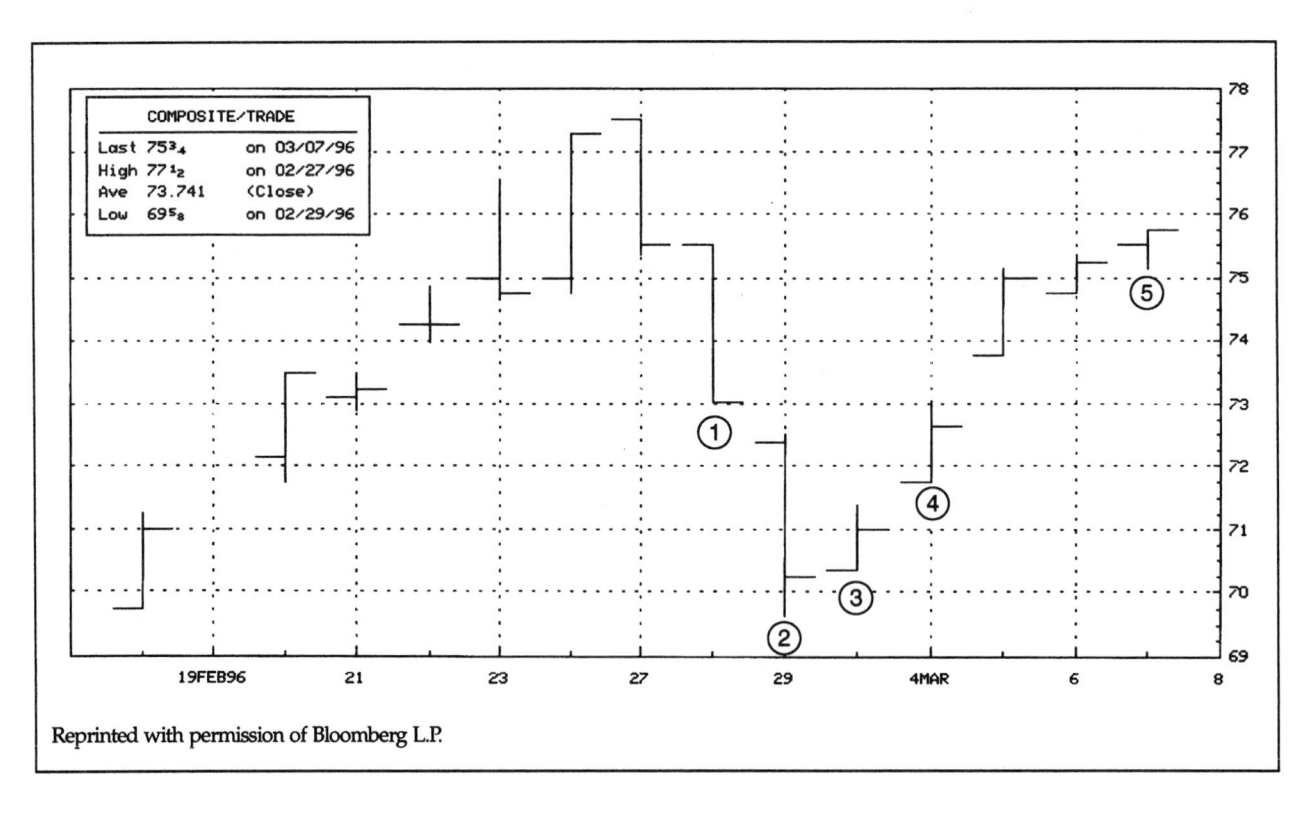

Reprinted with permission of Bloomberg L.P.

Reprinted with permission of Bloomberg L.P.

１９９６年２月末、ルクソティカ・グループのＡＤＸは３０以上、＋ＤＩは－ＤＩを上回っている。

１．最初の安値更新。

２．２番目の安値更新。

３．はらみ足（インサイド・デイ）。

４．寄り付きは前日の高値よりも上である。７１　３／４ドルで買う。

５．次の数日で、株価は買値から４ポイント上昇する。

CHAPTER 6 1-2-3-4's

図表6.5 ナスダック１００指数

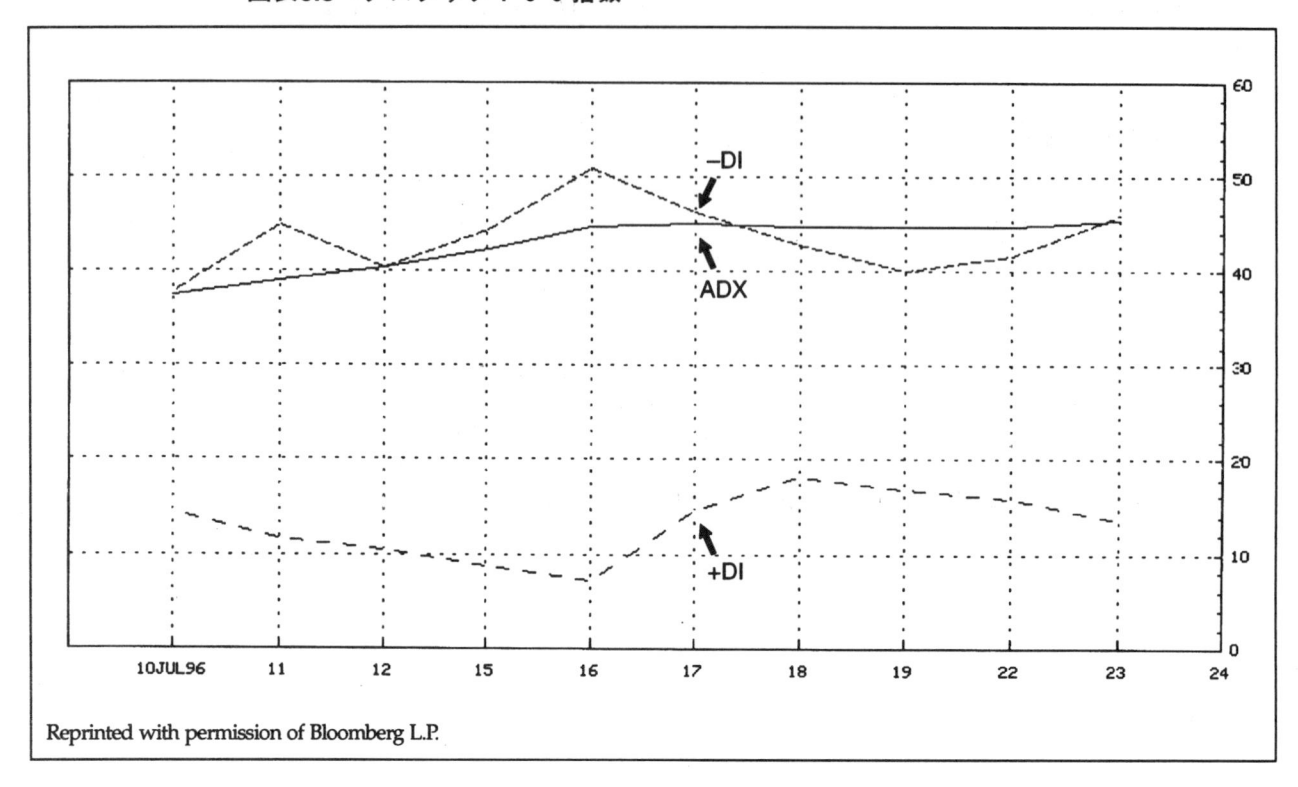

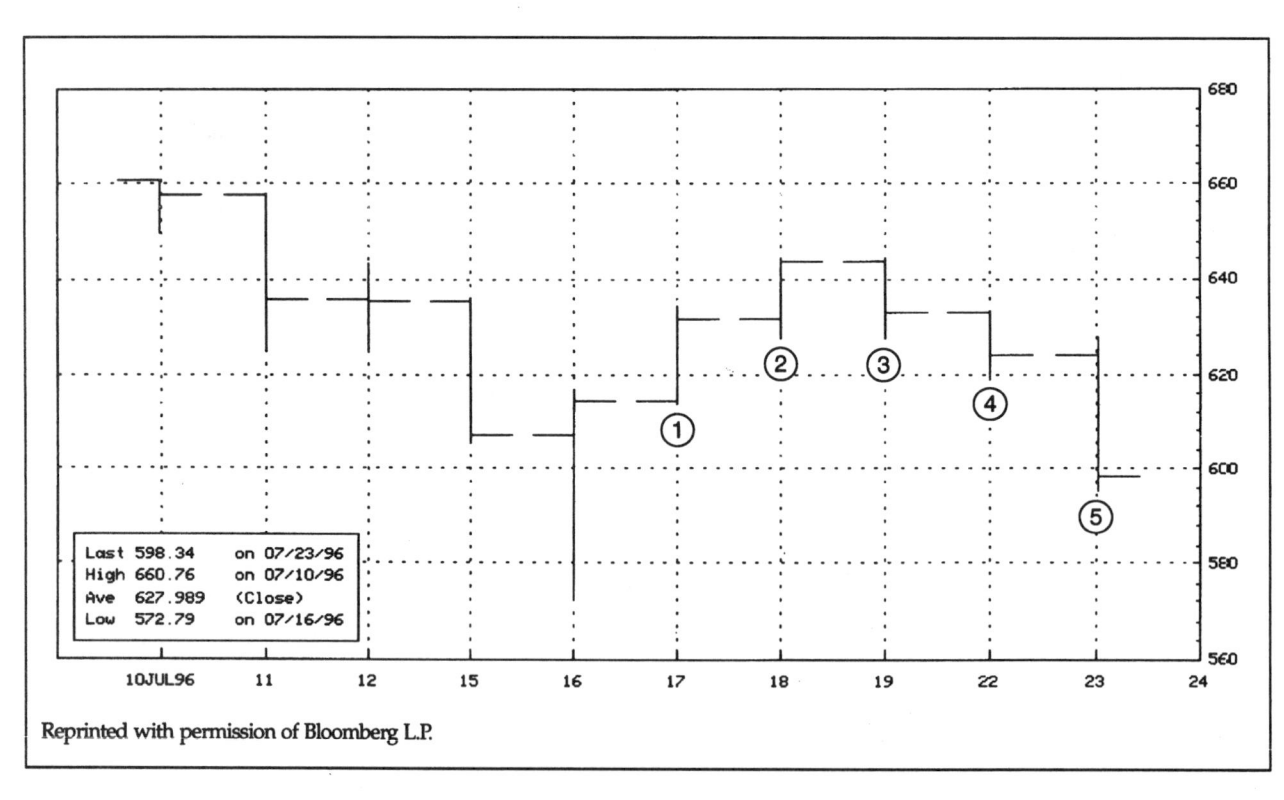

Reprinted with permission of Bloomberg L.P.

```
Last  598.34    on 07/23/96
High  660.76    on 07/10/96
Ave   627.989  (Close)
Low   572.79    on 07/16/96
```

Reprinted with permission of Bloomberg L.P.

第6章 1-2-3-4

　１９９６年の夏、ナスダックはひどく売り込まれていた。この指数のＡＤＸは３０以上、－ＤＩは＋ＤＩを大きく上回っていた。

　１．最初の高値更新。

　２．２番目の高値更新。

　３．はらみ足（インサイド・デイ）。

　４．売り注文が通る。

　５．この日だけで、指数は３０ポイント下げる。

CHAPTER 6 1-2-3-4'S

図表6.6　ネットスケープ

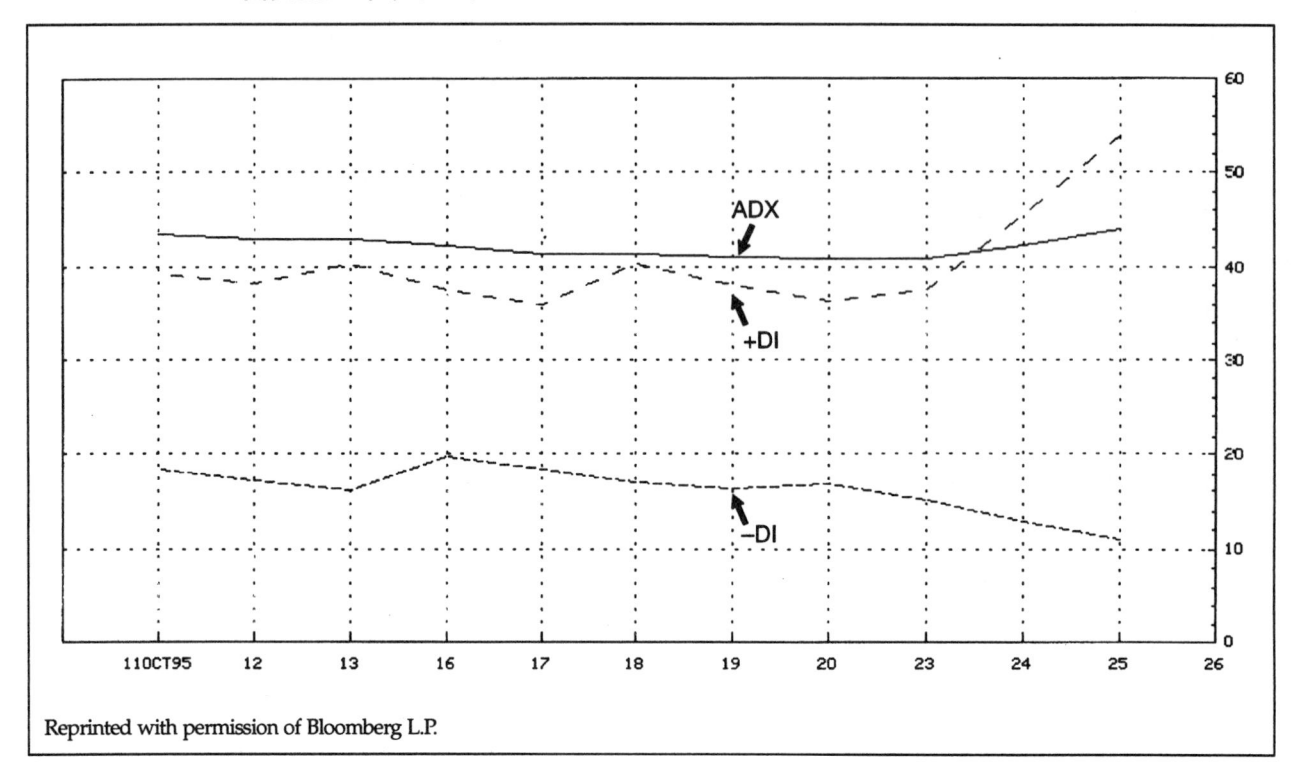

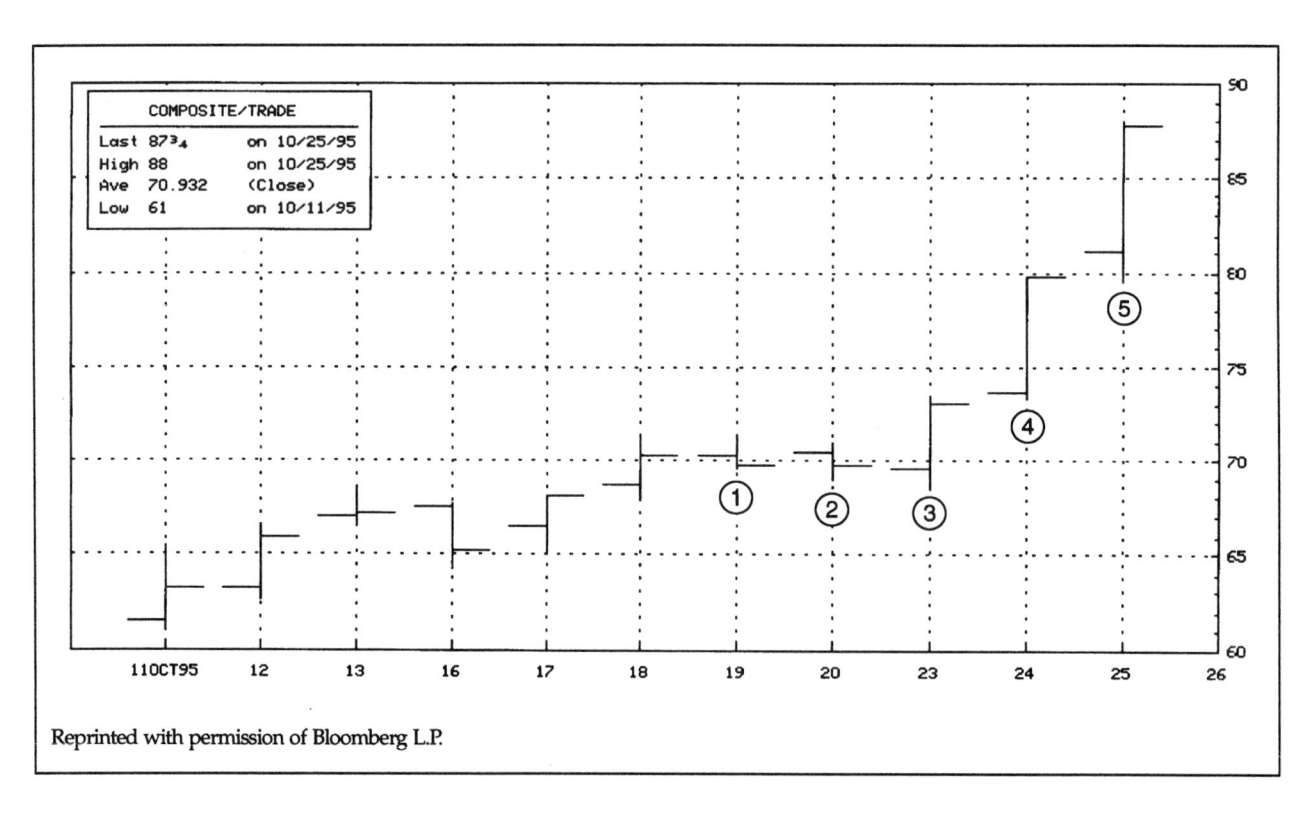

Reprinted with permission of Bloomberg L.P.

COMPOSITE/TRADE
Last 87³⁄₄ on 10/25/95
High 88 on 10/25/95
Ave 70.932 (Close)
Low 61 on 10/11/95

Reprinted with permission of Bloomberg L.P.

この１－２－３－４戦略の買いパターンを探しているなら、熱狂的な相場を呈している業種に見つけることができる。
　この例は、１９９５年後半、インターネット熱がマーケットを襲ったとき、ネットスケープ株が示した動きである。

１．はらみ足（インサイド・デイ）。

２．安値更新。

３．安値更新。

４．７３ 3／4ドルで買う。

５．２日間での収益は１４ 1／4ドル（株価は、６週間後に１７４ドルに達する！）。

まとめ

　私が用いる４つの主要な取引戦略の中で、１－２－３－４のパターンが形成されることは一番少ない。しかし、頻度が低いという事実は、この戦略で収益を導く可能性が高いことで相殺されている。私の場合、空売りにしろ、買いにしろ、高収益であったトレードの幾つかはこの戦略を用いたものであった。

　明らかに、すべてのランナウエー・マーケットに３日間の休息日がある訳ではない。それは、１日や２日、４日や５日だったりする。しかし、このパターンに最も共通する休息日は、３日なのである。したがって、通常、私は休息日３日でトレードする。他の戦略でもそうだが、この戦略で最初に抱えるリスクは低い。そして、この手法では、高い収益がもたらされるのである。

第7章　拡大ピボット
EXPANSION PIVOTS ™

　　兵力が強大であればあるほど、運にも恵まれることになる。
　　　　　　　　　　　　　　　　　　　マーカス・デ・セヴィーン

　拡大ピボットもまた、日中の値幅の拡大を利用した手法で、機関投資家がある銘柄を買い集めていたり、放出していたりするときに見られるパターンである。

　長年の間に、株価が５０日移動平均線の付近をしばらく推移した後、突然、大幅に上昇したり、下降したりするのを何度も経験した。このトレンドは、少なくともその後、２日間は続き、私のようなトレーダーに収益の機会を与えてくれる。

　なぜ、５０日移動平均線が重要なのか？　それは単に、多くのトレーダーや機関投資家がそれを重要な指標として使っているから、ということである。したがって、そのレベルから株価が大きく動くことは、多くの取引参加者の注意を集めることになる。参加者たちは、株価が移動平均線から離れるにつれて、買いであれ空売りであれ、トレンドに乗ってくる。

　次に例を幾つか紹介するが、５０日移動平均線からの乖離がどんなに意味深いか、分かっていただけると思う。

CHAPTER 7 EXPANSION PIVOTS ™

このルールは以下の通りである。

買いルール

1．今日の値幅が過去９日間の値幅よりも大きい。

2．昨日もしくは今日、株価はその５０日移動平均線と同じか、もしくは下回っている。そして、株価は急上昇を始める。

3．明日、値幅拡大した今日の高値の1/8ポイント上で、買う。

4．最初の損切りは、**今日（値幅拡大した日）の終値の１ポイント下に置く。**

空売りルール

1．今日の値幅が過去９日間の値幅よりも大きい。

2．昨日もしくは今日、株価はその５０日移動平均線と同じか、もしくは上回っている。そして、株価は急下降を始める。

3．明日、値幅拡大した今日の安値の1/8ポイント下で、売る。

4．最初の損切りは、**今日（値幅拡大した日）の終値の１ポイント上に置く。**

図表7.1　ＩＢＭ

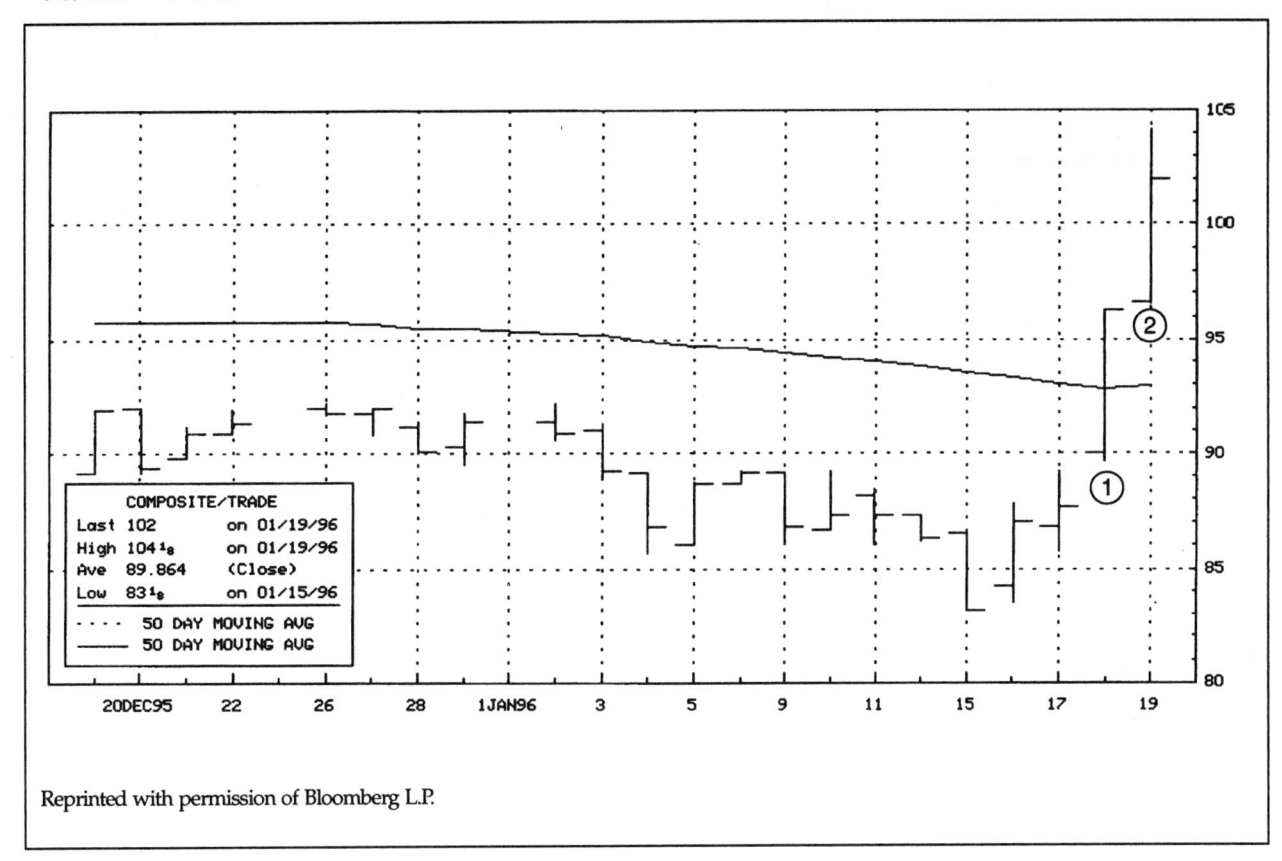

```
                                    COMPOSITE/TRADE
                                Last 102        on 01/19/96
                                High 104 1/8    on 01/19/96
                                Ave  89.864     (Close)
                                Low  83 1/8     on 01/15/96
                                .... 50 DAY MOVING AVG
                                ─── 50 DAY MOVING AVG
```

Reprinted with permission of Bloomberg L.P.

　１．１９９５年１月１８日、ＩＢＭはその５０日移動平均線を突き破って上昇。同時に、この日の値幅は過去９日間で最大。この日の高値である９６１／４ドルよりも１／８ポイント高い値が翌日に付けば、そこで買う。損切りは、この日の終値の１ポイント下の９５１／４ドルに置く。

　２．寄り付きは９６５／８ドル。買い出動のシグナルを得て、ここで買う。ご覧のように、安値は９６１／２ドル。終値は、買値から５３／８ドル上昇。

　ここで一言申し上げておきたいのは、こんな状況のとき、中期的に株価は大きく動くことが多い。この例の場合も、ＩＢＭ株は次の５週間で１２８７／８ドルまで買われたのである。

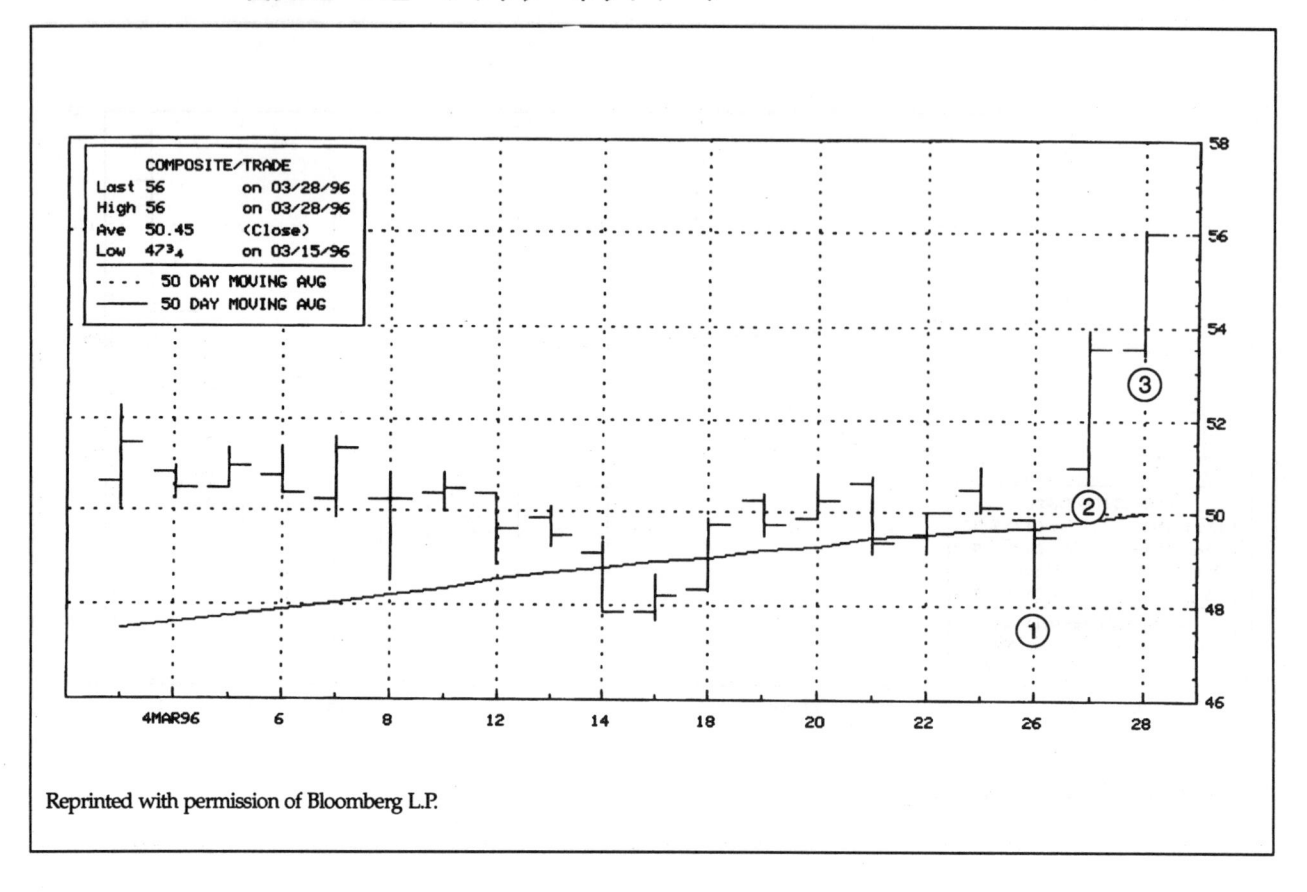

CHAPTER 7 EXPANSION PIVOTS ™

図表7.2 ニューブリッジ・ネットワーク

Reprinted with permission of Bloomberg L.P.

1．ニューブリッジ・ネットワークは、５０日移動平均線の付近で取引されていた。

2．翌日、株価は急上昇。過去１０日間で最大の値幅となる。

3．前日の高値の1／8ポイント上で買う。買値の２ポイント上で取引終了。

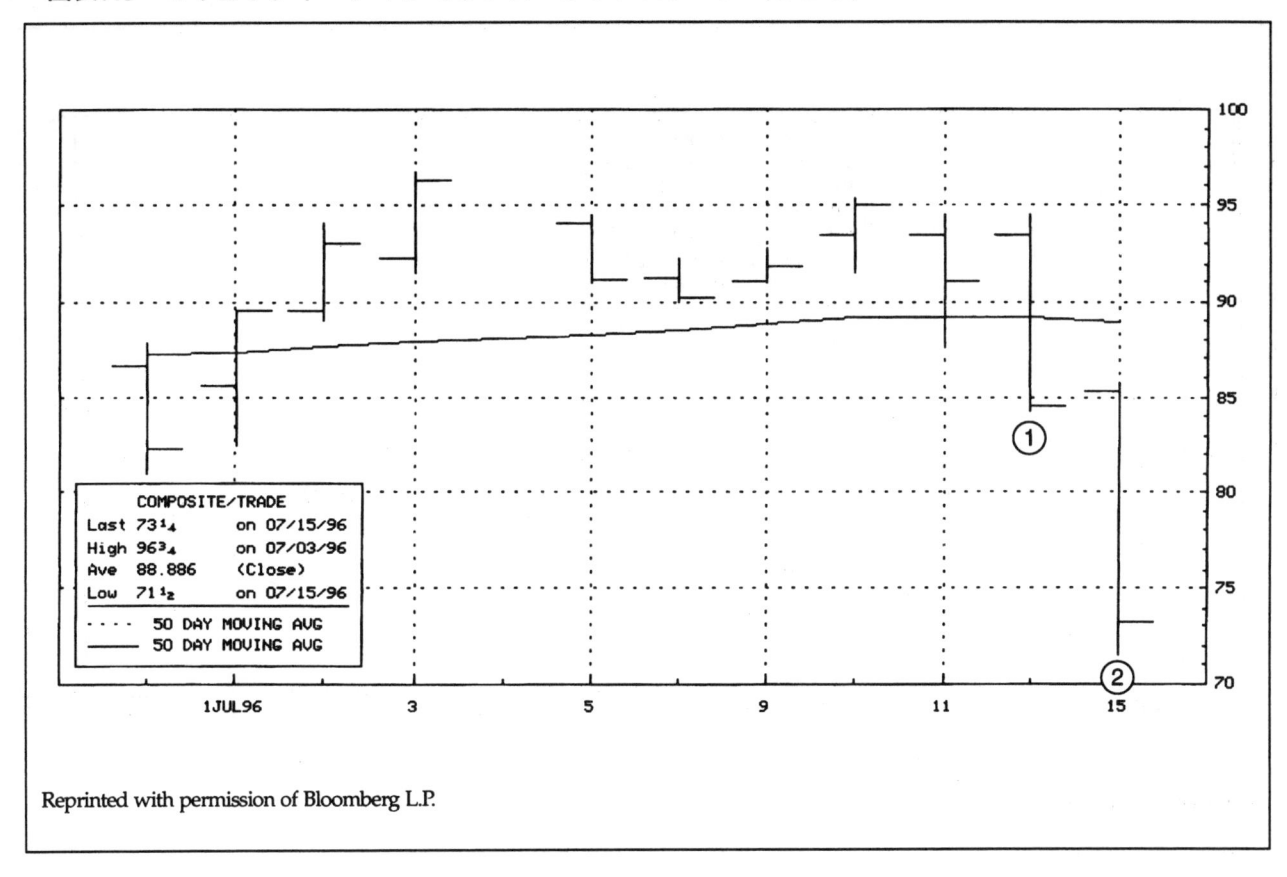

図表7.3　セキュリティ・ダイナミックス・テクノロジーズ（ＳＤＴ）

Reprinted with permission of Bloomberg L.P.

　１．ＳＤＴは、５０日移動平均線を下に抜け、過去１０日間で最大の値幅となる。

　２．前日の安値の1／8ポイント下、８４ 1／2ドルで売る。機関投資家の株放出で、その日のうちに１１ポイント下げる。

CHAPTER 7 EXPANSION PIVOTS ™

図表7.4　フィラ

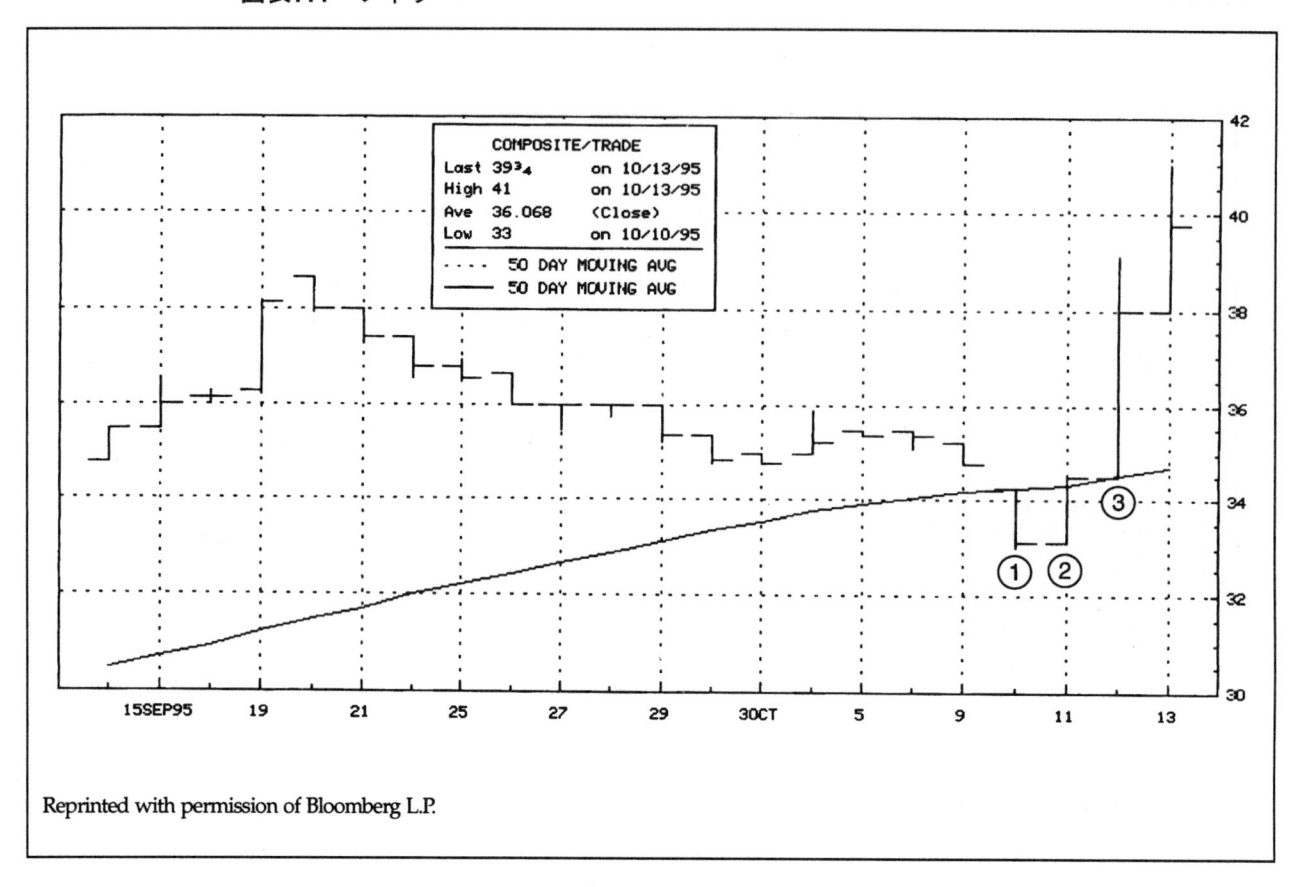

これは、空売りでも買いでも、どちらでも有効な例である。

１．過去１４日間で最大の値幅になり、５０日移動平均線を下に抜ける。

２．株価が３３ドル以下になったら売り出動。しかし、株価は反転し、５０日移動平均線を上に突き抜ける。過去１０日間で最大の値幅。

３．３４５/８ドルで買い、終値は３８ドル。

図表7.5　シュルンバーガー

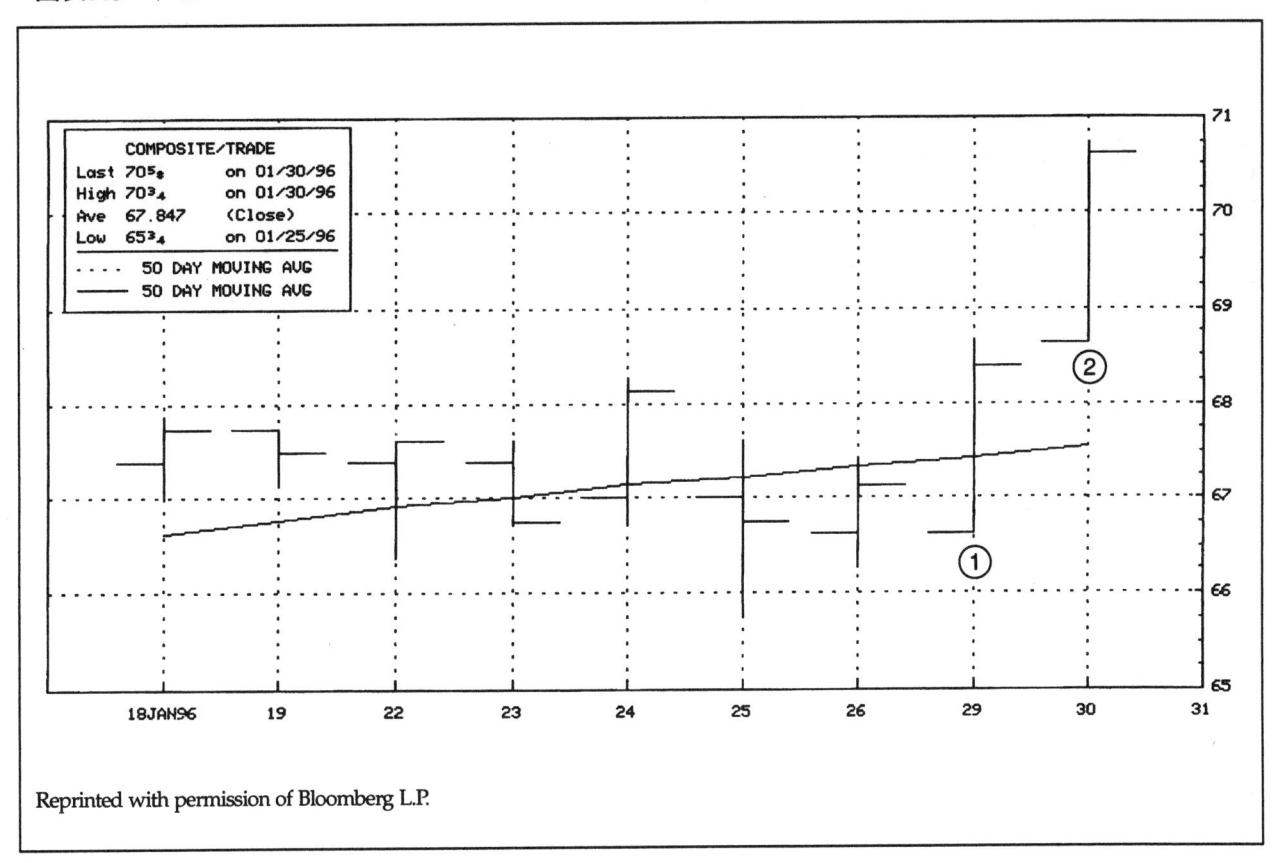

```
         COMPOSITE/TRADE
Last  70⁵⁄₈     on 01/30/96
High  70³⁄₄     on 01/30/96
Ave   67.847   (Close)
Low   65³⁄₄     on 01/25/96
....  50 DAY MOVING AVG
────  50 DAY MOVING AVG
```

Reprinted with permission of Bloomberg L.P.

1．シュルンバーガーは、５０日移動平均線を上に突き抜け、過去１０日間で最大の値幅を付ける。

2．６８３／４ドルで買い、株価は、この日のうちに７０３／４ドルまで上昇する。

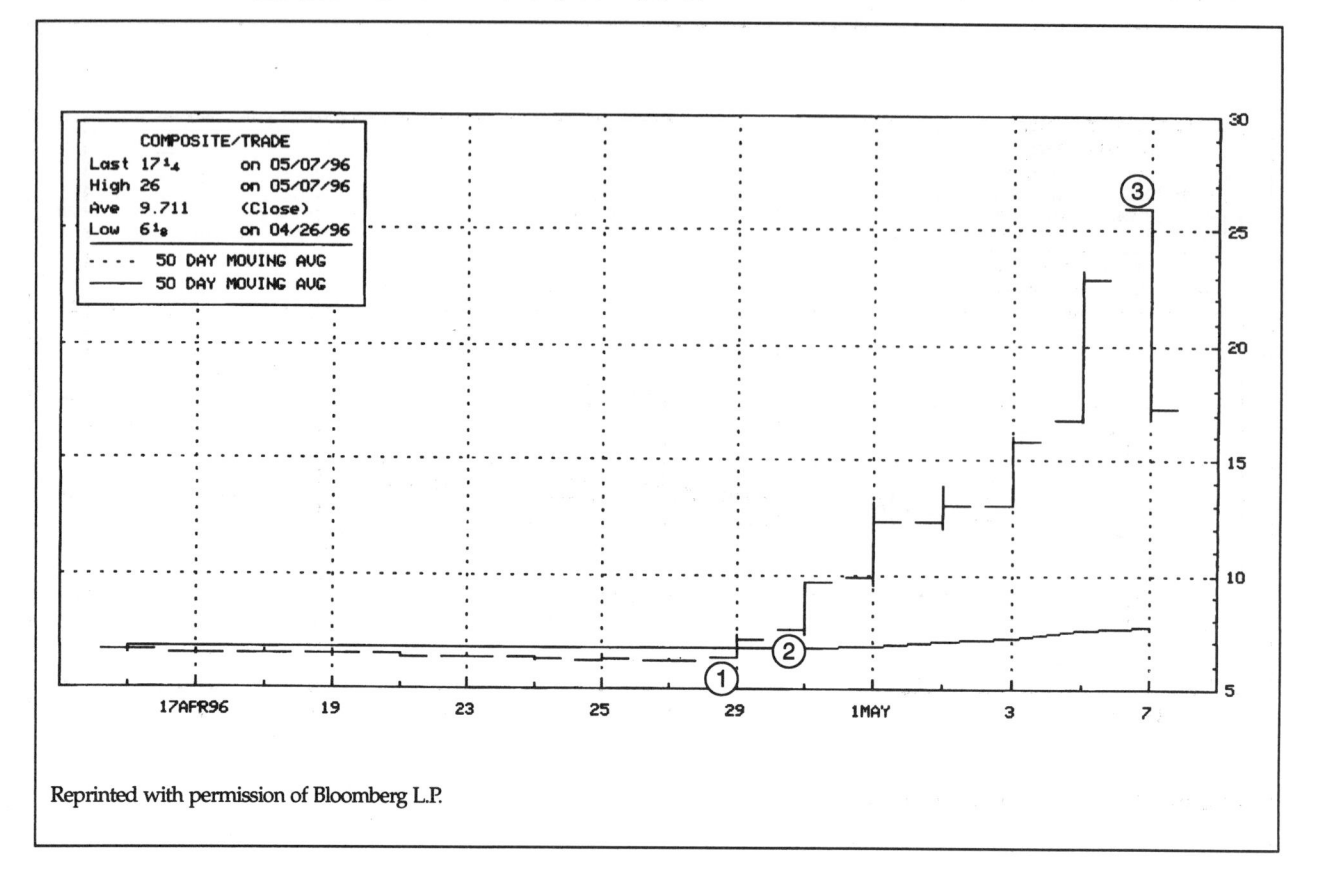

CHAPTER 7　EXPANSION PIVOTS ™

図表7.6　ゼニス・エレクトロニックス

低位株であるが、この戦略の収益可能性を雄弁に物語る例である。

1．ゼニスは５０日移動平均線を上に突き抜け、過去１０日間で最大の値幅。また、このパターンは拡大ブレイクアウトでもあり、トレンドをさらに強化している（パターンの組み合わせについては第２５章参照）。

2．７１/２ドルで買い、終値は９５/８ドル。

3．株価は、翌週に２００％まで上昇（このトレードは、外すべきではなかった）。

まとめ

　拡大ピボットは、ウォール街の群集心理を利用した戦略である。あまりにも多くの取引参加者が５０日移動平均線に注目しているので、ここで何かが起こると、多くのトレーダーがその流れに乗ろうと、同時に行動を起こすことになる。これによって、株価は１つの方向に突き動かされることになり、われわれもこの流れに乗ることができるのである。

　私はあまり興味を覚えないが、幾つかの例で示されているように、この株価の流れは短期と言うよりは、時として、中・長期のトレンドとなる。しかし、この手法を用いるのは、それが短期戦略として有効だからであり、多くのトレーダーが同時に動くことから、通常、この戦略には障害物がほとんどないのである。

第8章　180
180's ™

> 相対するものが互いに補足し合えば、すべての調和が保たれる。
>
> 老子

　この１８０戦略は、トレンドを再開する前に、１日だけ株価が反転する、そんな銘柄を見つけたときに用いる手法である。このパターンは比較的見つけやすく、少し訓練すれば、目に飛び込んで来るようになる。

　前述のように、私はその株のトレンドに沿ってトレードするのを好む。したがって、トレンドの方向は強いがその進行を休めている銘柄を、私はいつも探している。その銘柄が（上にでも下にでも）トレンドを再開するとき、私はその流れに乗っていたいからである。１８０は、これにピッタリの戦略である。この戦略では、例えば上昇トレンド銘柄の場合、ある日の終値がその日の値幅の底値圏で、翌日の終値がその日の値幅の高値圏というお膳立てを待つことになる。

このルールは以下の通りである。

買いルール

1．1日目、株価はその日の値幅の25％以下で取引を終了（終値）すること。2日目、株価はその日の値幅の75％以上で取引を終了（終値）すること。

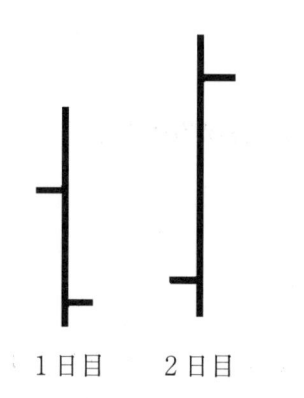

1日目　2日目

2．2日目の終値は、10日移動平均線と50日移動平均線のいずれも上回っていなければならない（トレンドには移動平均線からのサインがあるので、ＡＤＸやＲＳはここでは関係ない）。

3．3日目に限り、前日の高値の1／8ポイント上で買う。

4．最初の損切りは、**買値の1ポイント下に置く。**

空売りルール

1．1日目、株価はその日の値幅の７５％以上で取引を終了（終値）すること。2日目、株価はその日の値幅の２５％以下で取引を終了（終値）すること。

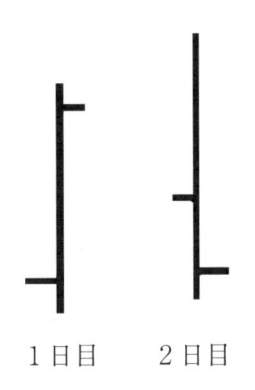

```
1日目    2日目
```

2．2日目の終値は、１０日移動平均線と５０日移動平均線のいずれも下回っていなければならない。

3．3日目に限り、前日の安値の1/8ポイント下で売る。

4．最初の損切りは、**売値の１ポイント上に置く。**

さて、それでは次の６例を見てみよう。

図表8.1 マイクロソフト

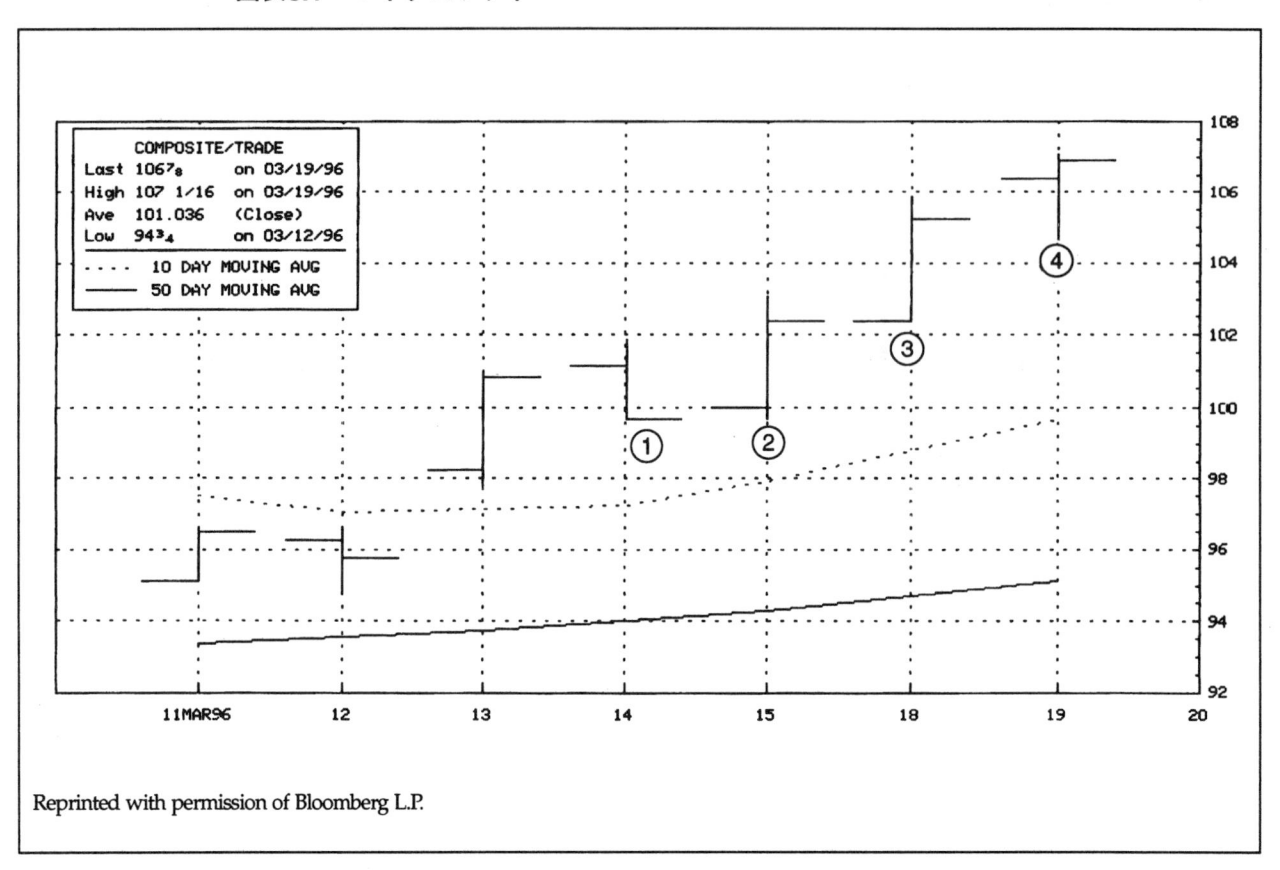

1．マイクロソフトは、その日の値幅の25％以下の安値圏で引ける。

2．翌日、終値はその日の値幅の75％以上の高値圏で引け、さらに、10日移動平均線と50日移動平均線を上回っている。

3．前日の高値の103 1/8ドルから1/8ポイント上で買う。損切りを102 1/4ドルに置く。

4．株価は、買値から3 3/4ドル上昇する。

図表8.2　ポタシュ

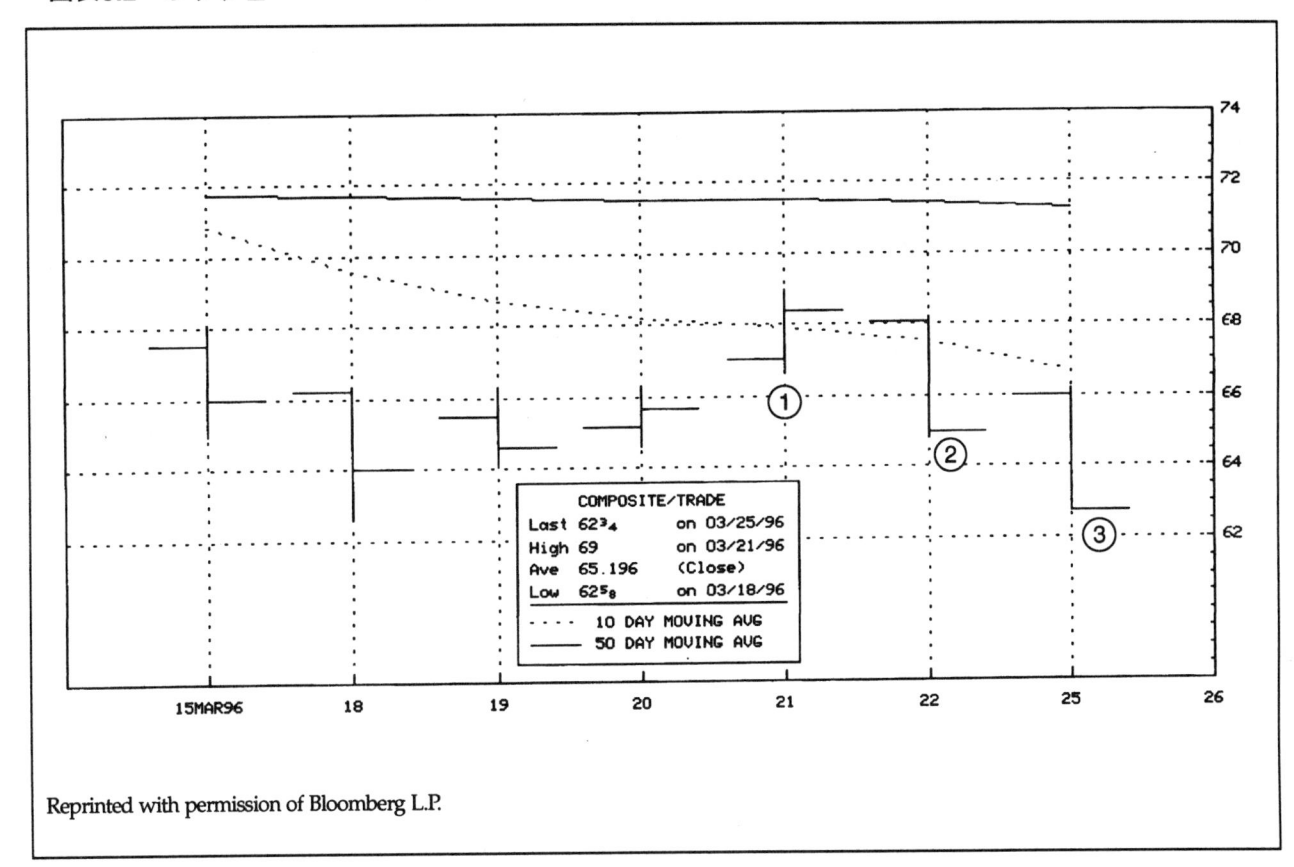

```
                                                              74
                                                              72
                                                              70
                                                              68
                                                              66
                                                              64
                    COMPOSITE/TRADE
              Last 62³⁴    on 03/25/96                        62
              High 69      on 03/21/96
              Ave  65.196  (Close)
              Low  62⁵⁸    on 03/18/96
              ---- 10 DAY MOVING AVG
              ―――― 50 DAY MOVING AVG
    15MAR96  18    19    20    21    22    25    26
```

Reprinted with permission of Bloomberg L.P.

　ポタシュは、私が好んで取引する銘柄である。この株の値付け業者（スペシャリスト）は、大口注文が入って来ると値付け業務が手に負えなくなる傾向があり、ボラティリティや収益機会を拡大してくれる。

　１．株価は、その日の値幅のピッタリ７５％のレベルで引ける。

　２．終値は、その日の値幅の２５％以下で引け、同時に、１０日移動平均線と５０日移動平均線を下回っている。

　３．６４ 5／8ドル（前日の安値の1／8ポイント下）で売る。損切りを６５ 5／8ドルに置く（このチャートでは分からないが、６４ 5／8ドルで売ってから、株価がこの損切りのレベルに戻ることはなかった）。終値は、６２ 3／4ドル。１ 7／8ドルの収益となる。

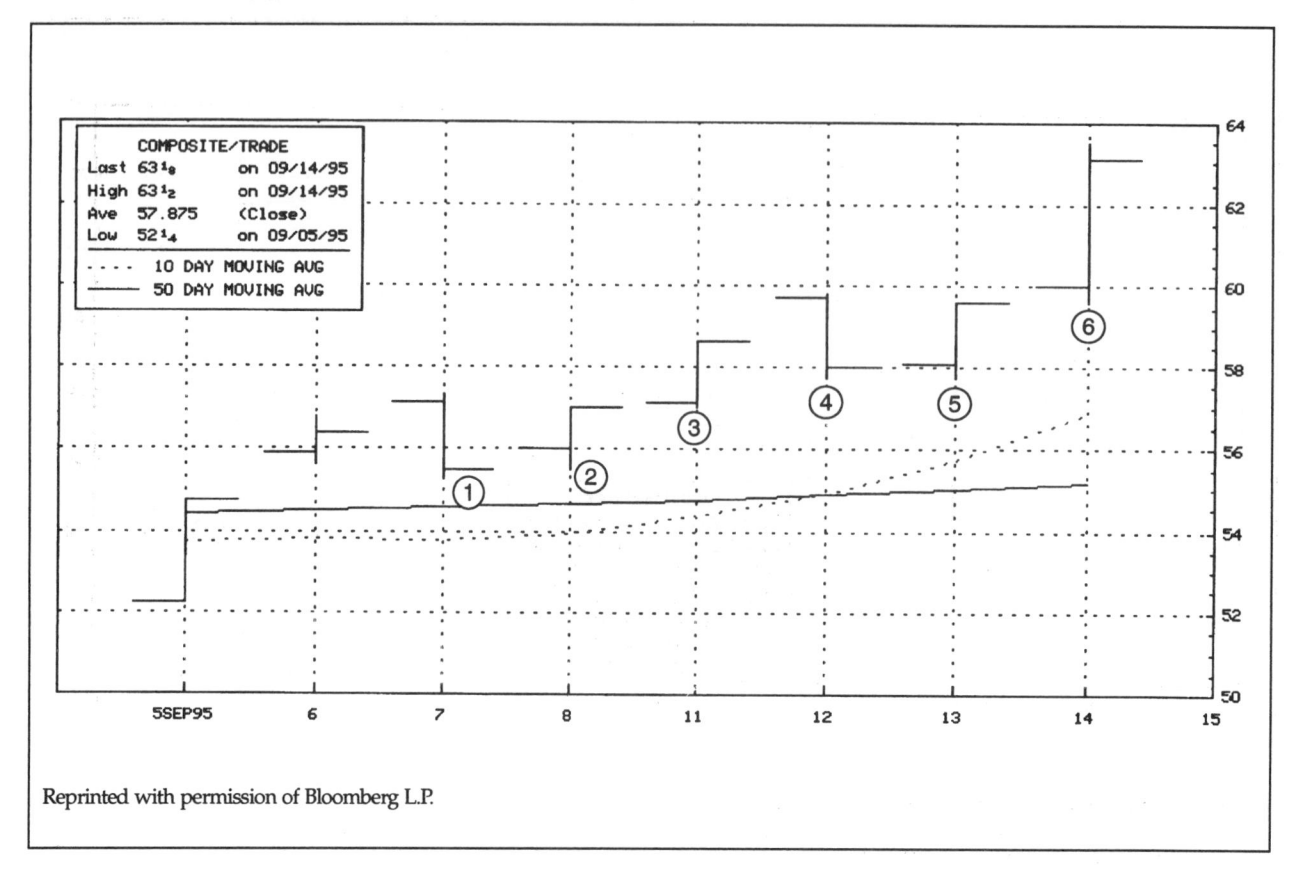

図表8.3　ケーブルトロン・システムズ

ケーブルトロン・システムズ株で発生した、6日間で2度の収益パターンである。

1．終値は、その日の値幅の25％以下で引ける。

2．終値は、その日の値幅の75％以上で引け、同時に、10日移動平均線と50日移動平均線のいずれも上回っている。

3．57 1/8ドル（寄り付き）で買う。終値は、58 5/8ドル。

4．終値は、その日の値幅の25％以下で引ける。

5．終値は、その日の値幅の75％以上で引け、同時に、10日移動平均線と50日移動平均線のいずれも上回っている。

6．60ドルで買う。終値（63 1/8ドル）ベースで3 1/8ドルの収益。

図表8.4　デル・コンピューター

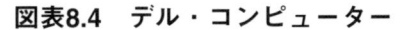

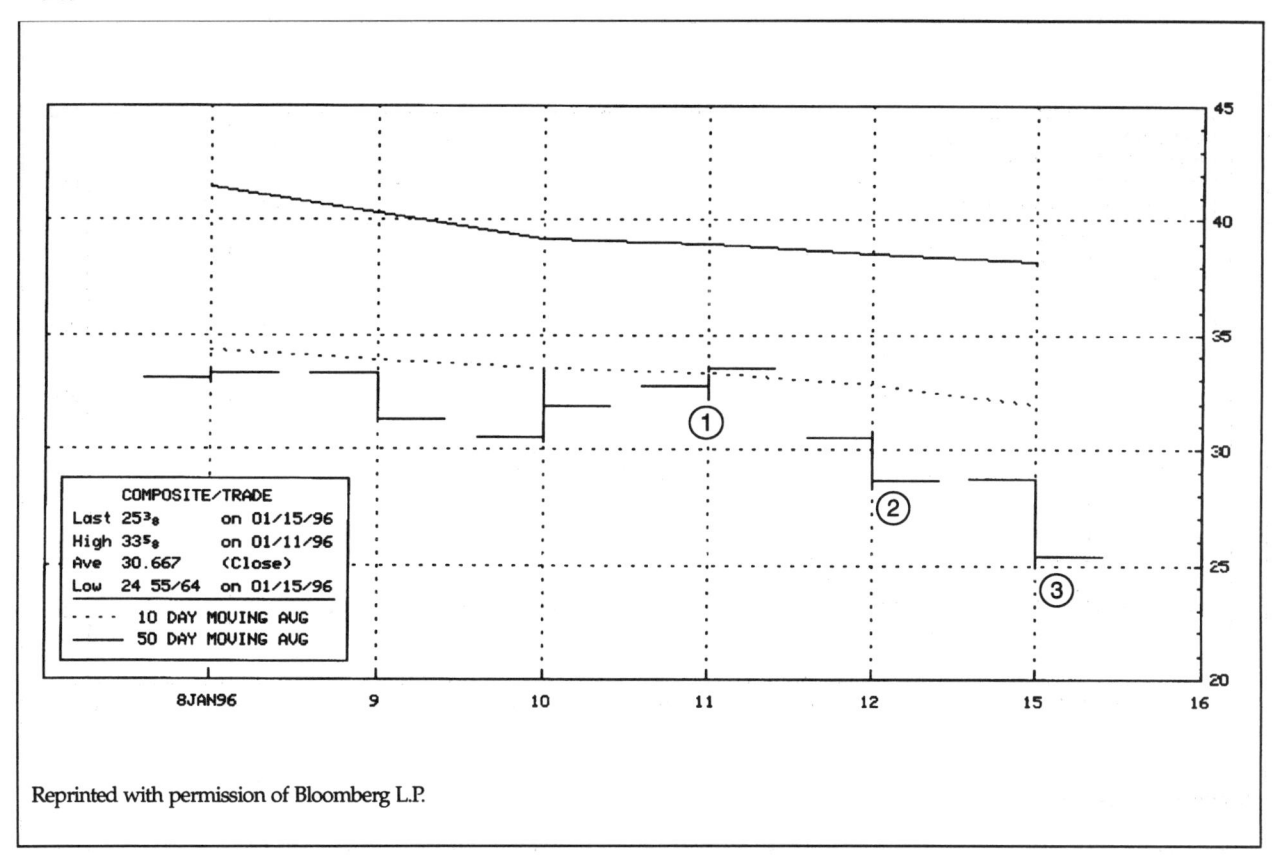

もう1つの空売りパターン。

1．デル・コンピューターの終値は、その日の値幅の７５％以上で引ける。

2．終値は、その日の値幅の２５％以下で引け、同時に、１０日移動平均線と５０日移動平均線のいずれも下回っている。

3．最高の価格継続性を示している。２８　１／８ドルで売り、終値（２５　３／８ドル）ベースで２　５／８ドルの収益。

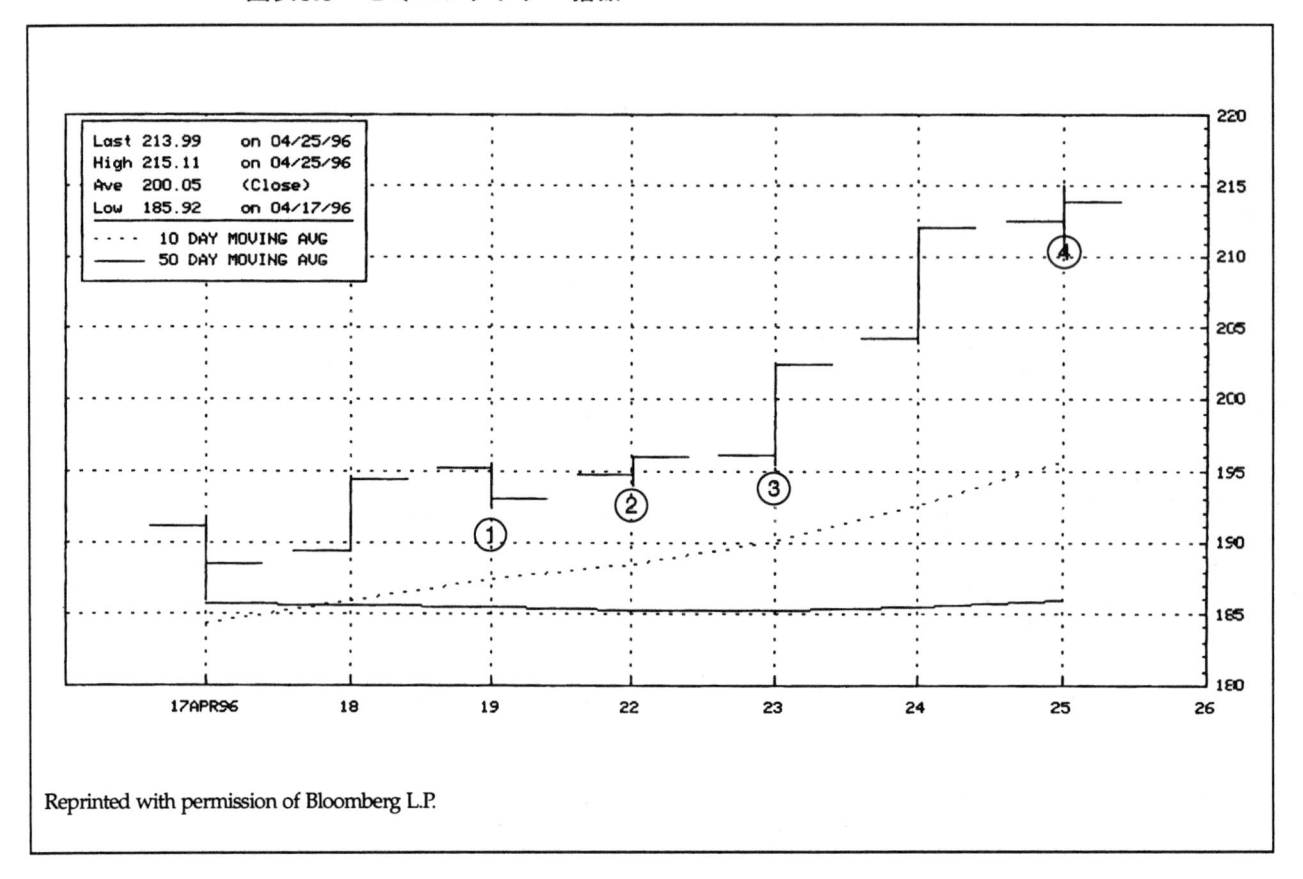

図表8.5　セミコンダクター指数

```
Last 213.99  on 04/25/96
High 215.11  on 04/25/96
Ave  200.05  (Close)
Low  185.92  on 04/17/96
····  10 DAY MOVING AVG
───  50 DAY MOVING AVG
```

Reprinted with permission of Bloomberg L.P.

　この手法は、特に、業種別指数で有効である。また、私の経験では、グループとしての業種の方が個別株よりも株価トレンドの持続性が強い。これは、機関投資家がある業種に買い出動したとして、全員が買いそろうまでに時間を要するからであろう。

　1．セミコンダクターの業種指数は、その日の値幅の25％以下で引ける。

　2．翌日、指数はその日の値幅の75％以上で引ける。

　3．（オプションを使って）196.05で買う。指数の終値は、そこから6ポイント上昇。

　4．その後3日間で、セミコンダクター指数は12ポイント上昇する。

図表8.6 ナスダック１００指数

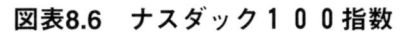

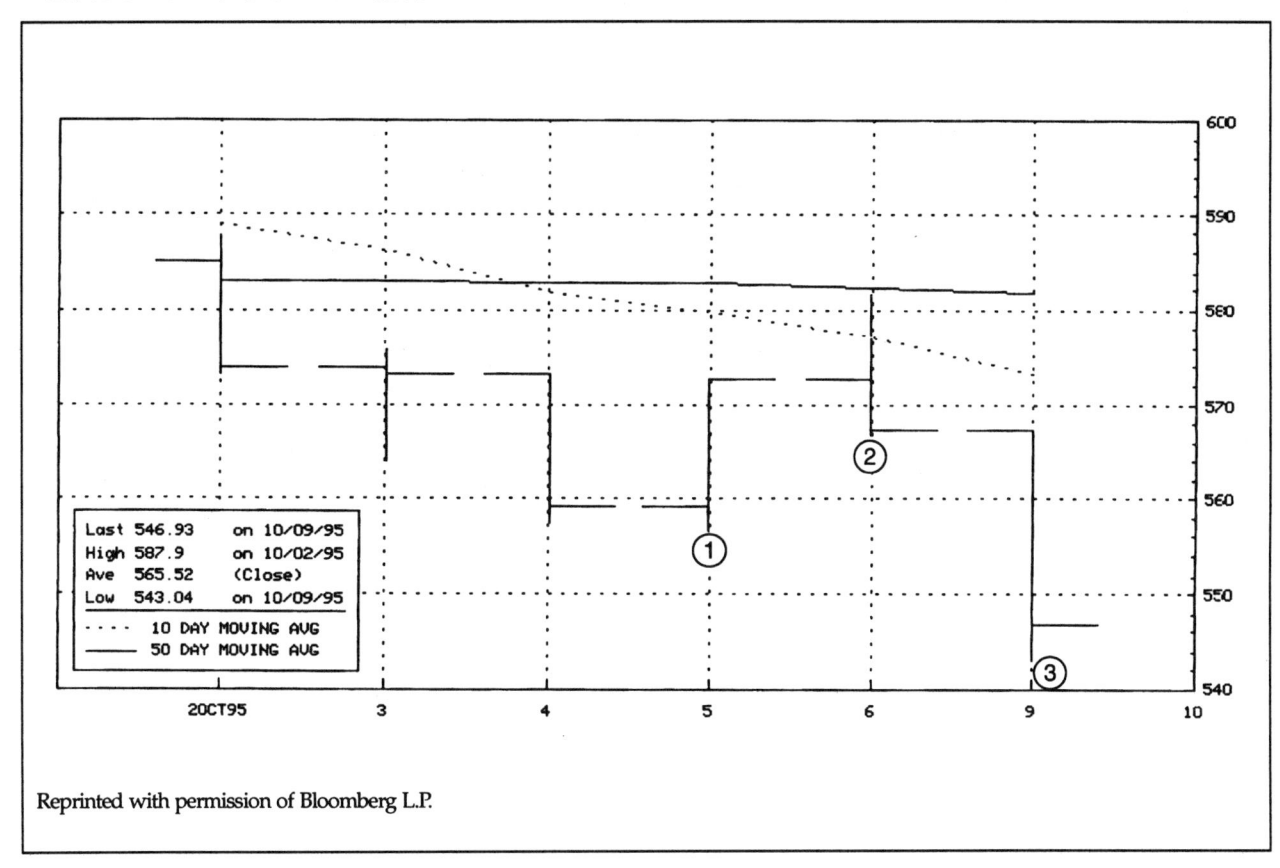

```
Last  546.93   on 10/09/95
High  587.9    on 10/02/95
Ave   565.52   (Close)
Low   543.04   on 10/09/95
····  10 DAY MOVING AVG
───   50 DAY MOVING AVG
```

Reprinted with permission of Bloomberg L.P.

　ナスダック１００指数（ＮＤＸ）はボラティリティの高い指数で、この手法に適している。

　１．その日の値幅の７５％以上で引ける。

　２．終値は、その日の値幅の２５％以下で引け、同時に、１０日移動平均線と５０日移動平均線のいずれも下回っている。

　３．空売りした後、指数は２０ポイント下落する！

まとめ

　この段階で、このパターンを探すのがいかに簡単であり、この手法がいかにトレードしやすいか分かっていただけたと思う。私の戦略の多くがそうであるように、この戦略も低リスクで、マーケットの全体的な流れに乗り、トレンドが再開したところでトレードするものである。この戦略でデイ・トレードもするが、特に終値がポジションを建てている方向に強く引けるときは、ほとんどで翌日までポジションを持ち越すようにする。

　１８０について一言付け加えておくと、もし状況が過去６０日間の高値／安値でもある場合、私はこのポジションを翌日まで抱えることが多い。翌朝、トレンドが大きく加速されることが多いからである。過去６０日間の新値が付加されることで、潜在的な強気・弱気のトレンドをさらに確実なものとして認識することができる。大きな収益をもたらすトレードの幾つかは、この種のトレードである。

PART2

MOMENTUM CONTINUATION PATTERNS

勢い（モメンタム）の継続パターン

　価格がある方向に動いている銘柄は、その方向への動きを止めるまで動き続ける。これは、勢いのある銘柄をトレードするときの鉄則である。この鉄則に則した取引戦略は数多くあるが、次からの章で紹介しているものは最高の戦略である。

　注目すべき銘柄はどう探すのか、どのレベルで新規の売買を仕掛けるのかなどを学ぶ。それぞれの章では、総体的なトレンドに沿って動いている、最も勢いのある銘柄に対して、どこで売買を仕掛けるのかを解説している。爆発的な動きをはらんだ株価の動きに乗り、損切りのレベルを調整しながら（市場の値動きに合わせてその位置を変える）、その動きに乗るのである。通常、勢いのある株価の動きは数分から数日間、継続することになる。

　どんな取引戦略でも重要なのは、常に損切りを用いることである。大きな負けトレードをなくすことはできない。しかし、そこでの損失を最小限に抑えることは可能である。そして、甘受するトレード・リスクを1ポイントかそれ以下に抑えることで、これを実行するのである。夜の間に、反対方向に値が飛んで行ってしまうのを避けることはできないかもしれない。しかし、日中ではこうした損切りを使うことで身を守れるのである。少額の損失を甘受することは、トレードで生計を立てている人とそうでない人を区分けする重要なポイントなのである。

第9章　ノンADX 1-2-3-4
NON-ADX 1-2-3-4s

　1-2-3-4は、私が好んで用いる1日から3日間の取引手法である。この戦略では、トレンドの強い動きを示している銘柄が、トレンドの進行を3日間だけ中止し、その後再開するパターンを利用する。また、トレンドの強さを測るのにはADXを用いる。理想的なのはADXが30以上であり、1つの方向に向かって力強いトレンドを示している銘柄であることが望ましい。ただ、このような数値を用いたアプローチでは、明らかにトレンドがある銘柄を取りこぼすことが多い。ADXは比較的反応の鈍い指数であり、30かそれ以上の数値を弾き出すには時間がかかるのである。そこで、明らかなトレンドが見られるなら、ADXが30以上という数字にそれほどこだわる必要はない。以下の例でも明らかなように、株価のトレンドを見抜く能力も必要であり、それによってこのお膳立てを収益に結びつけることができるのである。

　次にノンADX 1-2-3-4の例を5つ用意した。1つ理解してほしいのは、この取引戦略は必ずしもスキャルピング（収益の小さいトレード）ではないことである。通常、大きな株価変動を伴い、仕切り注文をマーケットの動きに合わせて調整していく（トレイリング・ストップ）ことで、株価を追いかけながら仕切りのタイミングを計ることができるのである。

CHAPTER 9 NON-ADX 1-2-3-4s

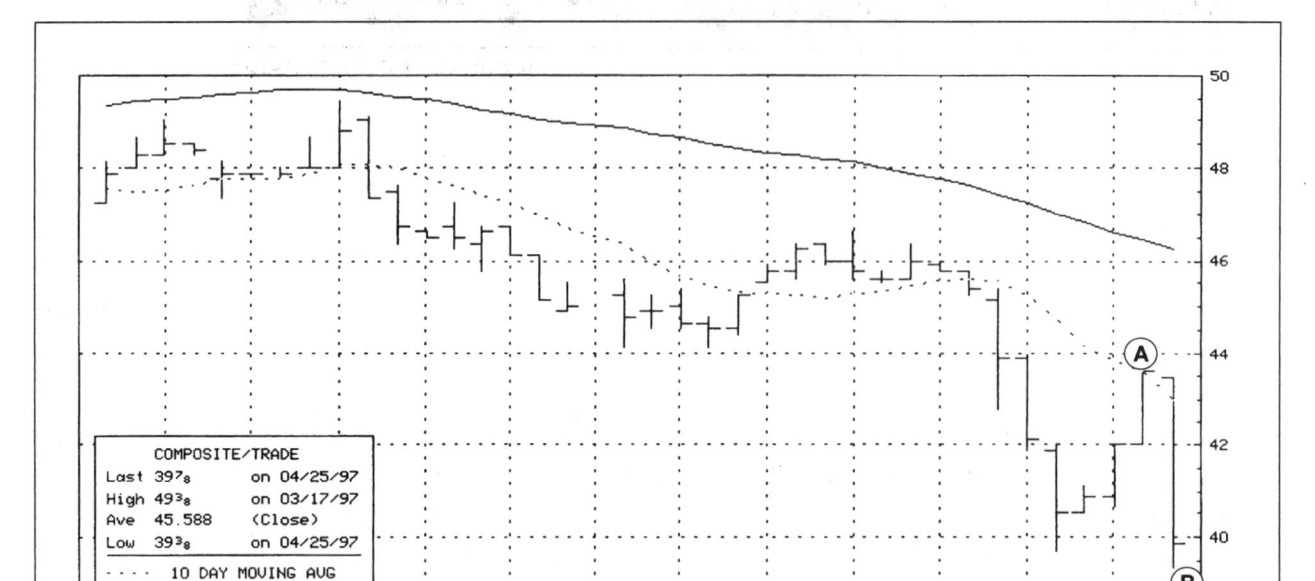

図表9.1　NIN

ナイン・ウエスト・グループは、夫人靴のメーカーである。

ノンADX1−2−3−4では、トレンドを確認する意味で、**株価が５０日移動平均線を下回っている（空売り）か、上回っている（買い）のが理想的である。**

この例では、ＮＩＮのＡＤＸは２４でしかない（４月２４日）。しかし、明らかに株価は下降トレンドに加え、５０日移動平均線を下回っており、過去６週間で２０％近く下落しているのである。

Ａ．下降トレンドは３日間（１−２−３）の小休止。

Ｂ．４日目、下降トレンドが再開され、４１ 15／16ドル（３日目安値の1／16ポイント下）で売り注文が通る。

図表9.2　ＥＶＩ

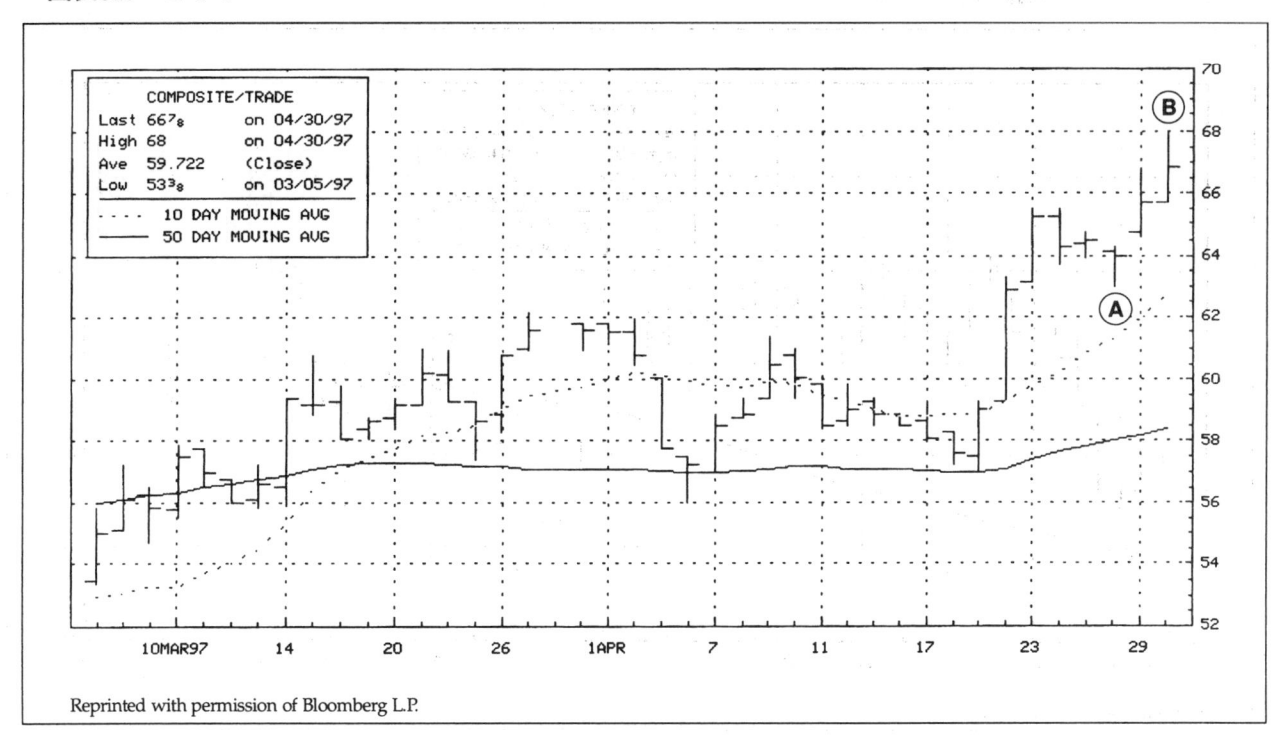

この例では、ＡＤＸは３０に届いていないが、５０日移動平均線を大きく上回っている。また、株価は高値圏にあり、強いトレンドの中にある。

Ａ．高値を更新した後、４月２４日から３日間の押しが入った（１－２－３）。

Ｂ．２日にわたってトレンドの再開。

CHAPTER 9 NON-ADX 1-2-3-4S

図表9.3　デル

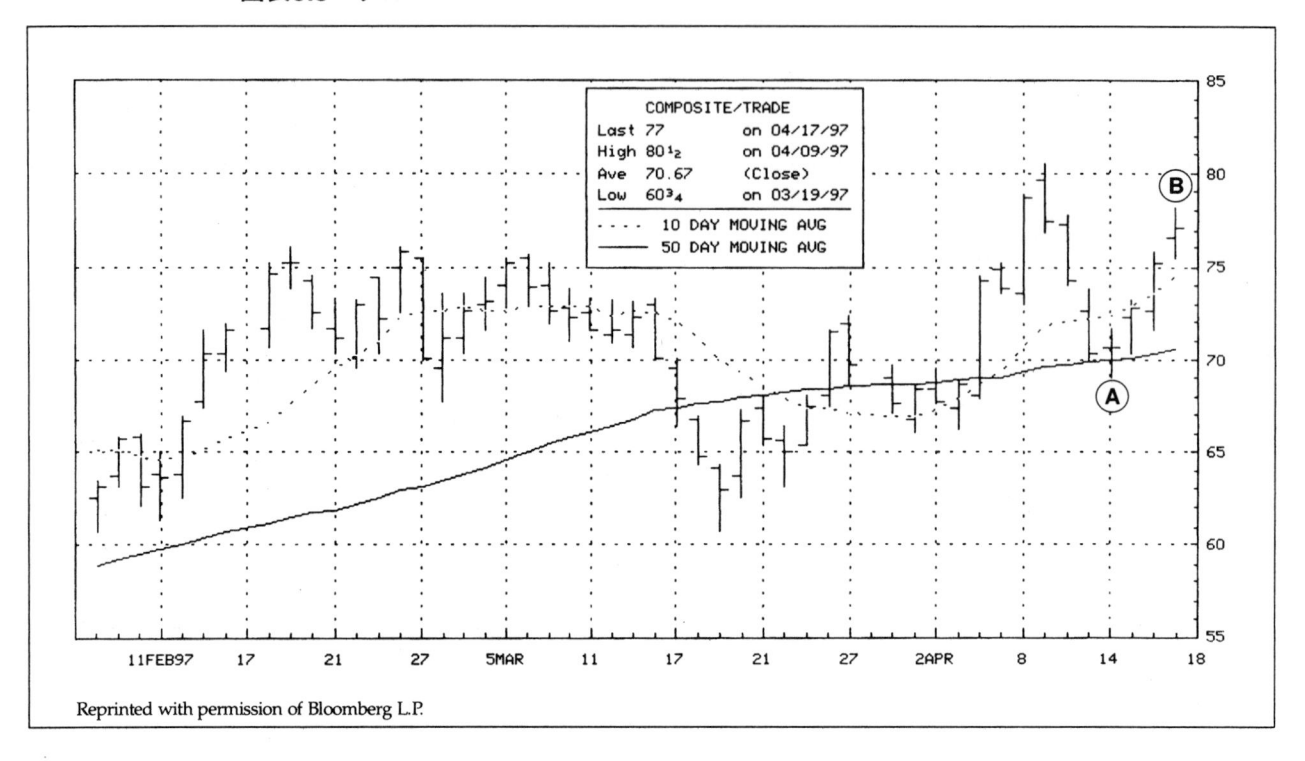

4月8日、株価は高値圏にあり、50日移動平均線を大きく上回っているものの、ADXはたったの17である。

A．3日間の押し、翌日（4月15日）、株価は上昇トレンドを再開。

B．次の2日間で6ポイント上昇。

第9章 ノンADX 1−2−3−4

図表9.4　ＡＤＰＴ

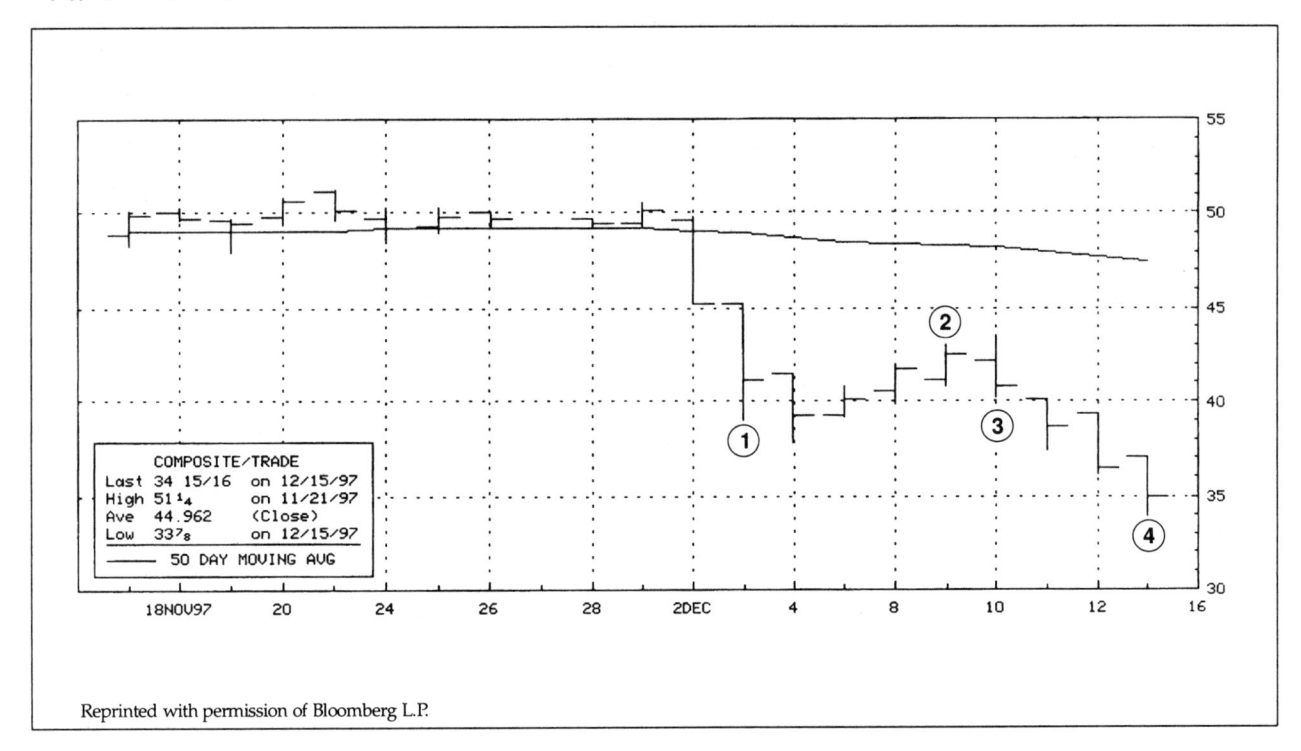

Reprinted with permission of Bloomberg L.P.

1．2日間で10ポイントの下落。明らかに下落トレンドを示している。

2．1−2−3と、戻す。

3．12月9日の安値から1／16ポイント下で売る。

4．トレンドは再開し、2日間で5ポイント以上、下落する。

図表9.4　ＷＬＡ

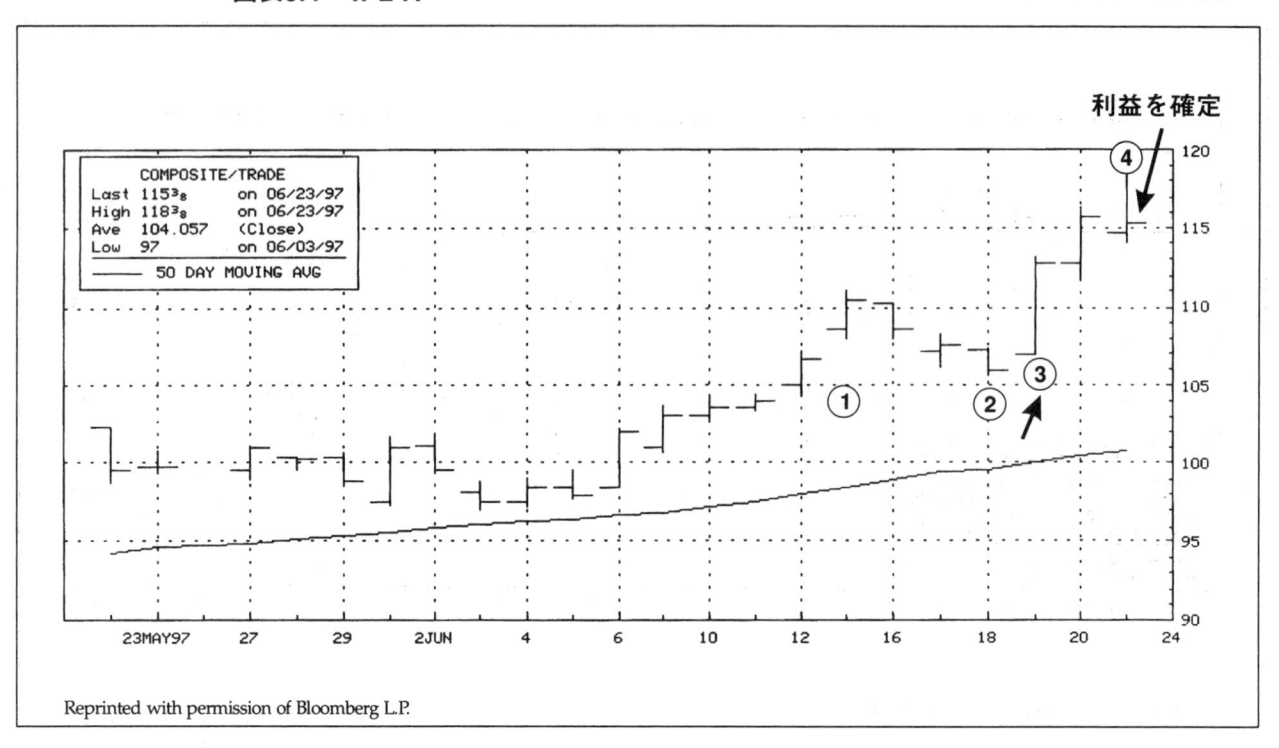

1．株価は高値を更新し、強い上昇トレンドを示している。

2．1－2－3と、戻す。

3．6月18日の高値から1／16ポイント上で買う。同時に、この日の大引けで拡大ブレイクアウトのパターンを形成している。この株をこの日に売る理由は何もない。

4．高値を更新し、利益を確定するための売りが入る。仕切りのレベルをマーケットの動きに合わせる（トレイリング・ストップを使う）ことで、確実に利益を取る。

まとめ

　もちろん、トレードのルールは大切であり、従うようにしている。ただ、時として裁量を用いることで、収益が確保できるのである。実際には、ここでの裁量は既に証明されているトレード原理に則している。
　トレンドの強い株価の押し（戻り）は、株式市場に固有の現象である。適切な銘柄で押し（戻り）を待ち、それを認識することは、最高の取引戦略であると私は思う。

第10章　ジャック・イン・ザ・ボックス
JACK-IN-THE-BOX STRATEGY

　先にも述べたように、私が好むのは、トレンドの強いときの押しや戻りを利用するものである。この章では、ジャック・イン・ザ・ボックスを紹介する。この取引戦略は、ブレイクアウトから発生する１日の押しや戻りをトレードする。株価は、この押しや戻りを消化した後、再び大きく動くことになる。

　このルールは以下の通りである。

買いのルール（空売りはこの反対）

　１．株価は過去６０日間の高値を更新し、この日の値幅は過去９日間で最大。株価は拡大ブレイクアウトを示している。

　２．拡大ブレイクアウトの翌日は、はらみ足。はらみ足とは、その日の高値が前日の高値と同じか、それ以下であり、その日の安値は前日の安値と同じか、それ以上である。

　３．はらみ足の翌日、拡大ブレイクアウトした日の高値から１／１６ポイント上で買う。損切りを買値の１ポイント下に置く。

　４．もし強く引けるようだと、少なくともポジションの半分を持ち越す。翌日までトレンドが継続する可能性が強い。

CHAPTER 10 JACK-IN-THE-BOX STRATEGY

図表10.1 ＯＬＮ

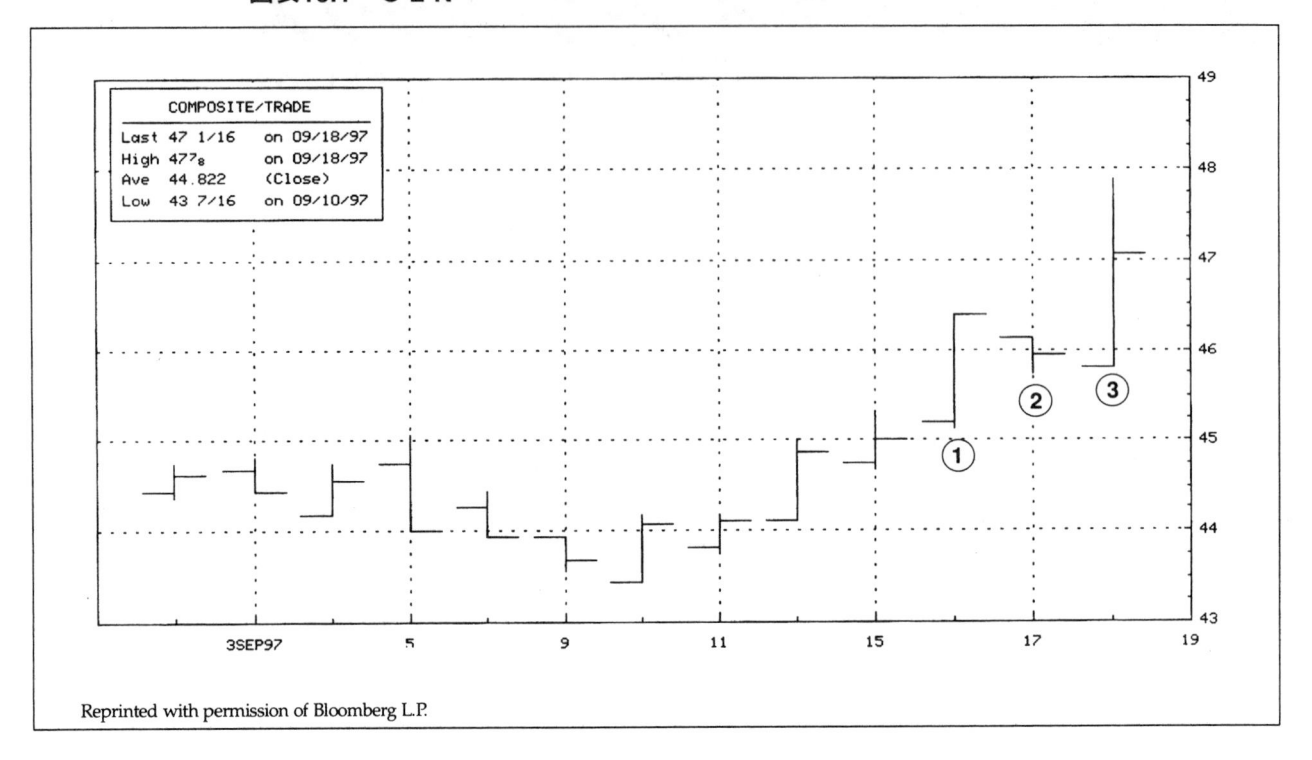

```
COMPOSITE/TRADE
Last  47 1/16   on 09/18/97
High  47 7/8    on 09/18/97
Ave   44.822    (Close)
Low   43 7/16   on 09/10/97
```

Reprinted with permission of Bloomberg L.P.

1．株価は拡大ブレイクアウト。

2．はらみ足。

3．９月１６日の高値から1／16ポイント上である４６ 7／16ドルで買う。買値から１ 1／2ドル上昇。大引け付近で手仕舞う。

図表10.2　ＴＯＭ

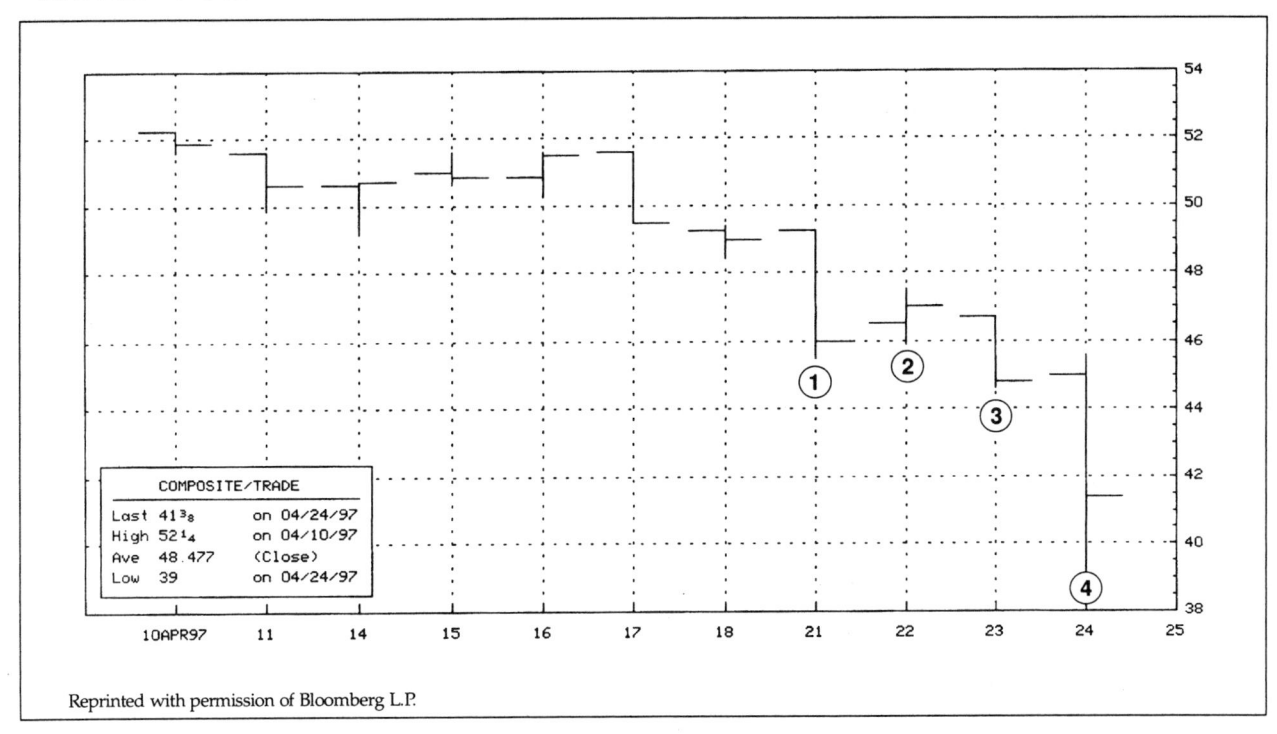

1．株価は拡大ブレイクダウン。

2．はらみ足。

3．４月２１日の安値から1／16ポイント下の４５１／16ドルで売る。その日の値幅の底近くで引ける。

4．売値から７ポイントの下落し、利益を確定する。

Chapter 10 Jack-in-the-Box Strategy

図表10.3　ＳＤＧ

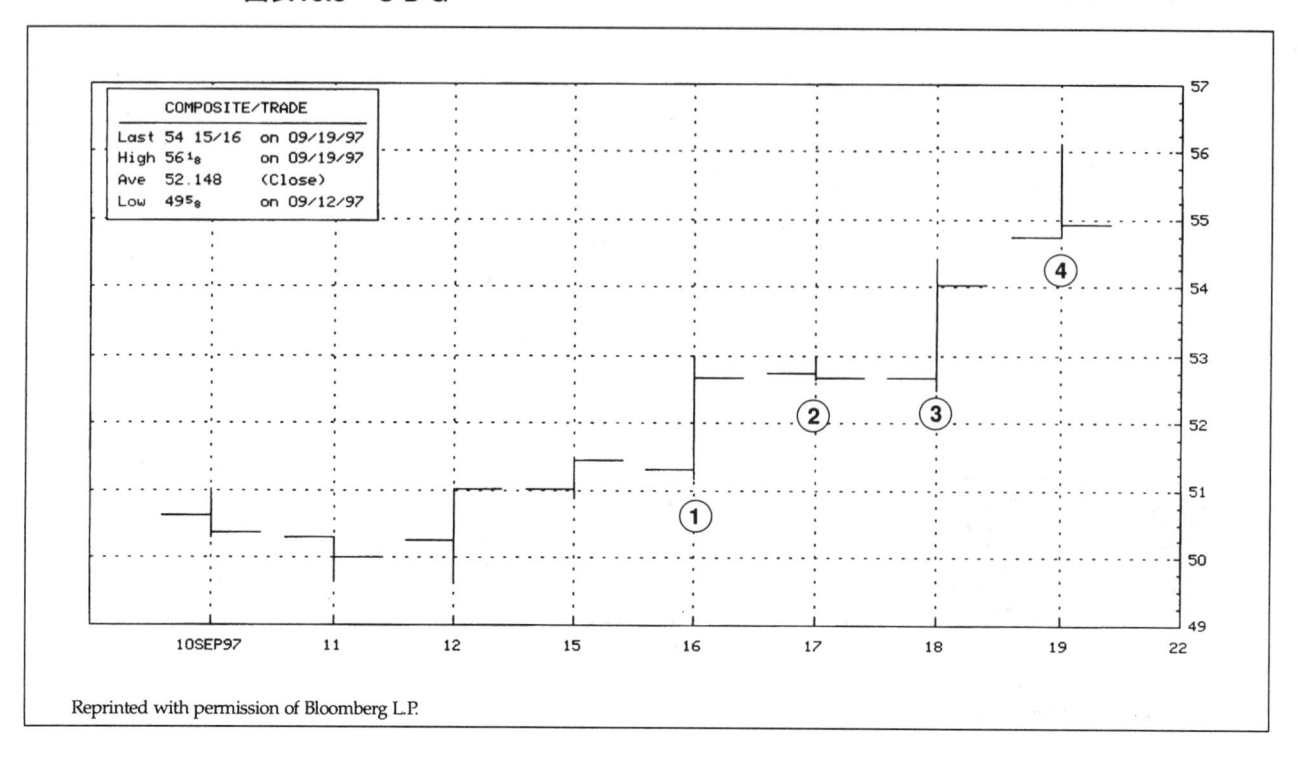

Reprinted with permission of Bloomberg L.P.

1．株価は過去６０日間の高値を更新。また、値幅は過去９日間で最大。

2．はらみ足。

3．９月１６日の高値から1／16ポイント上で買う。損切りを買値の１ポイント下に置く。大引けでポジションの半分を手仕舞い、残りを持ち越す。

4．買値から３ポイント上昇し、利益確定の売りが入ったところで、仕切る。

図表10.4　ＡＬＤ

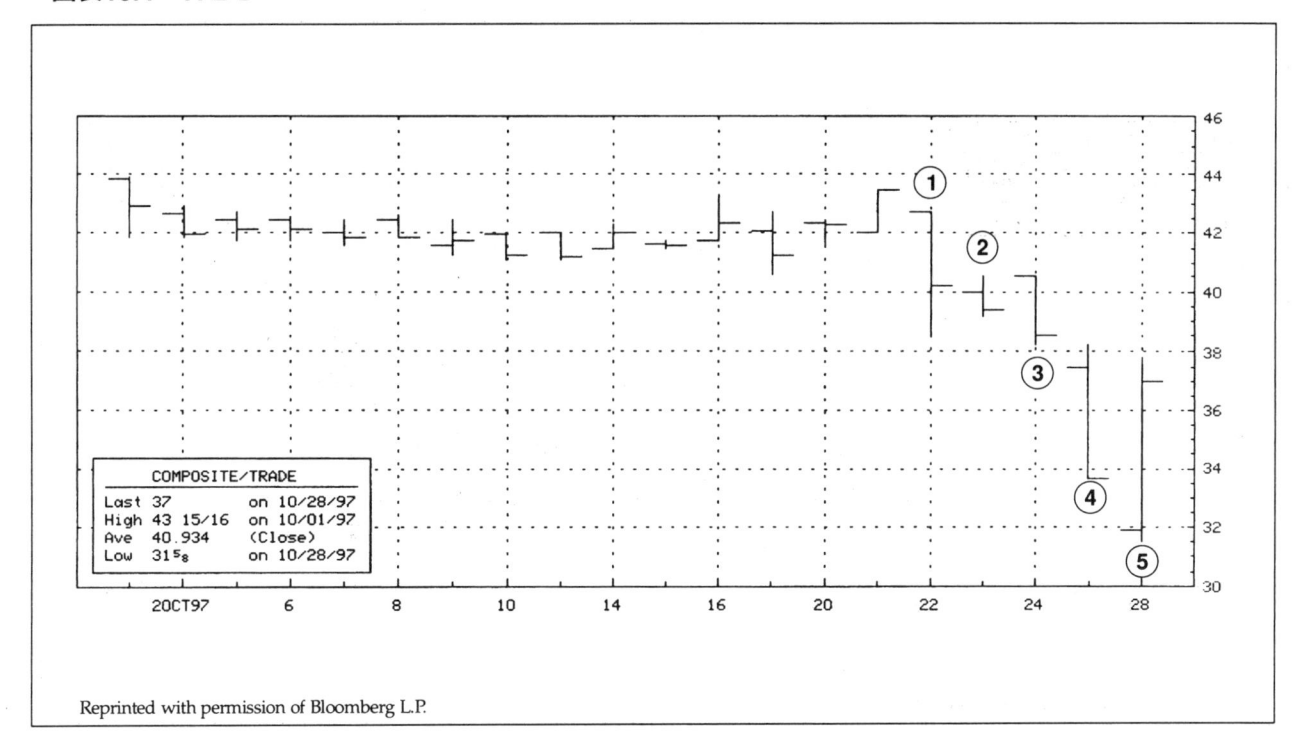

1．拡大ブレイクダウン。

2．はらみ足。

3．１０月２２日の安値から1／16ポイント下で売る。損切りを売値の１ポイント上に置く。

4．その日の値幅の底で引ける。

5．下に窓を空けて寄り付き、マーケットの動きに合わせて下げていた仕切り注文（トレイリング・ストップ）に引っかかる。

Chapter 10 JACK-IN-THE-BOX STRATEGY

図表10.5　ＤＣＲ

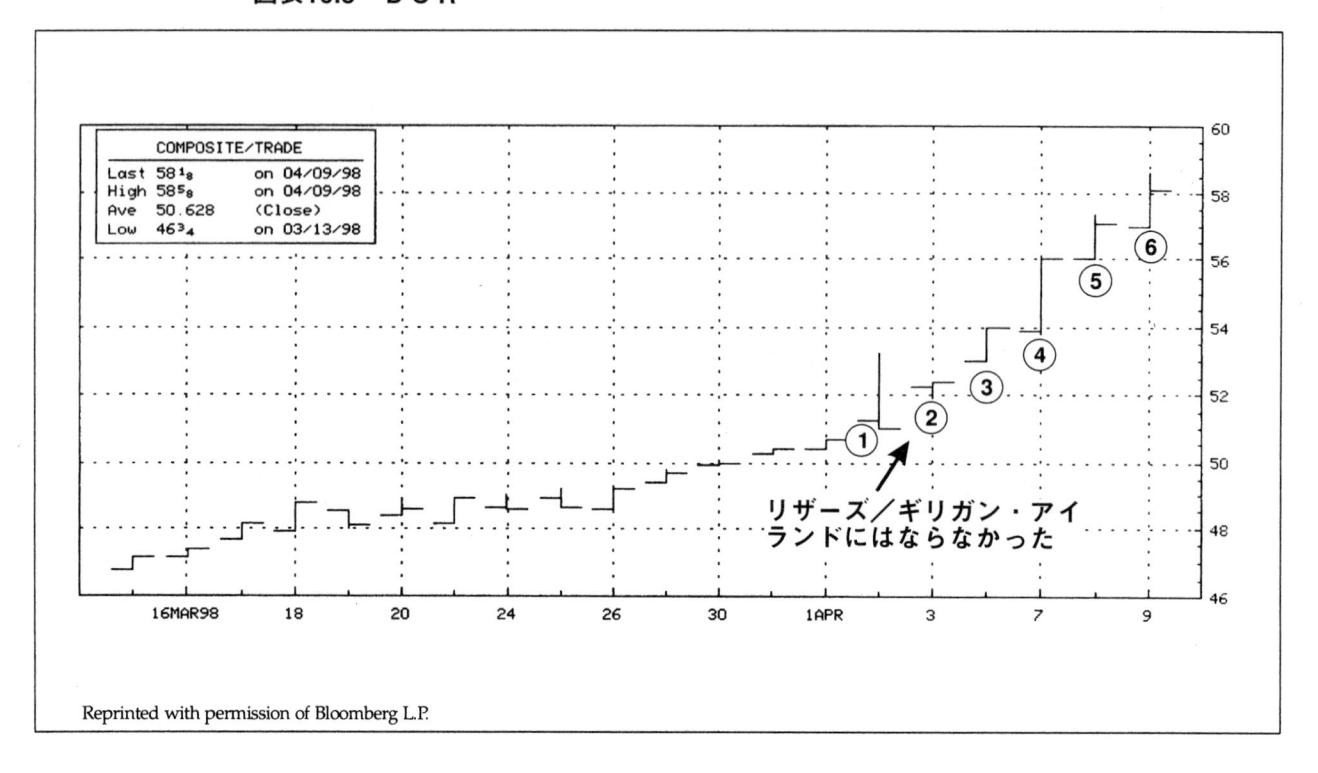

```
COMPOSITE/TRADE
Last  58 1/8    on 04/09/98
High  58 5/8    on 04/09/98
Ave   50.628   (Close)
Low   46 3/4    on 03/13/98
```

リザーズ／ギリガン・アイランドにはならなかった

Reprinted with permission of Bloomberg L.P.

　１．これは、非常に興味深いお膳立てになった。拡大ブレイクアウトであり、さらに、リザーズ（第２１章）、ギリガン・アイランド（第２０章）にもなった。

　２．リザーズ、ギリガン・アイランドにはならなかった（売り圧力が欠けている）が、はらみ足にはなる。

　３．買い、高値引け。

　４．再び強く引けた。

　５．さらに強く引けた。

　６．収益を確定。

まとめ

　ジャック・イン・ザ・ボックスは、とてもしっかりした取引手法である。拡大ブレイクアウトの後に１日の押しや戻りがあるのは普通であり、その後、株価の勢いを買う動きが続くのである。また、トレード・リスクを１ポイントに限定しており、リスク／収益の割合は最高である。

第11章　ブーマー
BOOMERS ™

弱さは付け込まれ、強さは増長する。

　　　　　　　　　　　　　　　カルロス・カスタネーダ

　時として、株価は上昇・下落トレンドを中止し、静寂な期間を持つ。そして、こんなときの後には、しばしば爆発的な価格変動が発生する。静寂な期間を認識するために、トレーダーは多くの手法を用いるが、私が用いるのは"ブーマー"と呼ぶこの手法のみである。

　ブーマーが発生する頻度は低いが、このパターンの収益性は高い。

このルールは以下の通りである。

買いルールと空売りルール

1. 買い──ＡＤＸは３０より高く、＋ＤＩは－ＤＩよりも高い。または、ＲＳが９５以上。
　　売り──ＡＤＸは３０より高く、－ＤＩは＋ＤＩよりも高い。または、株価が強い下落トレンドを形成している。

2. ２日目、高値は前日の高値と同じかそれ以下で、かつ安値は前日の安値と同じかそれ以上（はらみ足）。

3. ３日目、高値は前日の高値と同じかそれ以下で、かつ安値は前日の安値と同じかそれ以上（はらみ足）。

　　　　１日目　２日目　３日目

4. 上昇株──以上のお膳立てが成立した４日目に限り、３日目の高値から1／8ポイント上で買う。損切りは、３日目の安値から1／8ポイント下に置く。
　　下落株──以上のお膳立てが成立した４日目に限り、３日目の安値から1／8ポイント下で売る。損切りは、３日目の高値から1／8ポイント上に置く。

ここで例を見てみよう。

図表11.1　ＳＰＳテクノロジー

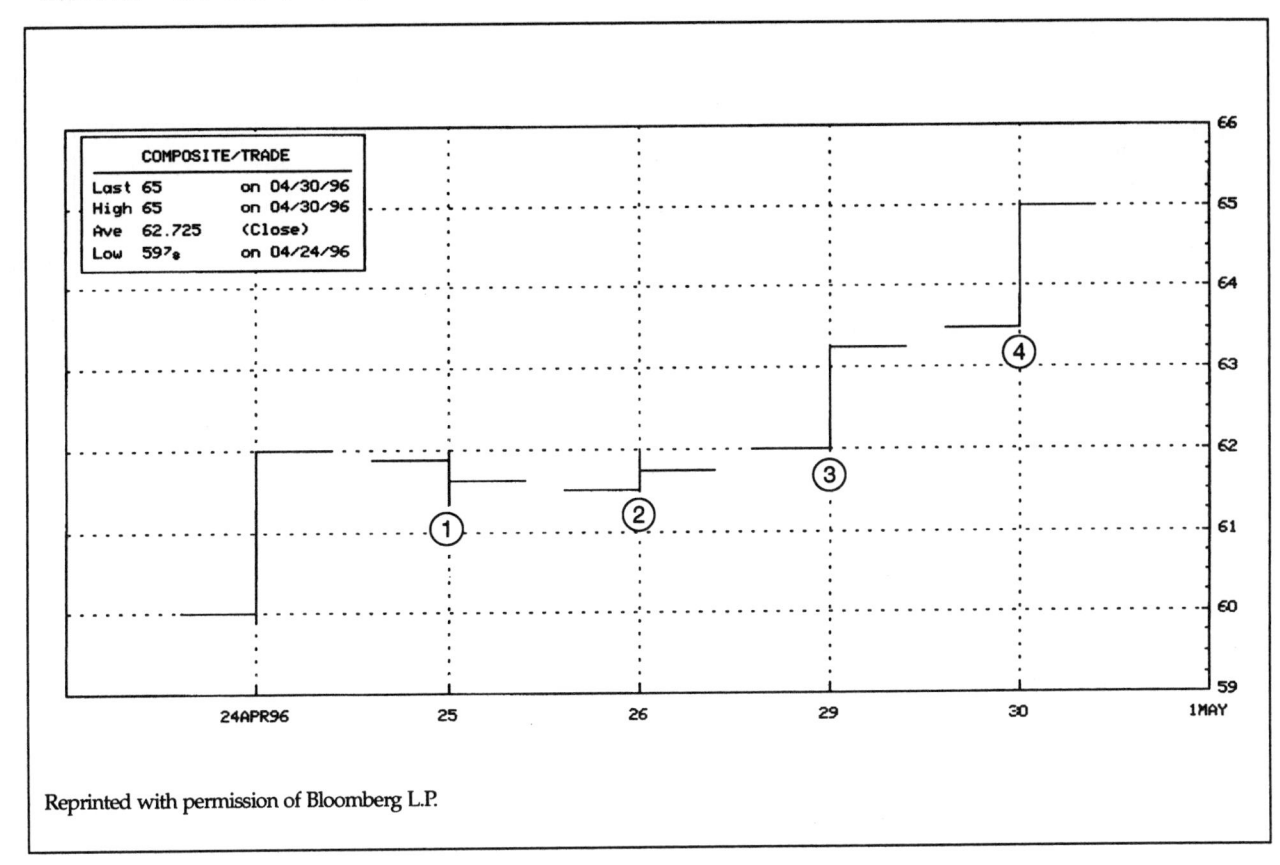

```
        COMPOSITE/TRADE
   Last  65        on 04/30/96
   High  65        on 04/30/96
   Ave   62.725    (Close)
   Low   59⅞      on 04/24/96
```

Reprinted with permission of Bloomberg L.P.

　１９９６年４月２６日、ＳＰＳテクノロジーのＡＤＸは５１、トレンドは上昇している。

　１．株価の値幅は、上が前日の高値と同じで、下が前日の安値よりも上（はらみ足）である。

　２．２日目の高値は４月２５日（前日）の高値に届かず、２日目の安値は４月２５日（前日）の安値よりも高い（２日連続のはらみ足）。

　３．４月２６日（前日）の高値より、1／8ポイント上の６２１／８ドルで買う。４月２６日（前日）の安値より1／8ポイント下の６１３／８ドルに損切りを置く。

　４．終値は、４月２９日（前日）の買値から３ポイント近く上昇して引ける。

Chapter 11 BOOMERS ™

図表11.2　イオメガ

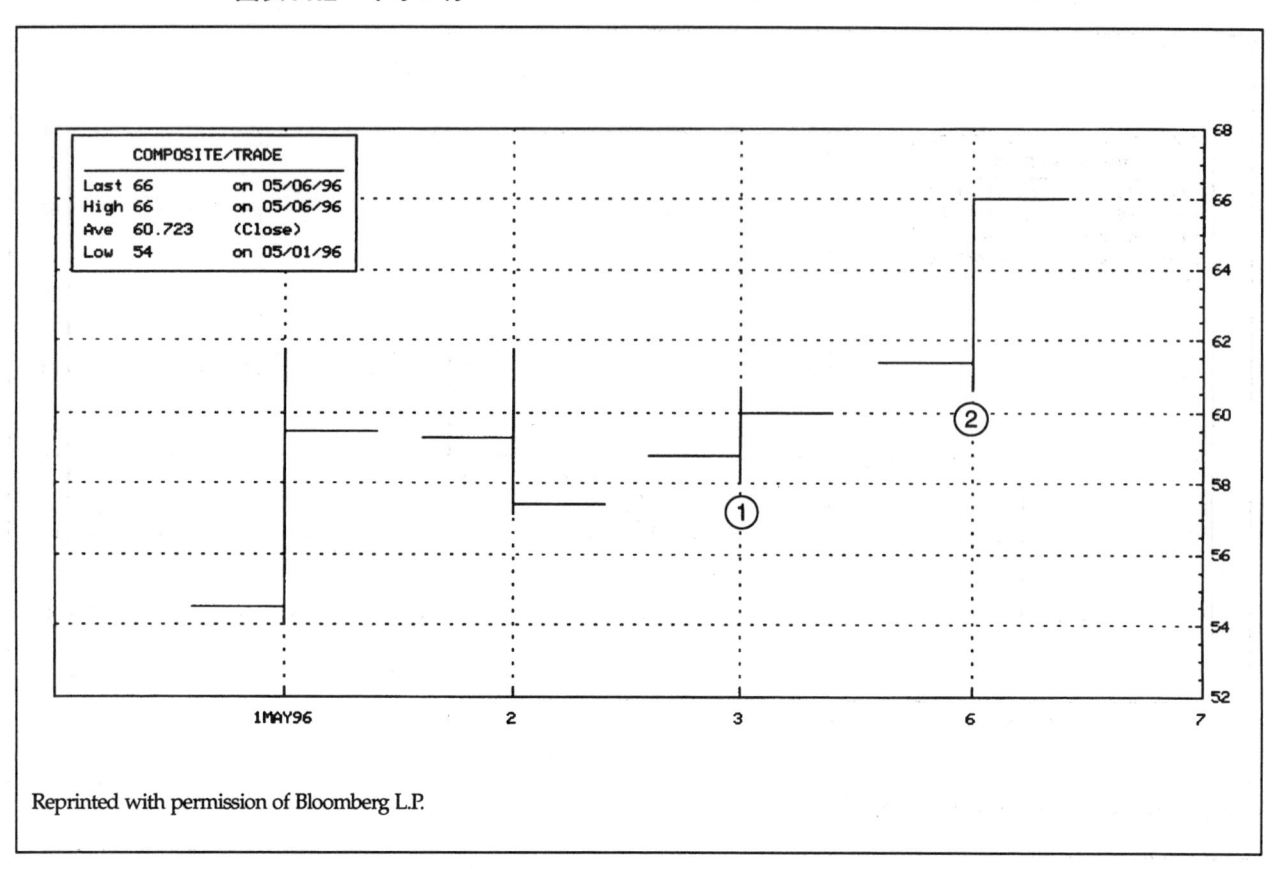

```
        COMPOSITE/TRADE
Last  66        on 05/06/96
High  66        on 05/06/96
Ave   60.723   (Close)
Low   54        on 05/01/96
```

Reprinted with permission of Bloomberg L.P.

　1．１９９６年５月３日、イオメガは２日連続してはらみ足になる。ＡＤＸは高く、＋ＤＩは－ＤＩよりも大きく、トレンドは上昇している。明日に限り、今日の高値の1／8ポイント上で買い出動することを考える。

　2．前日の高値より上に窓を空けて寄り付く。６１５／8ドルで買い、前日の安値である５８ドルの1／8ポイント下に損切りを置く。イオメガは、買値から４３／8ドル上の６６ドルで引ける。

図表11.3　ジャンボリー

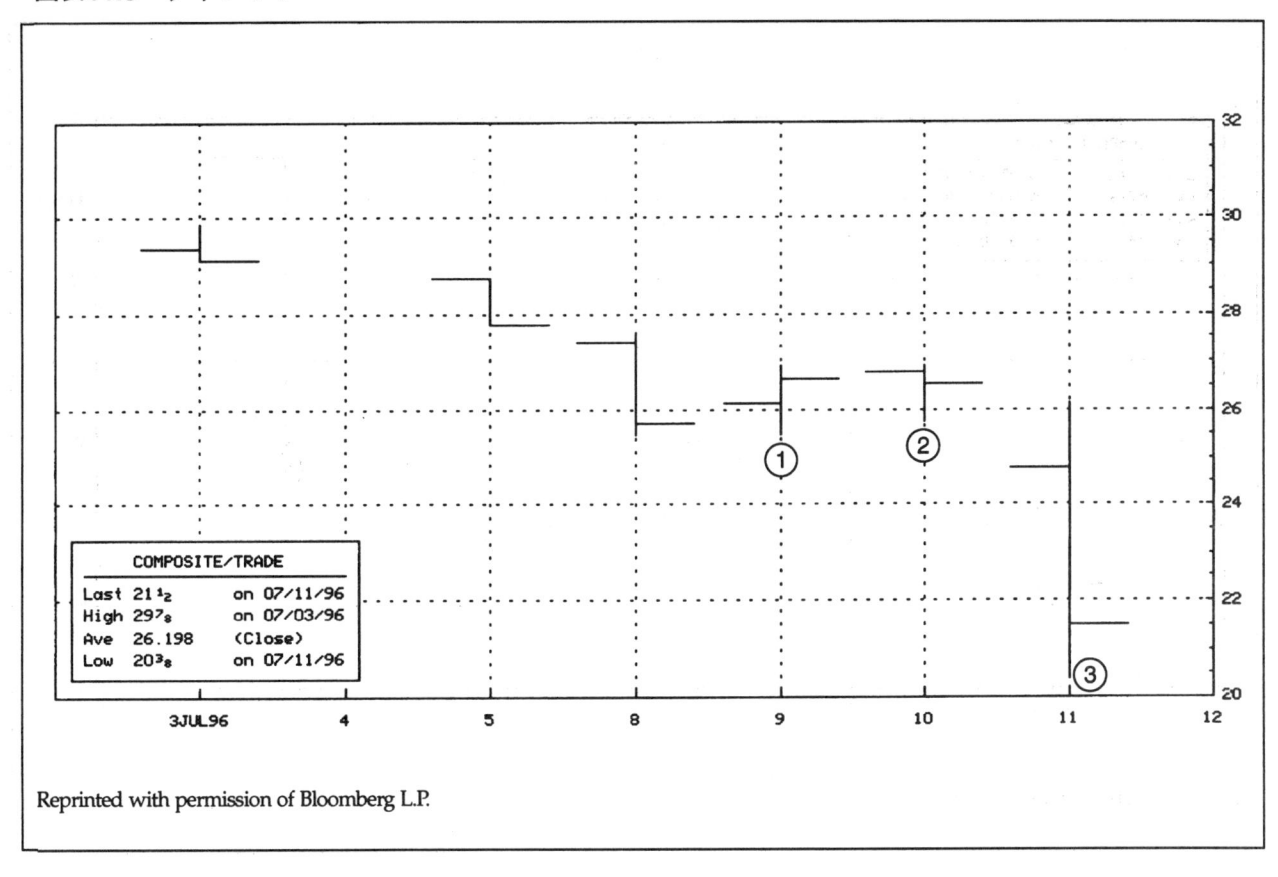

```
COMPOSITE/TRADE
Last  21 1/2    on 07/11/96
High  29 7/8    on 07/03/96
Ave   26.198   (Close)
Low   20 3/8    on 07/11/96
```

Reprinted with permission of Bloomberg L.P.

　ジャンボリーのADXは３０以上。－DIは＋DIよりも大きく、強い下降トレンドを形成している。

１．はらみ足。

２．２日連続のはらみ足。

３．２４ 3/4ドル（寄り付き）で空売りする。株価は２０ 3/8ドルまで下落する。

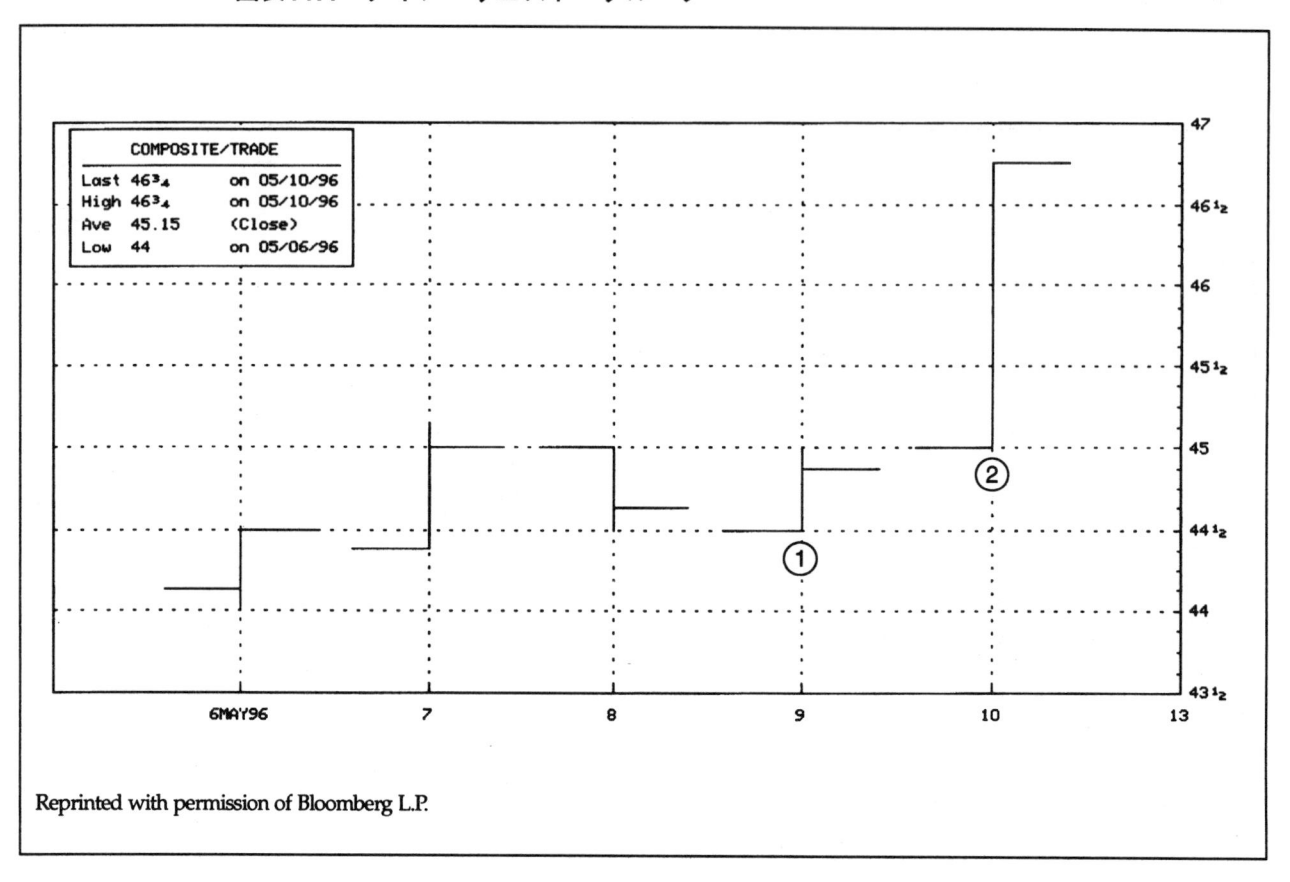

CHAPTER 11 BOOMERS ™

図表11.4　ナイン・ウエスト・グループ

```
COMPOSITE/TRADE
Last  46 3/4   on 05/10/96
High  46 3/4   on 05/10/96
Ave   45.15   (Close)
Low   44      on 05/06/96
```

Reprinted with permission of Bloomberg L.P.

1．ナイン・ウエストは2日連続ではらみ足、トレンドは上昇している。

2．2日目の高値の上で買いを仕掛ける。株価はその日、高値で引ける。

図表11.5　プロキシム

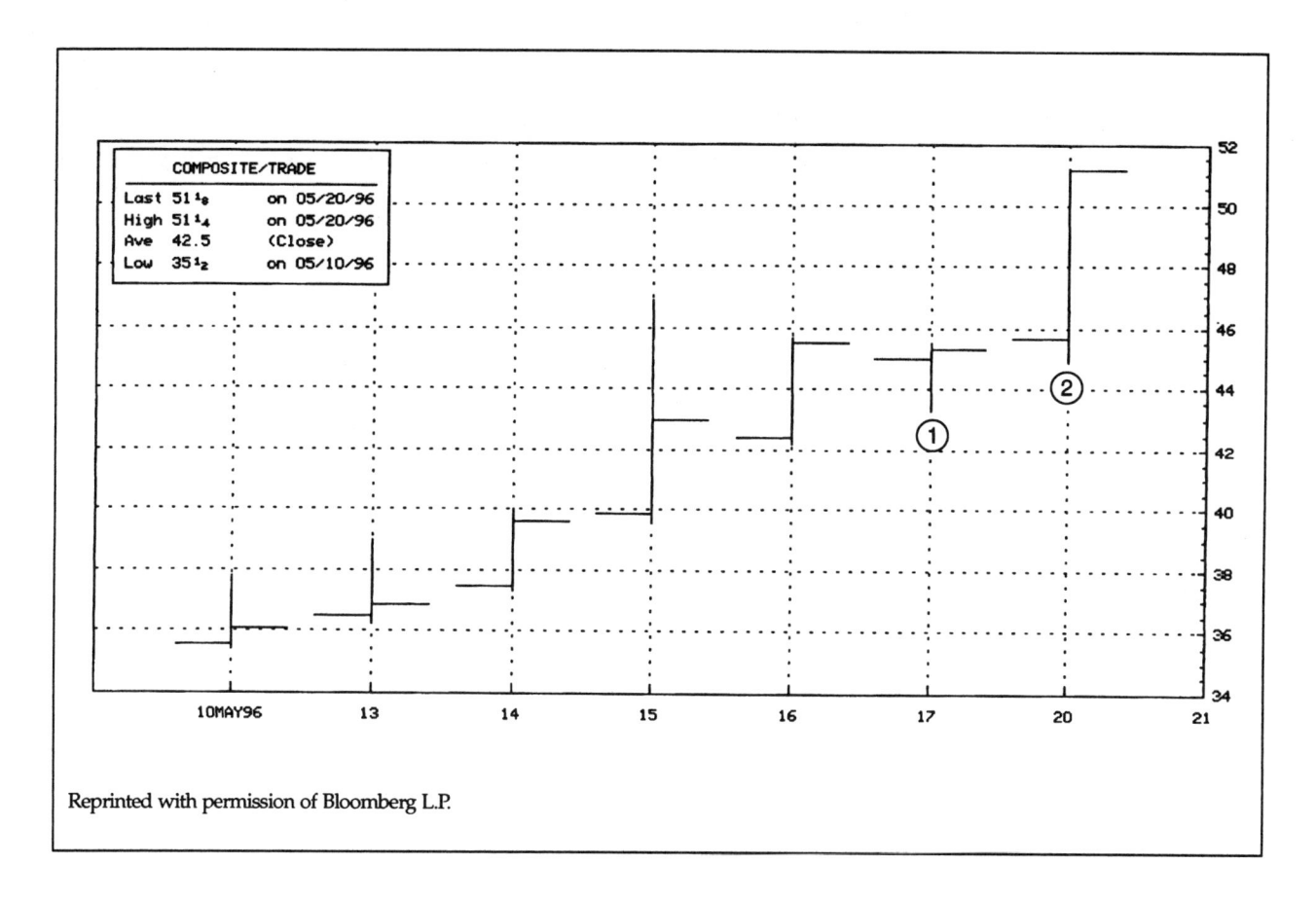

[Reprinted with permission of Bloomberg L.P.]

　１．プロキシムは２日連続のはらみ足。また、ＡＤＸは３０以上、＋ＤＩは－ＤＩよりも大きい。

　２．寄り付きの４５１／２ドルで買う。株価は、５ ５／８ドル上の５１ １／８ドルまで上昇する。

CHAPTER 11 BOOMERS ™

まとめ

　ブーマーは、簡潔、低リスク、高収益なパターンである。強いトレンドを示す銘柄が、そのトレンドを再開する前の数日の間、株価の進行を止めるのを認識する手法である。極めてまれなパターンではあるが、収益につながることが多いパターンでもあることから、私は常に認識するように努力している。

第12章　スリング・ショット
SLINGSHOTS ™

> システムが極度に不安定になると、危機を乗り越えられるシステムがさらに支持を得ることになる。
>
> イリア・プリゴジン（ノーベル賞受賞者・数学）

　言ったように、すべての新高値を買い、すべての新安値を売って、収益を上げることは期待できない。株価が急上昇を始めるとき、どのブレイクアウトは腰が強く、どれは弱いのか、それを認識することが必要である。第5章の拡大ブレイクアウトでは、どんな新高値や新安値が最もトレンドの継続性が高いかをみた。スリング・ショット戦略では、最初は本物ではないブレイクアウトで収益を上げる手法である。

　この戦略は、株価が少ない取引量で高値（安値）を更新した直後に、よく反転することに気付き、そこから開発された。続く1日目、2日目と売られるが、第2の高値（安値）を更新したとき、ここが主要なブレイクアウトの始まりであったりする。最初のだましとなるブレイクアウトで腰の弱い投資家が振るい落とされ、その後の1日目か2日目に本腰の入った投資家により2番目のブレイクアウトが作られる。

　少し理解するのが困難かもしれないが、ルールや例を参照してほしい。

CHAPTER 12 SLINGSHOTS ™

このルールは以下の通りである。

買いルール

1．第1日目、株価は過去2カ月間の高値を更新する。

2．第2日目の安値は、第1日目の安値より少なくとも1／8ポイント下回る。

3．第2日目か第3日目に限り、株価が第1日目の高値を1／8ポイント上回ったら買う。

4．損切りを買値の2ポイント下に置く。

空売りルール

1．第1日目、株価は過去2カ月間の安値を更新する。

2．第2日目の高値は、第1日目の高値より少なくとも1／8ポイント上回る。

3．第2日目か第3日目に限り、株価が第1日目の安値を1／8ポイント下回ったら売る。

4．損切りを売値の2ポイント上に置く。

第12章 スリング・ショット

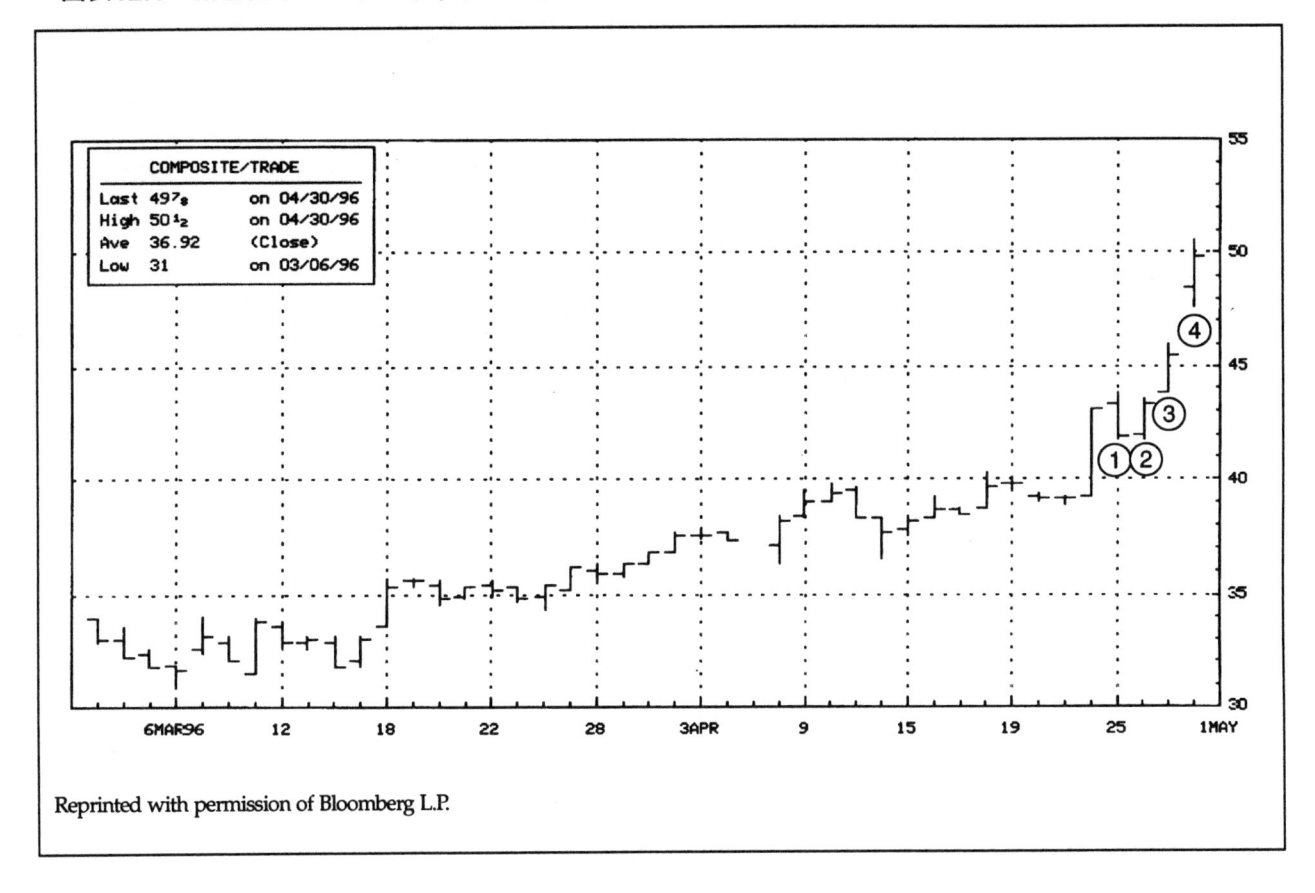

図表12.1 ＭＥＭＣエレクトリック・マテリアルズ

1．株価は過去２カ月間の高値を更新し、反転。

2．第１日目の安値を下回る。今日であれ、明日であれ、株価が第１日目の高値を１／８ポイント上回れば、買う。

3．株価は第１日目の高値、４３３／４ドルを上回り、買い注文が通る。

4．株価は２営業日で６ポイントの上昇する。

CHAPTER 12 SLINGSHOTS ™

図表12.2　ＩＭＰ

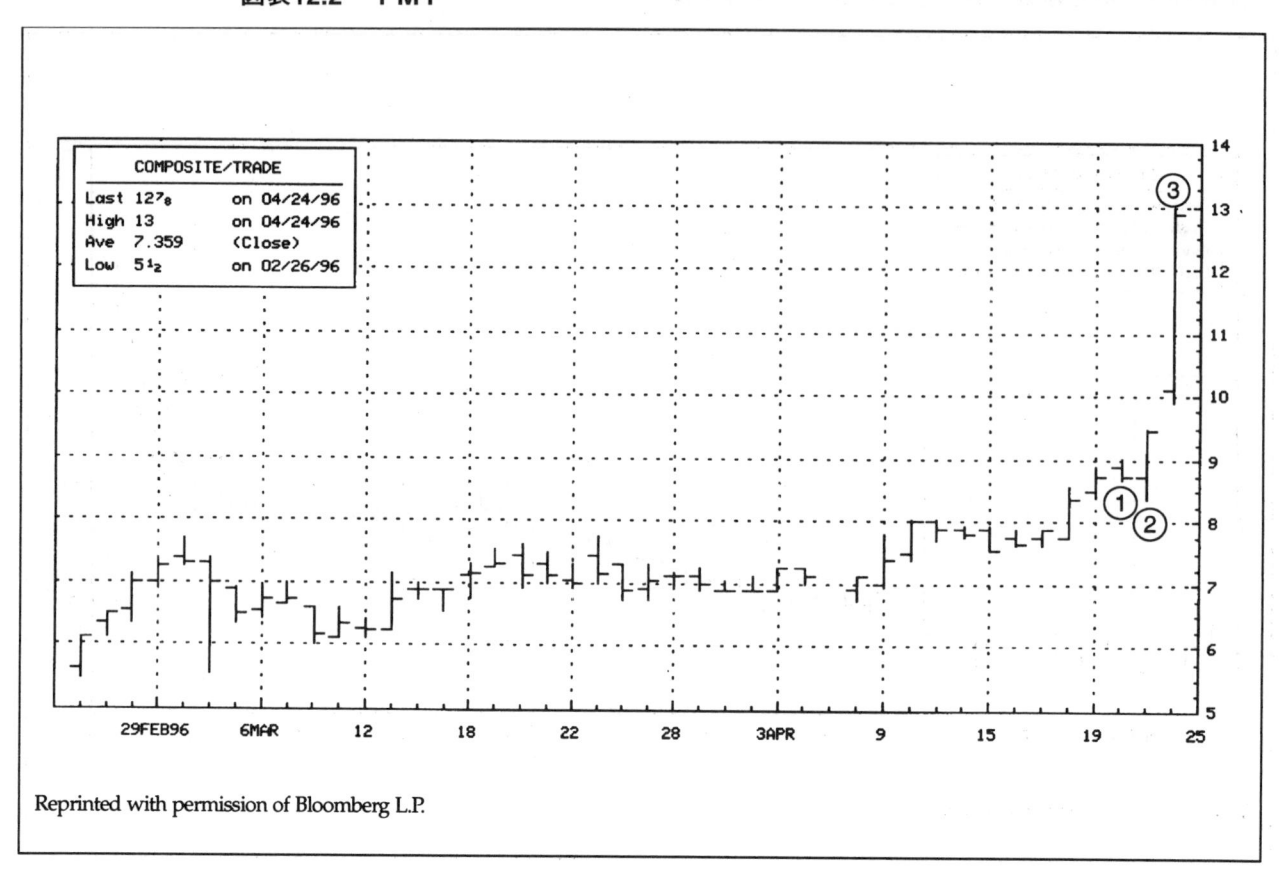

Reprinted with permission of Bloomberg L.P.

低位株は私の好みではないが、これは強力な例である。

1．ＩＭＰは過去２カ月間の高値を更新する。

2．前日の安値を更新した後、株価はすぐに反転し、前日の高値も更新する。

3．その日のうちに、株価は買値から５０％近く上昇する。

第12章　スリング・ショット

図表12.3　ゼネラル・モータース

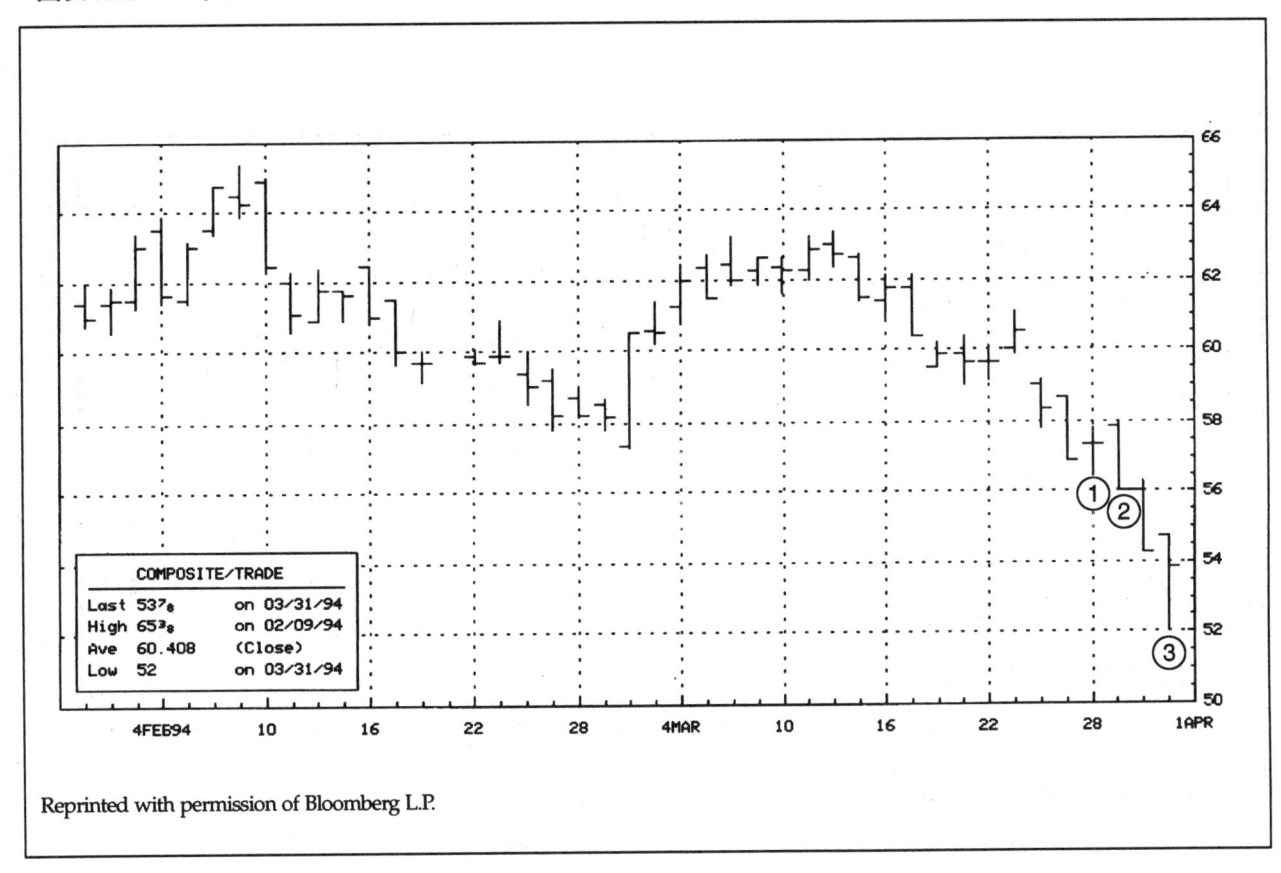

スリング・ショットを使った空売りの例がここにある。

1．GMは過去2カ月間の安値を更新する。

2．株価は、前日の高値を更新した後、安値も更新した。５６ ３/８ドルで売る。

3．次の数日で、株価は4ポイント以上も下落する。

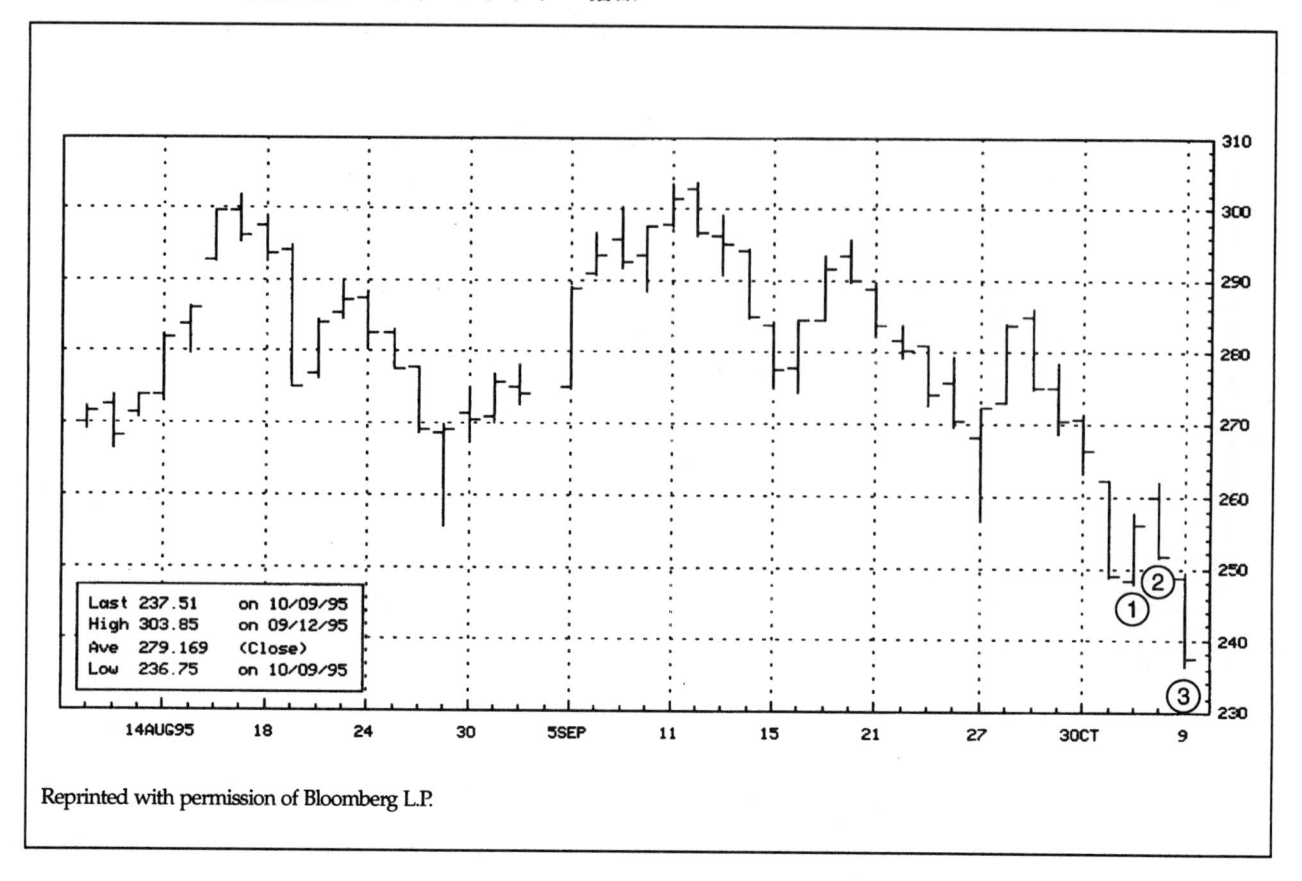

CHAPTER 12 SLINGSHOTS ™

図表12.4　セミコンダクター指数

```
Last  237.51   on 10/09/95
High  303.85   on 09/12/95
Ave   279.169  (Close)
Low   236.75   on 10/09/95
```

Reprinted with permission of Bloomberg L.P.

このパターンは株価指数でも有効である。

1．指数は過去2カ月間の安値を更新する（第1日目）。

2．前日の高値を更新する。

3．翌朝、指数は第1日目の安値を更新し、そのまま下げ、数時間のうちに10ポイント（4％！）の下げを記録する。

第12章 スリング・ショット

まとめ

　スリング・ショットは低リスクで、トレンドの継続性に乗ろうとする戦略である。この戦略はまた、高値・安値更新のだましを回避することを可能にしている。多くの場合、株価変動にはだましのブレイクアウトがあり、勢いに飛び乗ろうとするトレーダーを食い物にする。この戦略では、トレードのタイミングを株価が弱腰の価格変動を起こしたときではなく、その後に総体的な勢いをつけるポイントに合わせることが可能となるのである。

第13章　Vスラスト
V-THRUSTS

　ここで紹介するのは、私が最近になって用いるようになった新しい取引手法である。Vスラストは、強い上昇トレンドにある株価が急激に売られた後、上昇トレンドを再開するパターンである。お膳立ての概念は、1-2-3-4やファイブ・デイ・モメンタム・メソッド（著者自身の著書）と同様のものである。ただ、Vスラストは、主にはデイ・トレード用の取引戦略である。

　このルールは以下の通りである。

　1．過去7日以内に、株価は過去60日間の高値を更新しなければならない。

　2．その後、3日から6日、株価は急激に売り込まれる。

　3．前日、株価はその前の日の高値を更新し、V字を形成し始める。

　4．今日に限り、前日の高値の1／16ポイント上で買う。損切りを買値の1ポイント下に置く。

　5．大引けで手仕舞う。もし高値圏で引けるなら、ポジションの半分を明日まで持ち越してもよい。

Chapter 13 V-THRUSTS

図表13.1　NOI

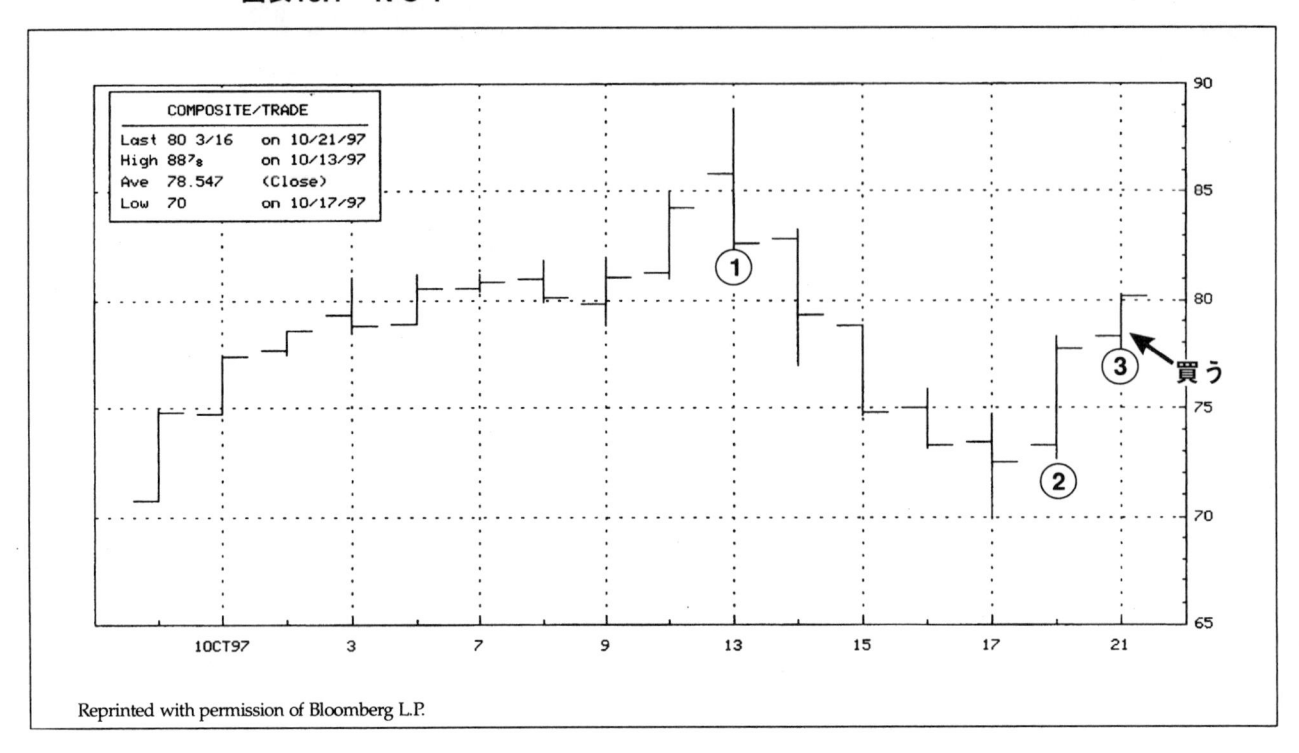

1．過去６０日間の高値を更新し、数日間激しく売られる（第２０章のギリガン・アイランドのパターンでもある）。

2．上昇は再開され（V字を形成し始める）、この日に５ポイントの上昇する。

3．前日の高値の１／１６ポイント上の７８　１／４ドルで買う。その日は２ポイント上昇して引ける。

図表13.2　ＳＬＢ

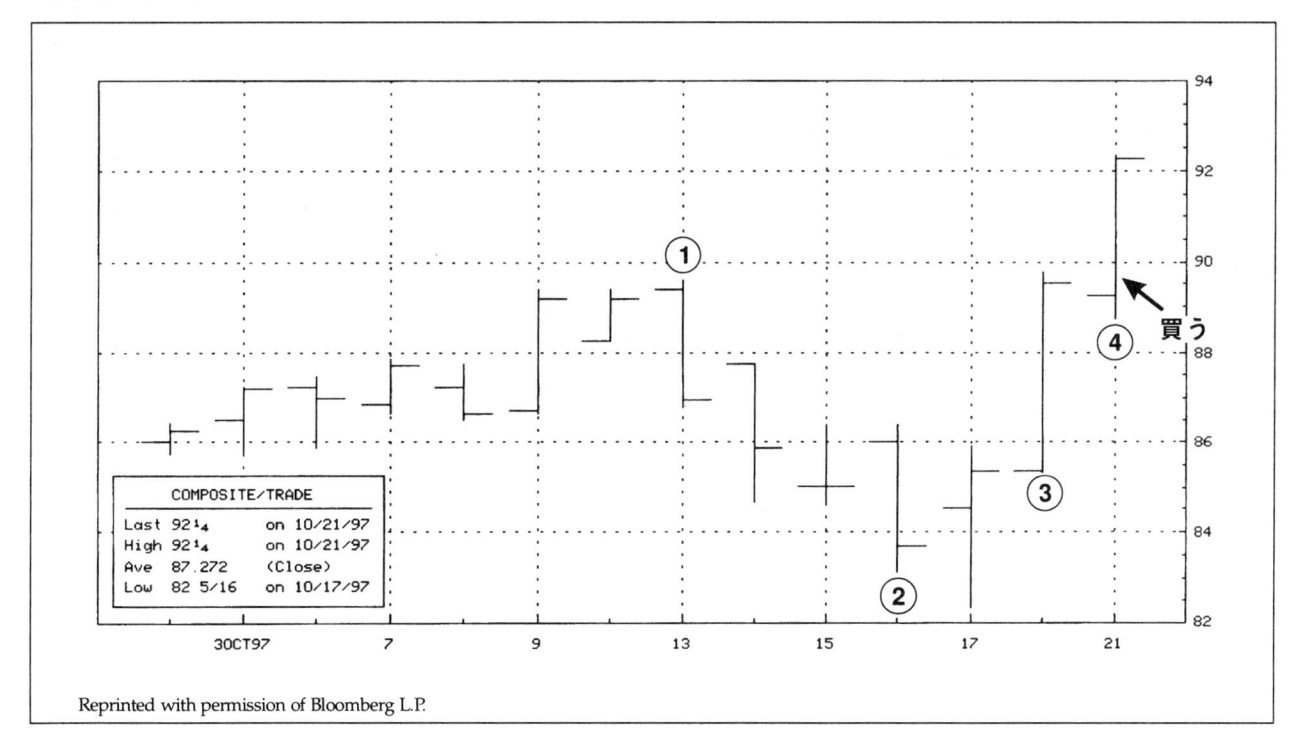

1．過去６０日間の高値を更新する。

2．株価は激しく売り込まれる。

3．その日だけで４ 1／8ドル上昇する。

4．前日の高値の1／16ポイント上の８９ 7／8ドルで買う。株価は勢いを取り戻し、９２ 1／4ドルで引ける。

CHAPTER 13 V-THRUSTS

図表13.3　ＰＯＴ

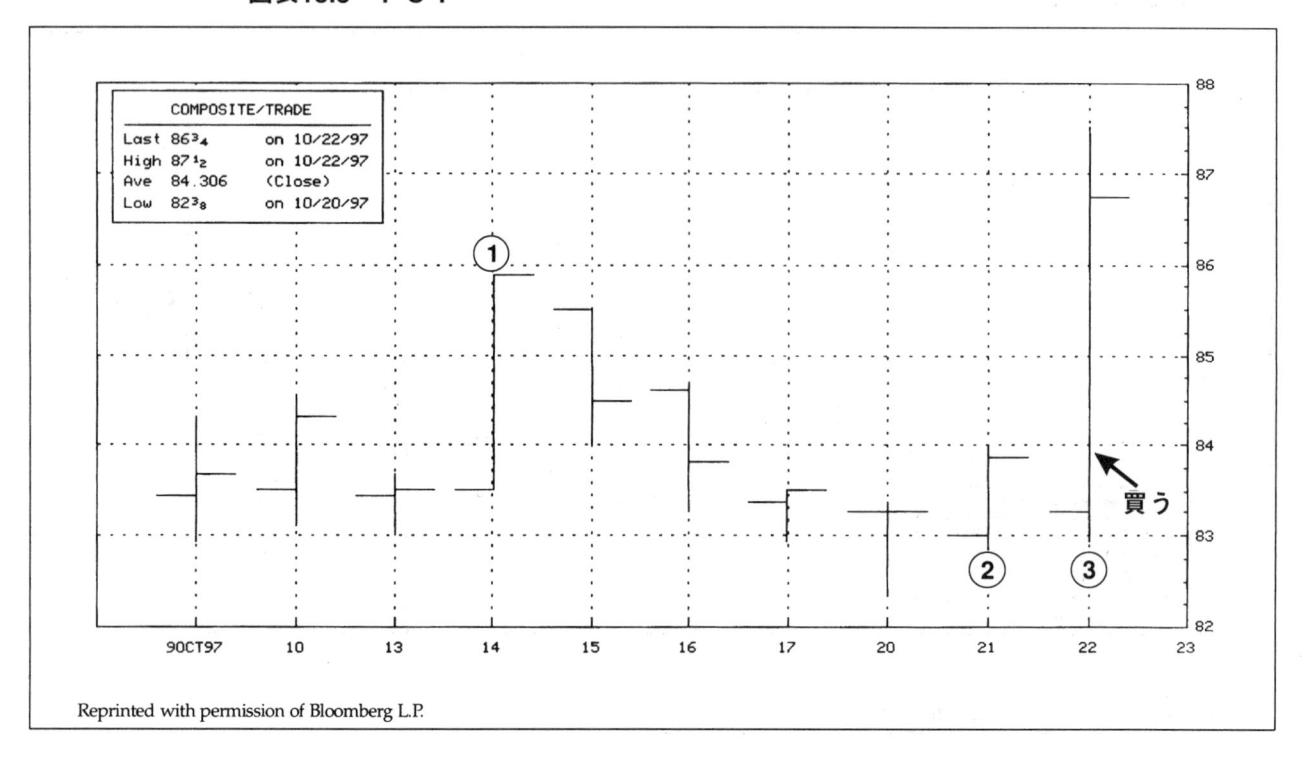

1．高値を更新した後、売られる。

2．上昇が再開される。

3．８４ 1／16ドルで買う。株価は、この日のうちに３ポイント以上、上昇する。

図表13.4　Ｈ Ｉ

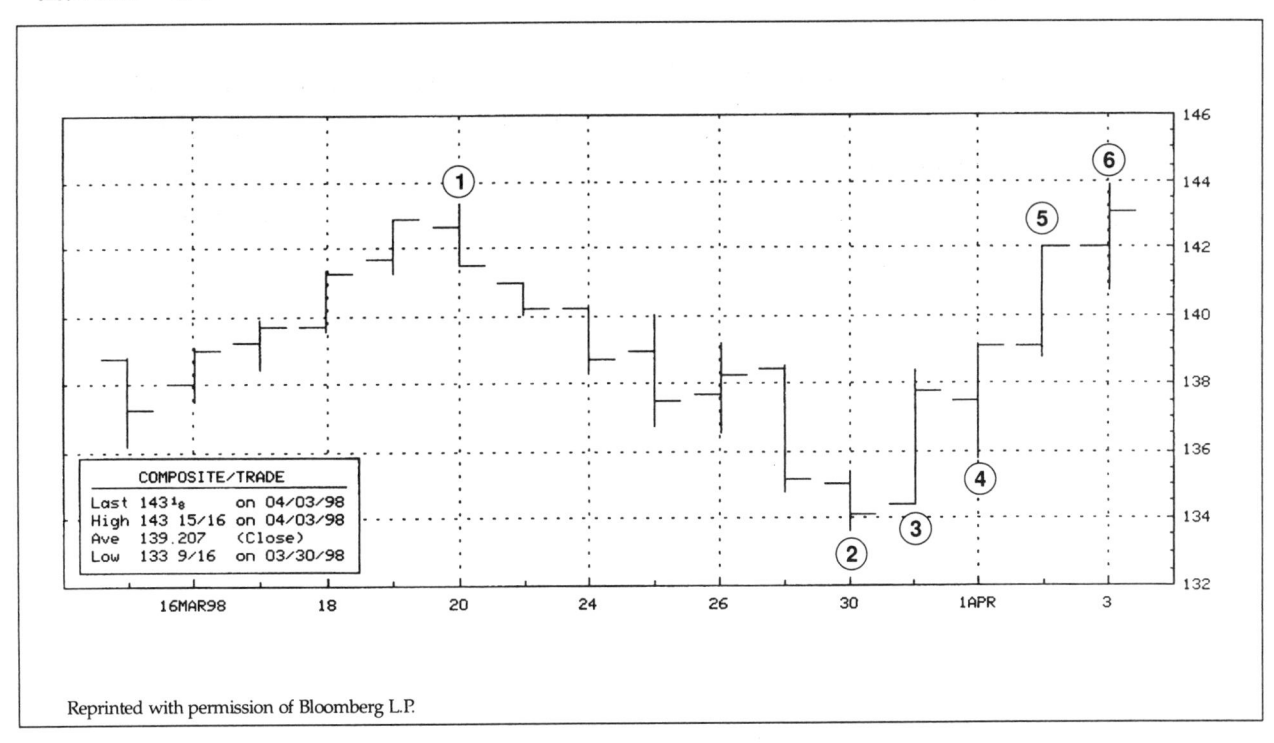

1．過去６０日間の高値。

2．激しく売られる。

3．Ｖ字を形成し始める。

4．１３８１／２ドルで買う。損切りは買値の１ポイント下に置く。その日の高値圏で引けたので、ここで売る理由はない。

5．再び高値圏で引ける。

6．１４４ドルまで上昇したところで、利益確定の売りが入る。

Chapter 13 V-THRUSTS

まとめ

　Vスラストは、株価の勢いに乗じた戦略で、利益確定の売りが一巡した後にトレンドが再開するのをとらえる戦略である。多くの場合、このパターンは極端に売られた銘柄で形成される。トレンドが再開したとき、この売り方は買い戻しに走り、株価を高値に押しやるのである。過去のチャートを見れば、このお膳立てが頻繁に発生していることに気付くことだろう。

第14章 リバーサル・ニュー・ハイ・メソッド(反転新高値手法)
REVERSAL NEW HIGHS METHOD

　この取引手法で用いるお膳立ては、比較的にまれなパターンである。しかし、このパターンが形成されるとき、非常に爆発的な株価の動きを伴うことが多い。

　このルールは以下の通りである。

買いルール（空売りはこの反対）

　1．いつものように、株価は３０ドル以上であること。株価は、高ければ高いほどこの手法に適している。

　2．今日の株価は、以下のすべてである。
　　a．前日の安値を更新する。
　　b．前日の高値を更新する（ａとｂが同時に成立したときに、包み足という）。
　　c．今日の値幅は過去５日間で最大。株価は過去６０日間の高値を更新する。

　3．明日、今日の高値の1／16ポイント上で買う。損切りは１ポイント下に置く。

　4．マーケットの動きに合わせて損切りを上げながら（トレイリング・ストップを使いながら）、ポジションを抱える。最終的には、この損切りに引っかかるまで、ポジションを抱え続ける。この売買は数時間から数日の短期トレードである。

CHAPTER 14 REVERSAL NEW HIGHS METHOD

図表14.1　LU

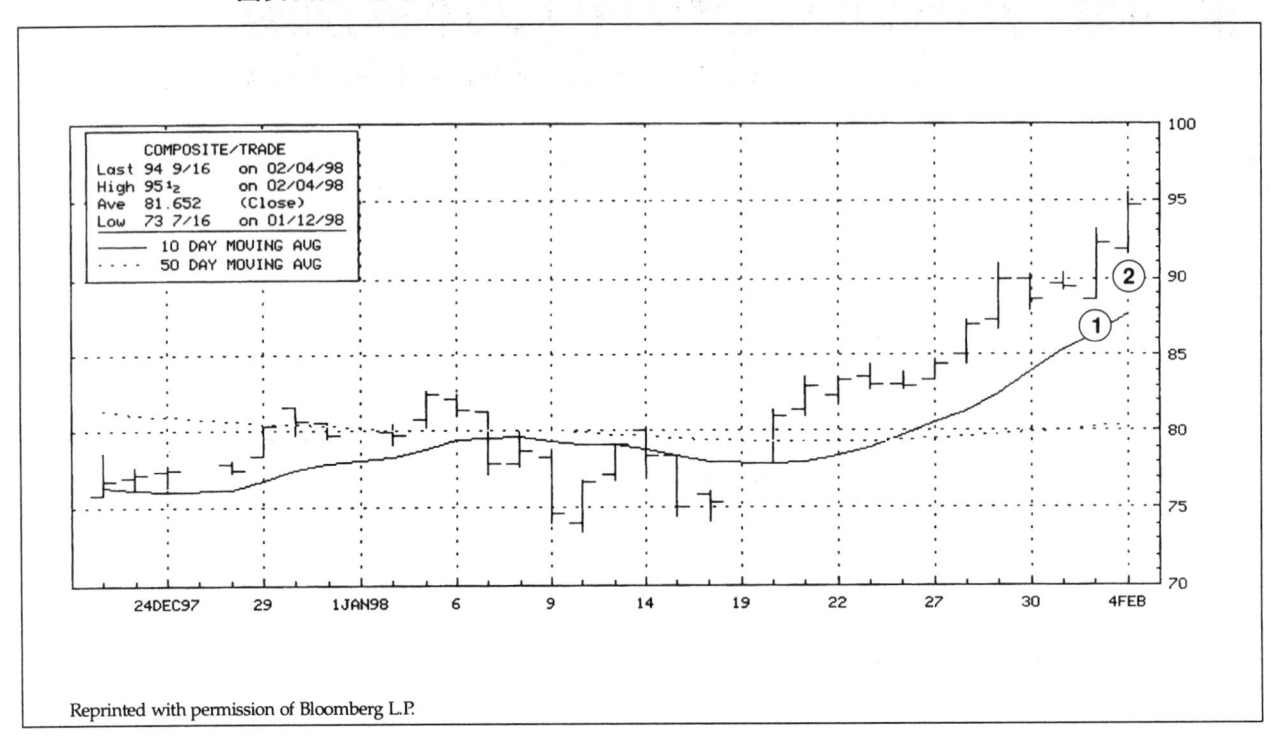

　1．2月3日、LU（ルーセント・テクノロジー）株は前日の高値と安値を共に更新した（包み足）。この日の値幅は過去5日間で最大。また、株価は過去60日間の高値を更新した。

　2．前日の高値の1／16ポイント上の93 5／16ドルで買う。株価は、その日のうちに2ポイント上昇する。

第14章　リバーサル・ニュー・ハイ・メソッド（反転新高値手法）

図表14.2　ＢＤＸ

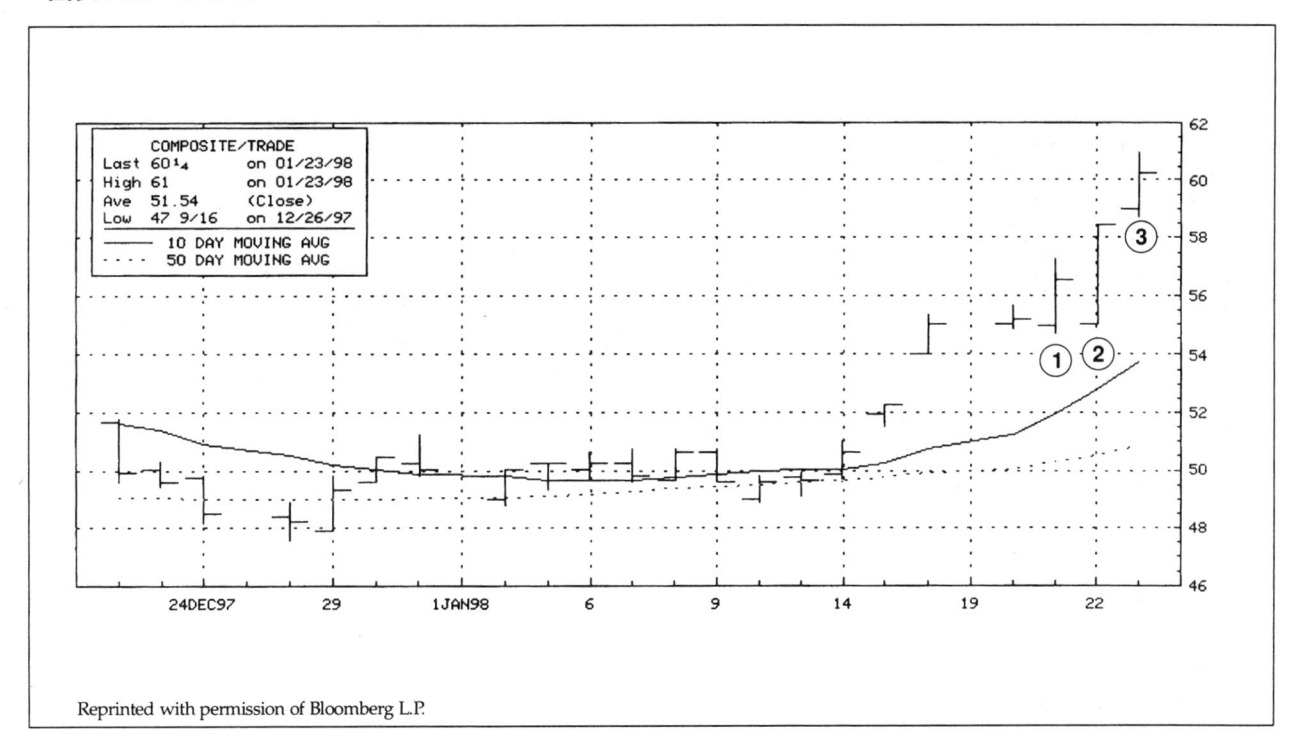

　　１．１月２１日、ＢＤＸ株は包み足。過去６０日間の高値を更新し、値幅は過去５日間で最大。

　　２．５７ 5／16ドルで買う。損切りは１ポイント下に置く。

　　３．翌日、株価は６１ドルまで上昇する。

CHAPTER 14 REVERSAL NEW HIGHS METHOD

図表14.3　ヤフー

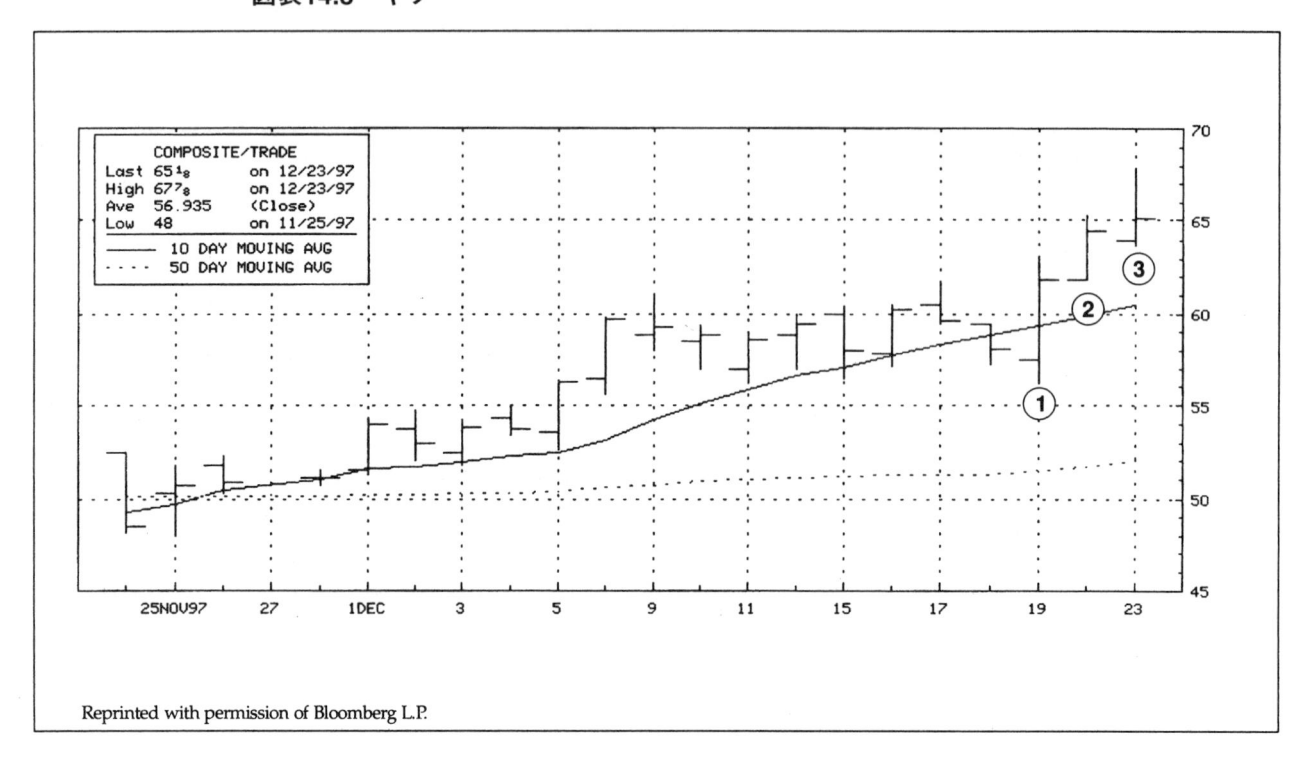

1．包み足を形成し、過去６０日間の高値を更新。過去５日間で最大の値幅。

2．６３１／４ドルで買う。損切りは１ポイント下に置く。

3．翌日、ヤフー株は買値から４５／８ドル上昇する。

（１２月５日から８日にかけて、もう１つの成功したパターンがみられる）

図表14.4　ＭＡＳＴ

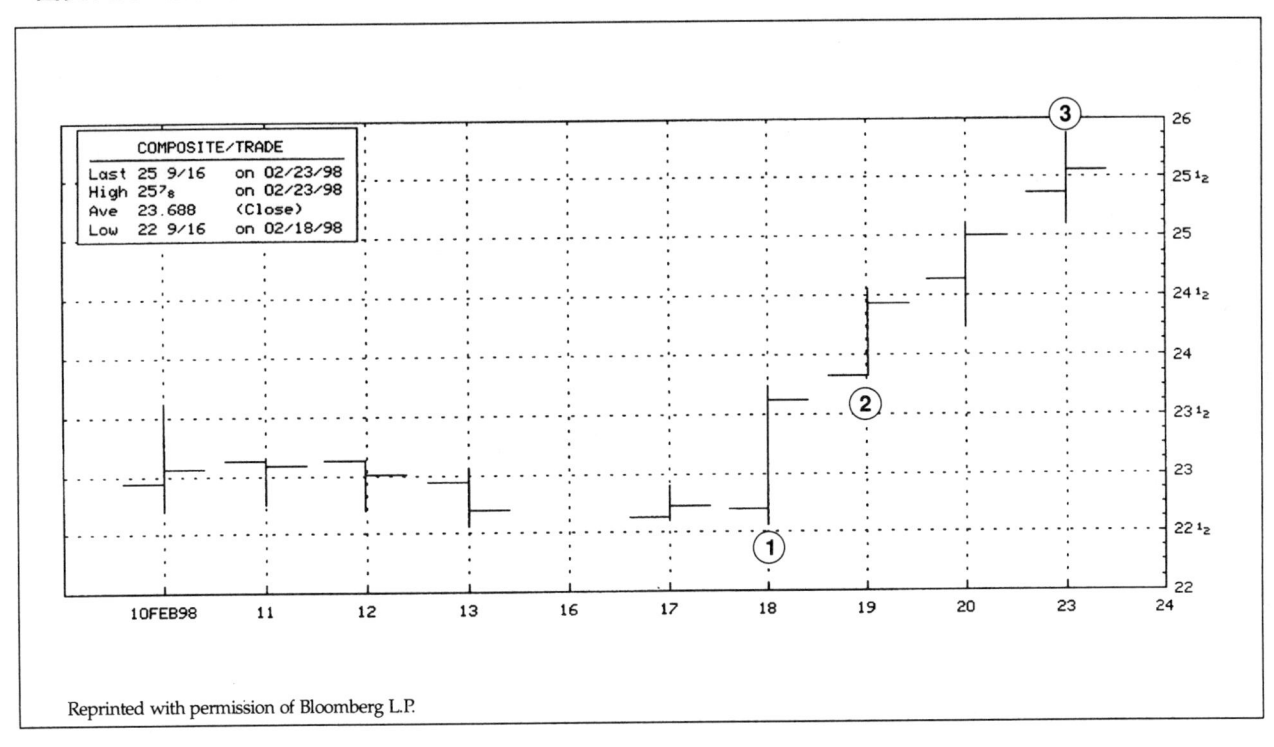

お膳立てが整ったとき、株価は４０ドル台だった。その後、この銘柄は２分割されたが、それがこのチャートである。

１．安値は前日より安く、高値は前日より高いので、包み足になった。また、過去５日間で最大の値幅であり、過去６０日間の高値を更新。

２．前日の高値の上で寄り付いたので、そこで買う。

３．上昇トレンドは継続している。

CHAPTER 14 REVERSAL NEW HIGHS METHOD

図表14.5　ＭＷＤ

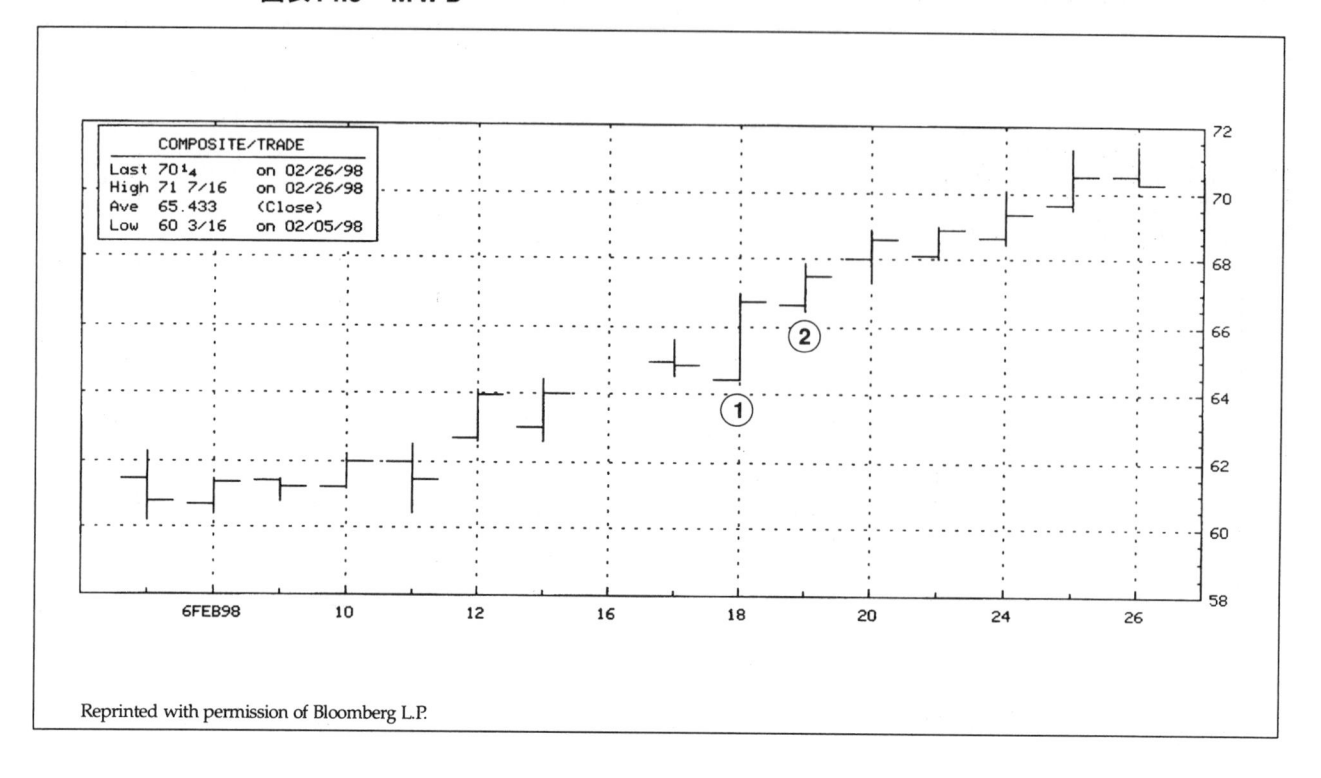

1．包み足。過去５日間で最大の値幅。過去６０日間の高値を更新。

2．２月１８日の高値より1／16ポイント上で買う。

まとめ

このお膳立てでは何が起こっているのだろうか？　高値が更新された付近で取引されている株価が日中に売り込まれる日があり、その後、すぐに反転するというパターンである。大きな値幅で高値を更新するので、その反発はとても強いといえる。**ここでの買いの勢いは強く、通常、この上昇トレンドは次の２日間継続する。**

ご存知のように、この本で紹介しているすべての取引手法は、トレンドの強い動きのある銘柄に対して、具体的な買い（または、空売り）パターンを認識し、その流れに乗ろうとする手法である。このリバーサル・ニュー・ハイ・メソッドは、まさしくそんな手法である。あなたのレパートリーに加えられることを、強くお勧めする。

第15章

ELB
EXTENDED LEVEL BOOMERS

　このELB（拡大レベル・ブーマー）は、高値や安値を更新した後に数日間、はらみ足が続くパターンである。株価は高値（安値）を更新し、その後、値幅が収束した営業日が２日間かそれ以上続くことになる。さらに、この値幅の収束は、トレンドが元の方向に再開されるときにブレイクアウトを伴うことになる。

　このルールは以下の通りである。

買いルール（空売りはこの反対）

　１．第１日目、株価は過去６０日間の高値を付ける。

　２．次の２日間かそれ以上、１日目の高値と安値の間で取引される（高値や安値が同じ値段でもよい）。

　３．１日目の値幅内で２日間取引された後、第１日目の高値から1／16ポイント上で買う。

　４．もし株価が第１日目の高値に届く前に安値に届いたら、３の買い注文を取り消す。

　５．第１日目の高値を超えて株価が取引され、３の買い注文が通れば、買値の１ポイント下に損切りを置く。この損切りはマーケットに合わせて上げていく（トレイリング・ストップを使う）。

CHAPTER 15 EXTENDED LEVEL BOOMERS

図表15.1　ＡＯＬ

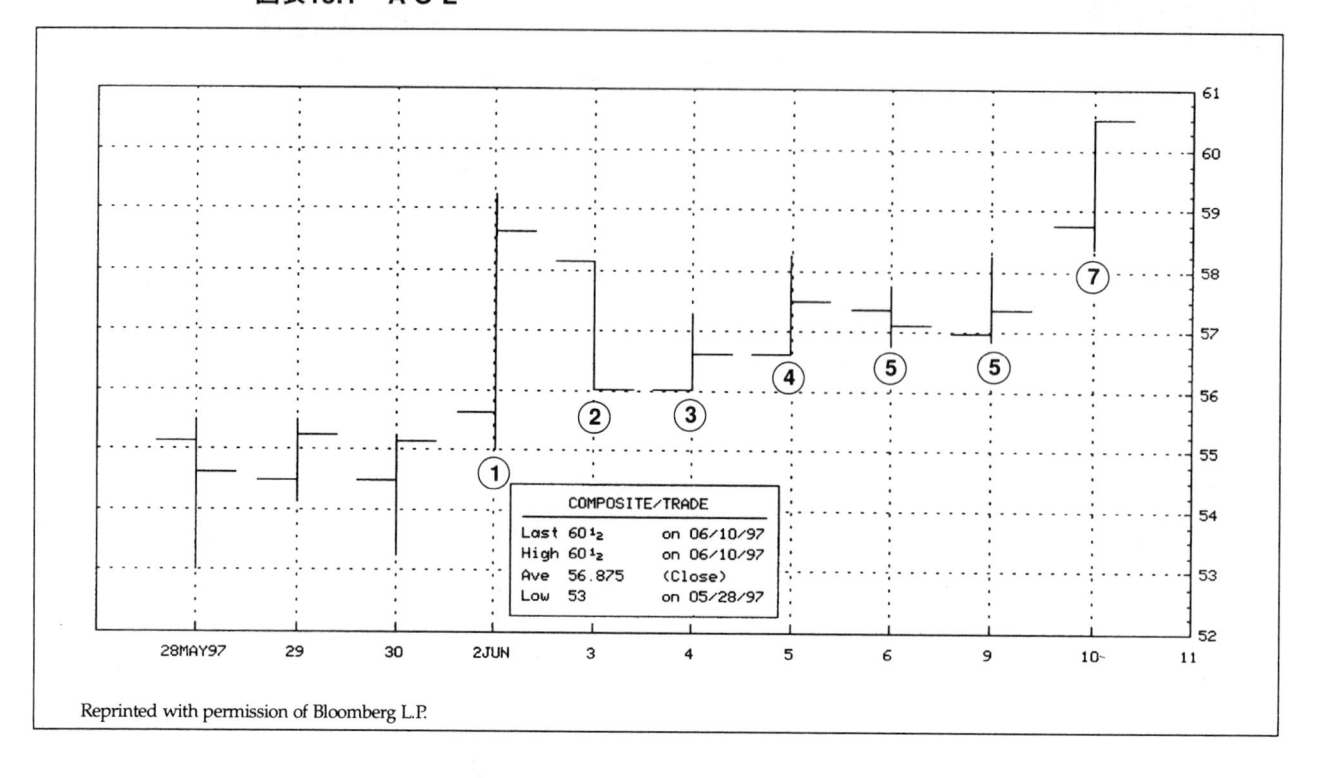

1．ＡＯＬは過去６０日間の高値を更新する。

2～6．続く5日間は1日目の値幅内で取引される。

7．1日目の高値の1／16ポイント上で買い注文が通る。

図表15.2　ＮＣ

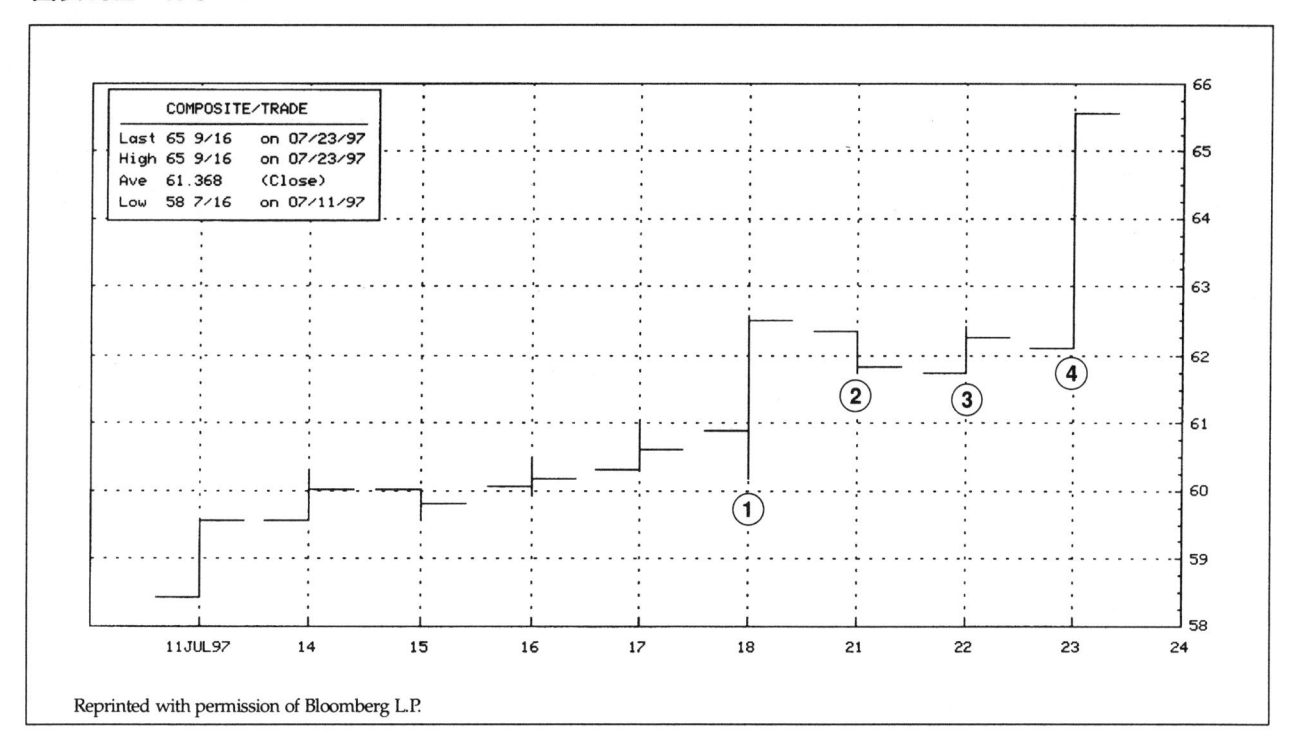

```
           COMPOSITE/TRADE
    Last  65 9/16   on 07/23/97
    High  65 9/16   on 07/23/97
    Ave   61.368    (Close)
    Low   58 7/16   on 07/11/97
```

Reprinted with permission of Bloomberg L.P.

　１．過去６０日間の高値を更新。

　２～３．２日間は１日目の値幅内で取引される。

　４．１の高値の1／16ポイント上である６２ 5／8ドルで買う。株価は６５ 9／16ドルまで上昇する。

Chapter 15 EXTENDED LEVEL BOOMERS

図表15.3　ＣＣＩＬ

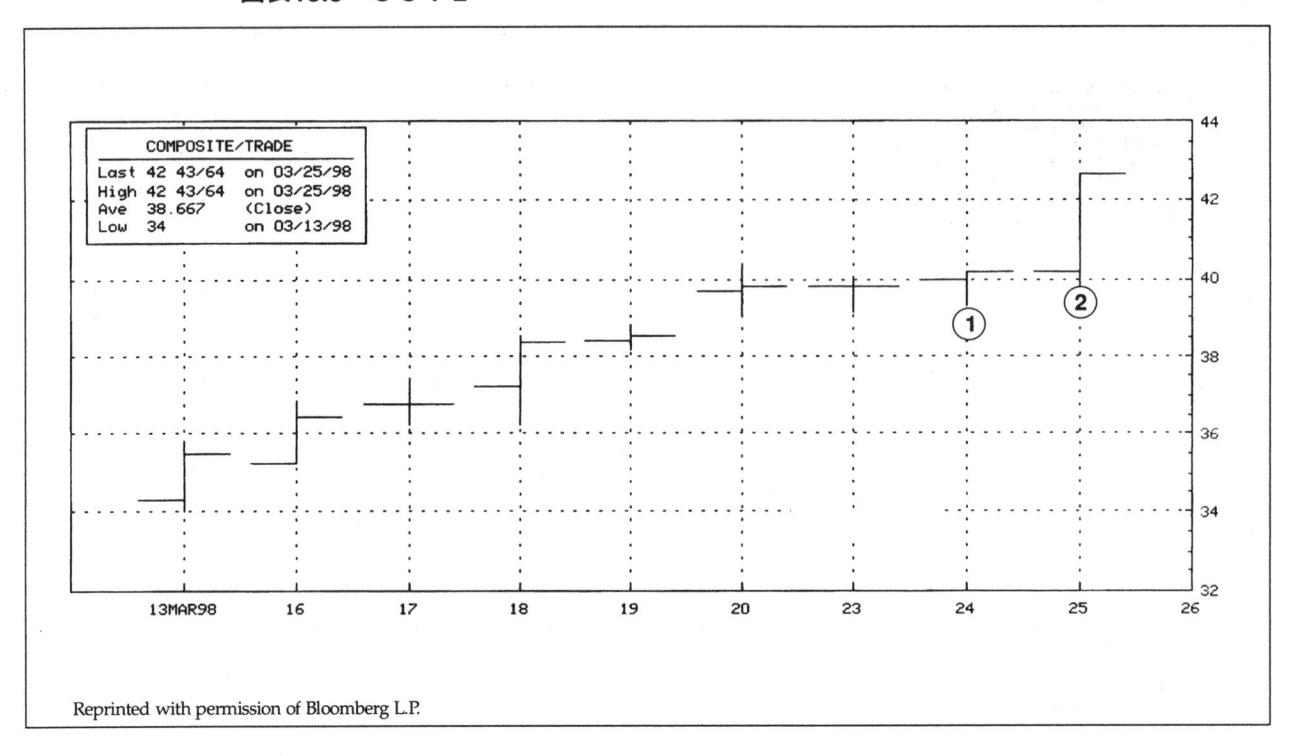

```
COMPOSITE/TRADE
Last  42 43/64  on 03/25/98
High  42 43/64  on 03/25/98
Ave   38.667    (Close)
Low   34        on 03/13/98
```

Reprinted with permission of Bloomberg L.P.

　１．３月２０日に高値を更新し、その後、２日間は１日目の値幅内で取引される。

　２．３月２０日の高値から1／16ポイント上で買う。その日のうちに３ポイント近く上昇する。

図表15.4　ＳＤＧ

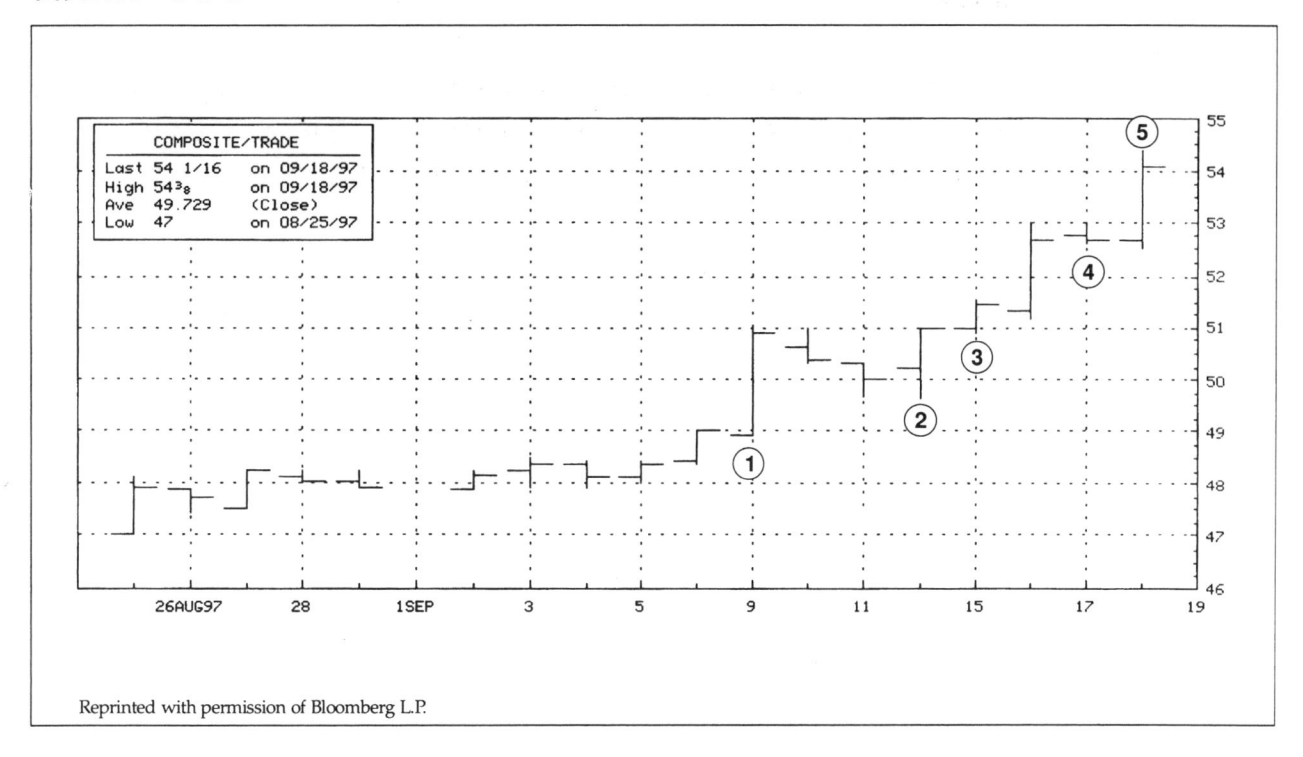

```
COMPOSITE/TRADE
Last  54 1/16   on 09/18/97
High  54 3/8    on 09/18/97
Ave   49.729   (Close)
Low   47        on 08/25/97
```

１．過去６０日間の高値を更新。

２．９月９日の値幅内で次の３日間は取引される。

３．高値が更新されところで買う。強く引ける。

４．ジャック・イン・ザ・ボックス（第１０章参照）のお膳立てが整う。

５．さらに高値を更新する。

まとめ

　本来のブーマーと同様、ＥＬＢも株価動向が小休止した後、その動きが再開されたとき、そのトレンドの継続性に乗ろうとする戦略である。トレード・リスクが１ポイントと低く抑えられている一方、ブレイクアウトを利用することから、時折、大きな見返りを得る。

第16章　ホットIPOプルバック
HOT IPO PULLBACKS

　１－２－３－４については、第６章で解説した。この取引手法は、３日間押した後、そのトレンドを再開するトレンドの強い銘柄を対象とした戦略である。「ホットＩＰＯプルバック（ホットな新規公開株の押し）」も、基本的には同様の戦略である。ここでは、新規上場された後も腰の強い銘柄が数日間、押したところをトレードする。押しは、創業者などの一部投資家が利益確定するための売りによって発生するが、この動きが一巡すれば、長期保有型の投資家が参入し、株価は上昇するのである。

　このルールは以下の通りである（この戦略は買いのみで、空売りはない）。

　１．公開価格から少なくとも１５％は上昇した銘柄を探す。具体的には、もし公開価格が２０ドルであったとすれば、公開後５日間で２３ドル以上を付けているのが条件である。

　２．２日から４日間の押しを待つ。ここでのパターンは、安値更新、前日よりも安い終値、はらみ足など、どんな組み合わせでもよい（以下のチャートを見れば、理解しやすい）。

　３．押し２日目、３日目、もしくは４日目の後、前日の高値の1/16ポイント上で買う。

　４．前日の安値付近に損切りを置く。

　５．損切りをマーケットの動きに合わせて上げていき（トレイリング・ストップを使って）、ポジションを１日から５日間抱える。

CHAPTER 16 HOT IPO PULLBACKS

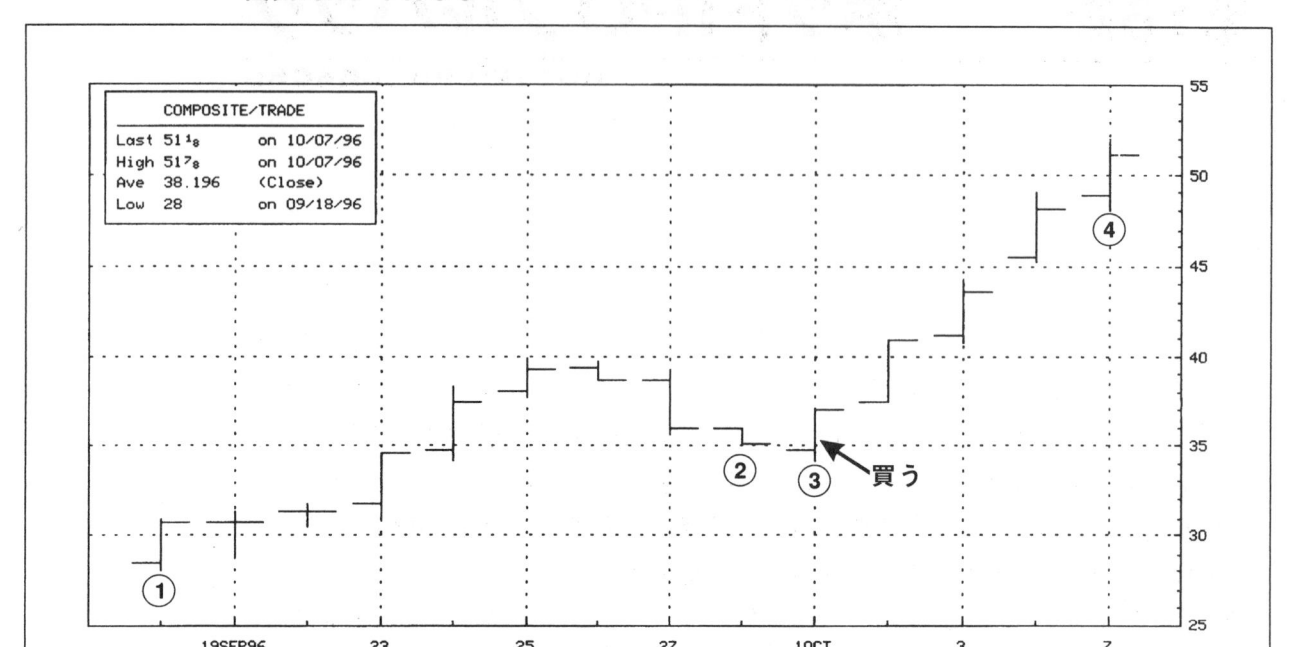

図表16.1　ＩＮＳＳ

```
         COMPOSITE/TRADE
Last  51 1/8    on 10/07/96
High  51 7/8    on 10/07/96
Ave   38.196    (Close)
Low   28        on 09/18/96
```

Reprinted with permission of Bloomberg L.P.

　１．９月１８日、ＩＮＳＳ（インタナショナル・ネットワーク・サービス）は株式を公開。公開価格の１６ドルに対して寄り付きは２８ １/２ドル。公開価格から株価が１５％以上上昇していることから、この銘柄は「ホットな銘柄」としては十分。

　２．３日間の押し。

　３．９月３０日の高値から1/16ポイント上で買い、３６ １/16ドルで注文が通る。損切りを前日の安値の３５ドル付近に置く。

　４．１週間で４０％の収益を上げる。

第16章　ホットIPOプルバック

図表16.2　ＡＦＣＩ

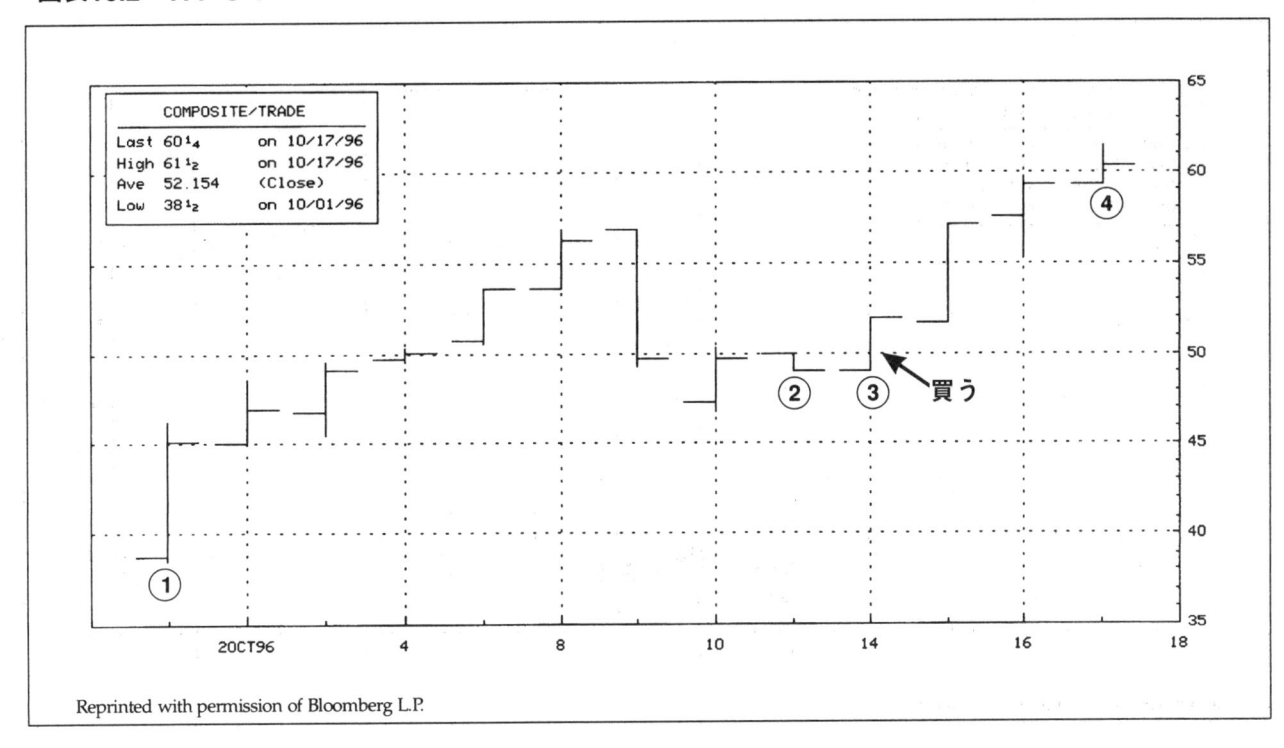

```
COMPOSITE/TRADE
Last  60¼    on 10/17/96
High  61½    on 10/17/96
Ave   52.154 (Close)
Low   38½    on 10/01/96
```

Reprinted with permission of Bloomberg L.P.

1．10月1日、ＡＦＣＩ（アドバンスト・フィーブル・コミュニケーションズ）の公開価格は25ドルで、寄り付きは38 3／4ドル。

2．3日間の押し。

3．トレンドは再開し、買い注文が50 1／16ドルで通る。損切りを前日の安値である49ドル付近に置く。

4．3日後、10ポイントの収益を上げる。

CHAPTER 16 HOT IPO PULLBACKS

図表16.3　ＳＥＡＣ

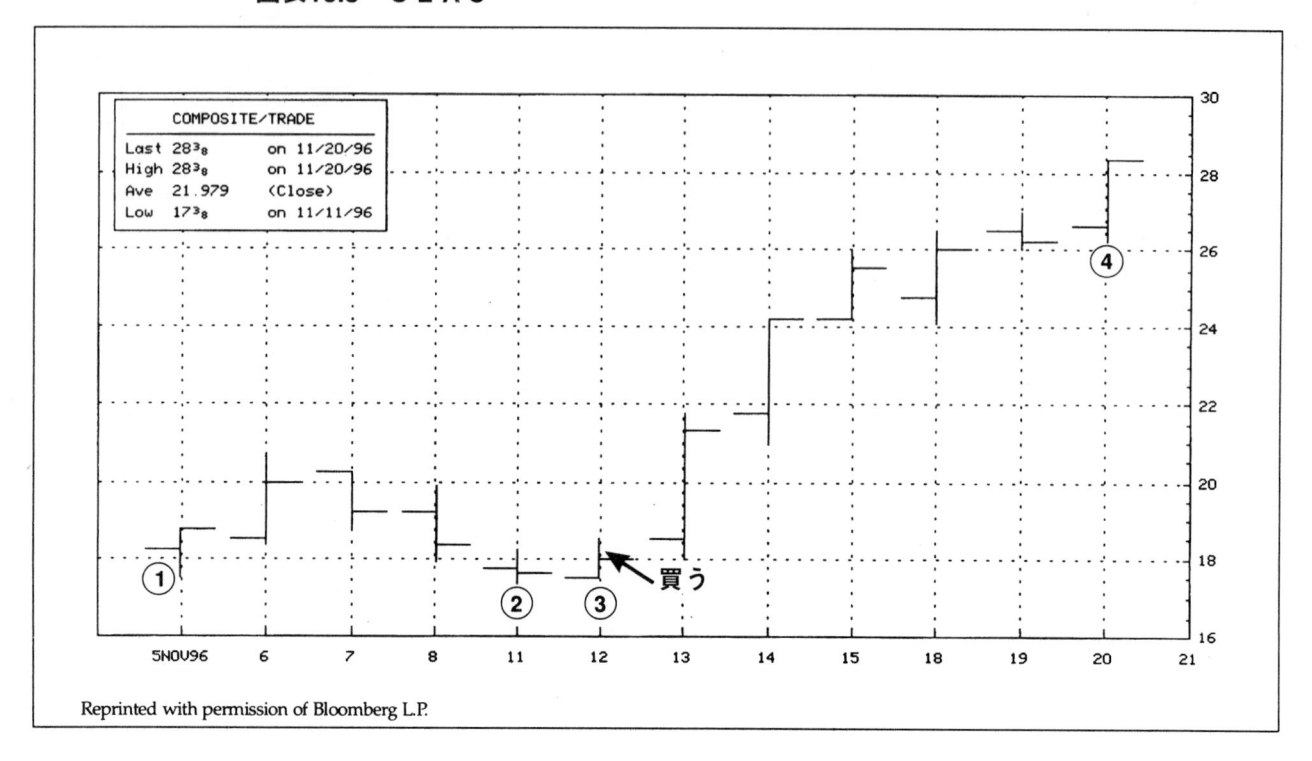

1．ＳＥＡＣ（シー・チェンジ・インタナショナル）の公開価格は１５ドルで、公開価格よりも１５％以上、上で取引される。

2．利益確定の売りが入り、一時的な押し。

3．機関投資家の買いが入り、株価を押し上げる。買い注文が１８ ５／１６ドルで通る。

4．株価は、６日で５０％以上上昇する。

図表16.4　ＳＣＳ

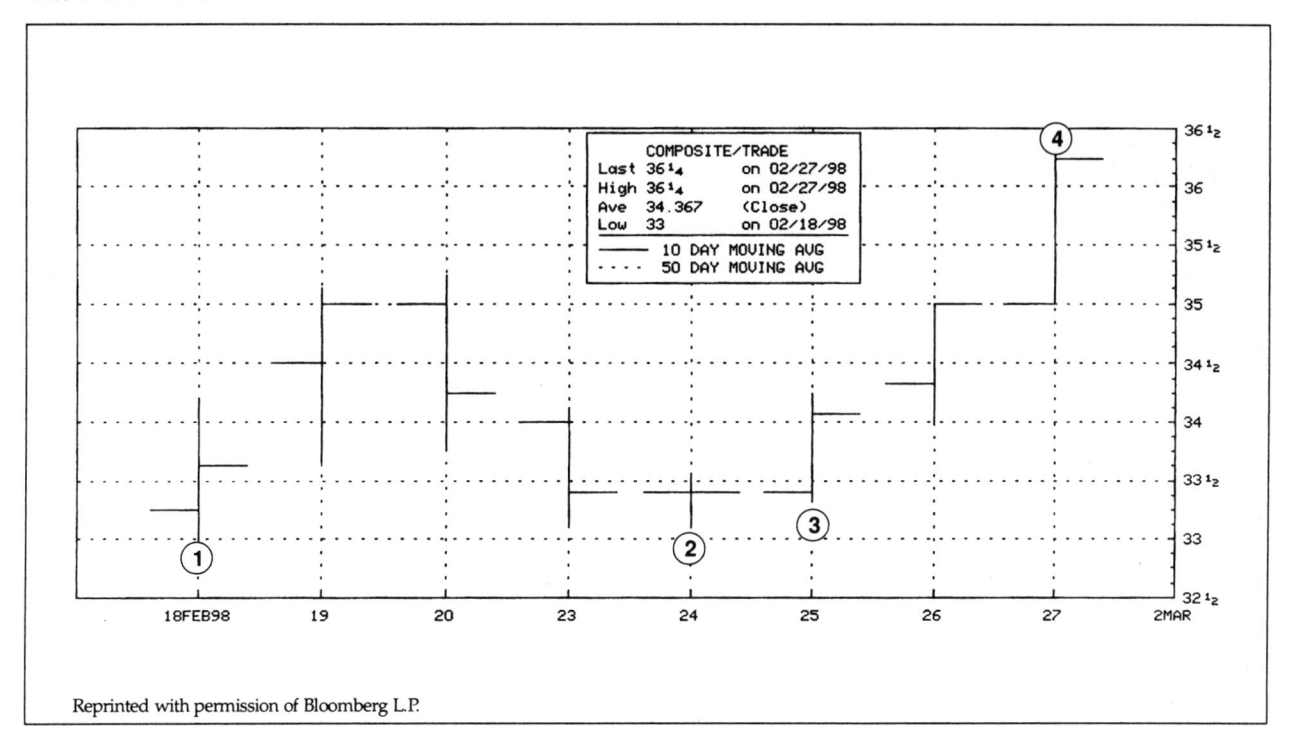

1．ＳＣＳ（スティールケース）の公開価格は２８ドル。寄り付きは５ドル以上も上。

2．3日間の押し。

3．前日の高値の上で買う。損切りを1／2ポイント下に置く。

4．3日間で１０％上昇する。

CHAPTER 16 HOT IPO PULLBACKS

図表16.5　ＧＴＳＧ

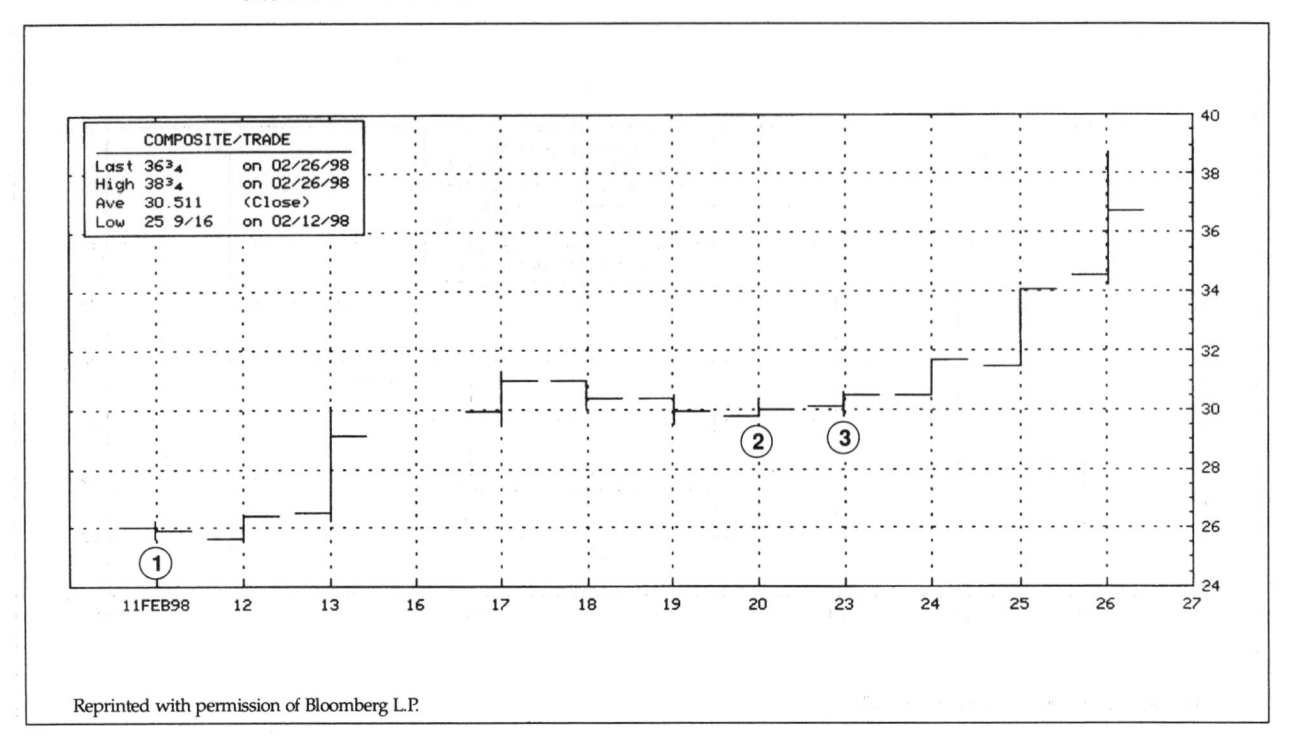

```
COMPOSITE/TRADE
Last  36 3/4    on 02/26/98
High  38 3/4    on 02/26/98
Ave   30.511   (Close)
Low   25 9/16   on 02/12/98
```

Reprinted with permission of Bloomberg L.P.

　１．ＧＴＳＧ（グローバル・テレシステム・グループ）の公開価格は２０ドル。寄り付きは３０％以上も上。

　２．押し。

　３．３０ 5/16ドルで買う。損切りを買値の5/8ポイント下に置く。

　４．１週間で２０％上昇する。

まとめ

　このお膳立ての力点を再確認しておこう。強い株の需要が原動力となって、公開第１週目の株価を押し上げる。公開株を持つことができた幸運な短期投資家は売り逃げようとし、押しが形成される。十分な株数を割り当てられなかった成長株ファンドなどの機関投資家は、この押しで株数を手当てしようとして、株価を押し上げる。簡潔、明解、また実に予測可能な動きなのである。

第17章　セカンダリー（増資銘柄）
SECONDARIES

> たった1つのものであれば、顧客はカネを惜しまない。
>
> シンクレアー・ルイス

　増資銘柄をトレードするのは、最も低リスクの手法である。証券会社が株価の下落は数呼値でしかないという保証をしている売買など、これ以外にはない。

　ご存知のように、増資銘柄とは発行株数を増やそうとしている上場企業である。この場合、企業は1社から5社の証券会社に増資株を引き受けさせ、投資家に配分させる。時として、証券会社はこの「配分」をうまくやってのけ、供給（増資株数）よりも大きな需要を喚起することがある。ここで、われわれの出番となる。こんなとき、需要が満足されるまで、株価は上昇傾向になる。

CHAPTER 17 SECONDARIES

どのようにしてこのような状況が起きているのを知るのだろうか？　このルールは以下の通りである。

1．週末、『バロンズ』誌の増資予定欄で翌週に予定されている増資銘柄を確認する。

2．増資銘柄をリストアップしたら、どの銘柄の値段が決まり、翌日から取引開始となるか、毎晩ニュースで確認する。

3．値段が決まった日、株価は２０日間移動平均線を超えて引ける。需要が高いことを示唆する動きである。

4．取引開始の寄り付きが増資株の放出価格よりも1／4ポイント以上高ければ、買う。ナスダック株の場合は、**買い気配値**が放出価格よりも1／4ポイント以上でなければならない。

5．最初の損切りを放出価格より1／8ポイント下に置く。もし損切りに引っかからなくても、含み損が出ていれば、大引けで手仕舞うこと。もし含み益を出しているならば、大引けで仕切っても、翌日まで持ち越してもよい。私の経験では、最初の日に含み益を出した銘柄は、多くの場合、その後数日間、上昇基調を継続させる。

いくつか例を見てみよう。これらの例では、値付けが行われた日、すべての株価が２０日間移動平均線を上回っている。

第17章　セカンダリー（増資銘柄）

図表17.1　ウエット・シール

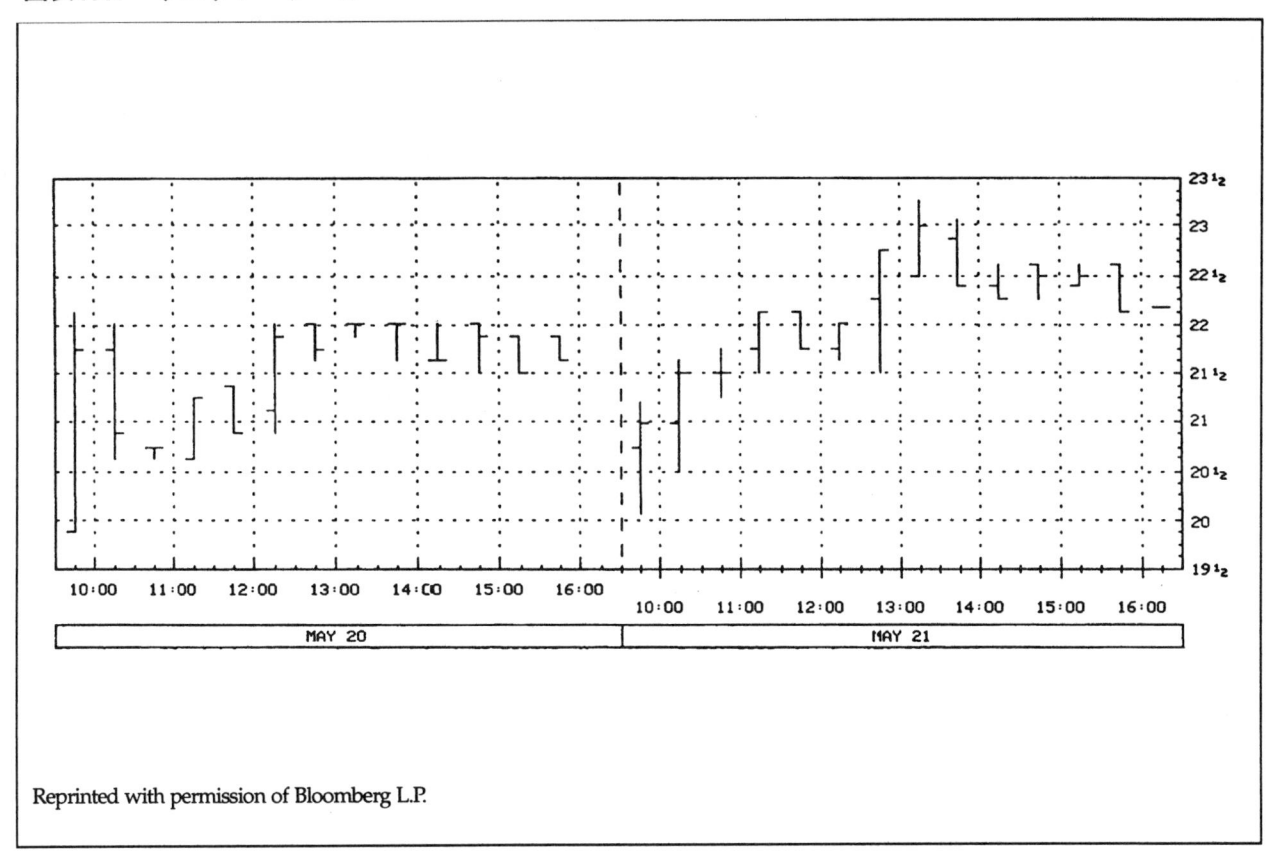

Reprinted with permission of Bloomberg L.P.

　５月２０日、ウァーヘイム・シュローダー証券は、３１０万株の増資に対し、２０ドルの値付けをした。翌朝、株価は２０ １/２ドルの買い気配に対して、２０ ３/４ドルの売り気配で始まり、２０ ３/４ドルで買い注文が通る。株価が２０ドルを割ったら、損切る。この例では、ウエット・シールは買い方が現れる２０ １/８ドルまで売られたが、２２ ３/16ドルで引けた。

137

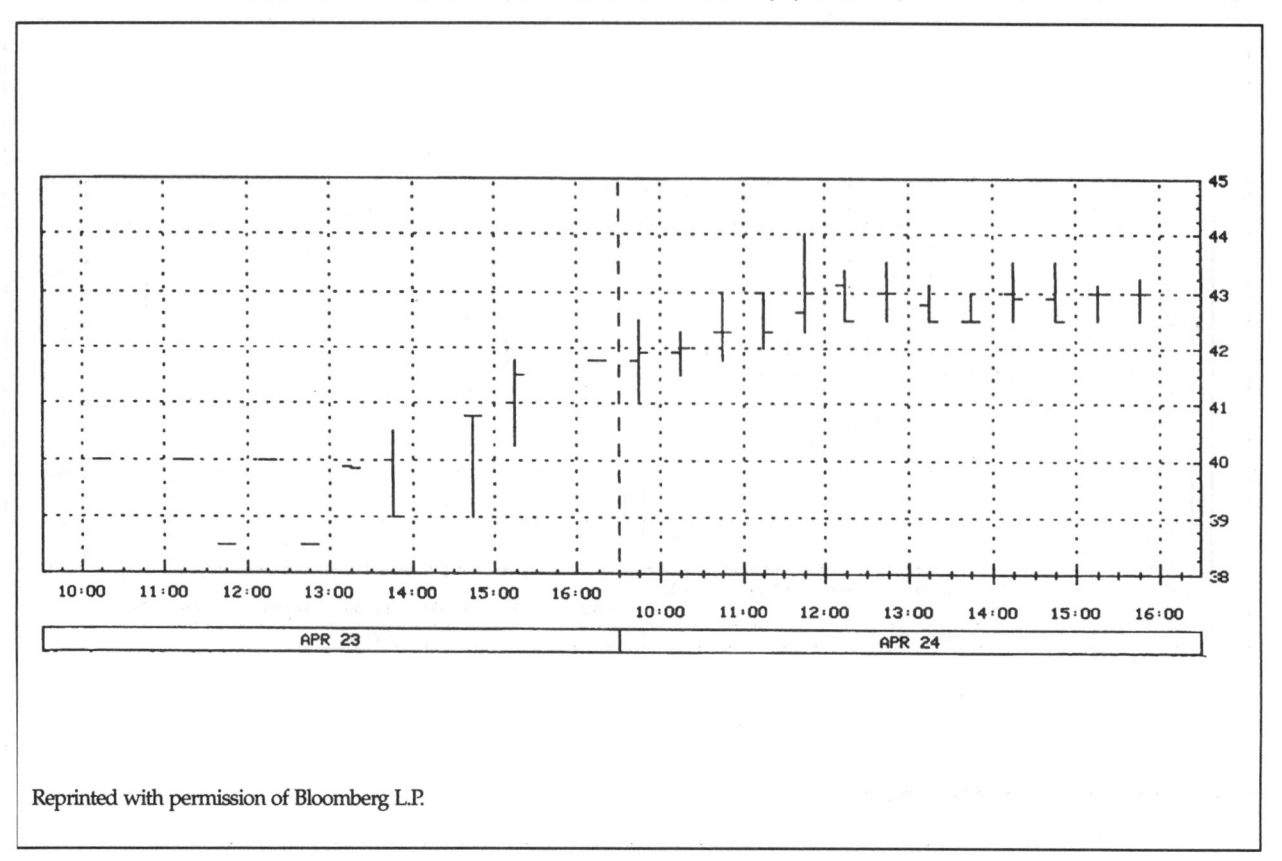

Chapter 17 SECONDARIES

図表17.2　フィジシャン・リライアンス・ネットワーク

Reprinted with permission of Bloomberg L.P.

　スミス・バーニー証券は、２６０万株の増資に対し、４０ドルの値付けをした。翌朝（４月２４日）、株価は４１ドルの買い気配に対して、４１ 3／4ドルの売り気配で始まる。４１ 3／4ドルで買い注文が通る。株価は４４ドルまで上昇し、４３ドルの買い気配のまま引けた。

第17章 セカンダリー（増資銘柄）

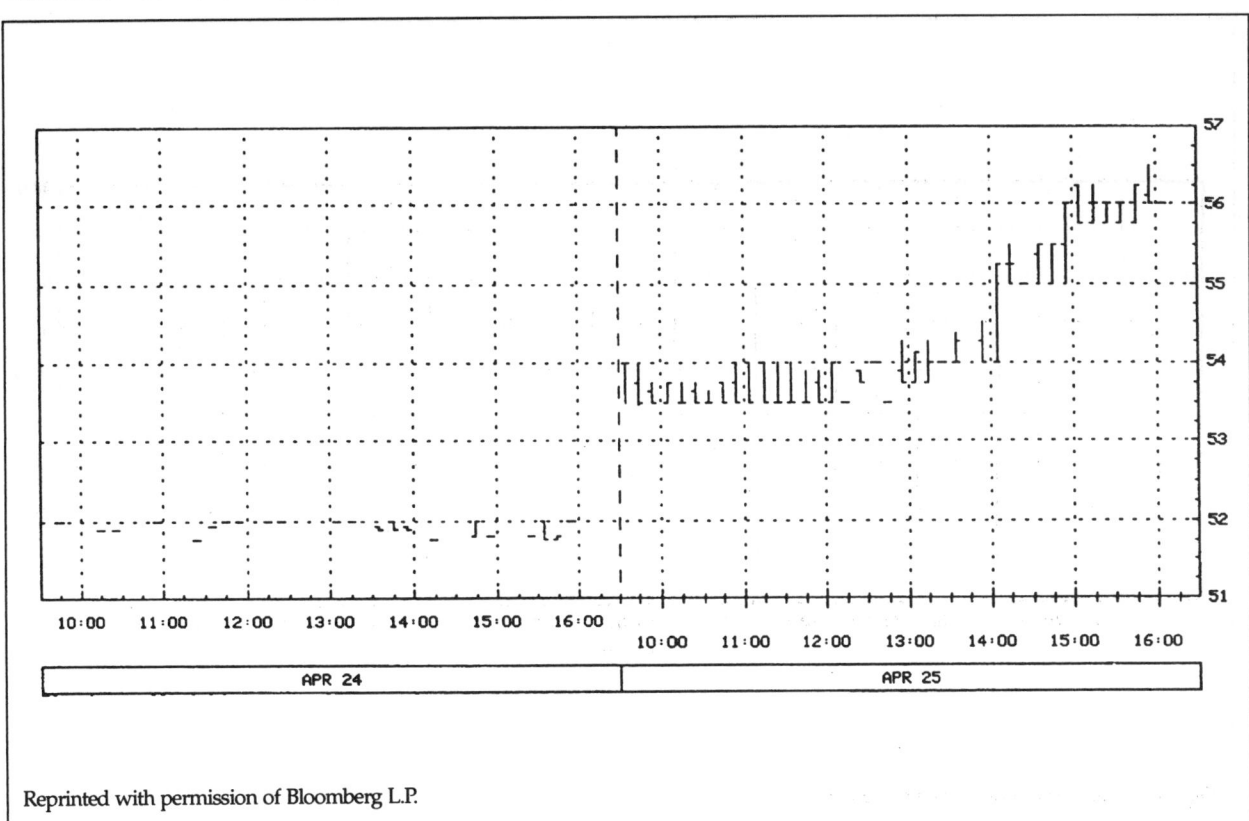

図表17.3　ガーデン・リッジ・コーポレーション

Reprinted with permission of Bloomberg L.P.

　住宅備品を販売するこの会社の増資株は、５１３／４ドルで値付けされた。翌日、上に窓を空け、５４ドルで寄り付き、その日のうちに２ポイント上昇し、５６ドルで引けた。

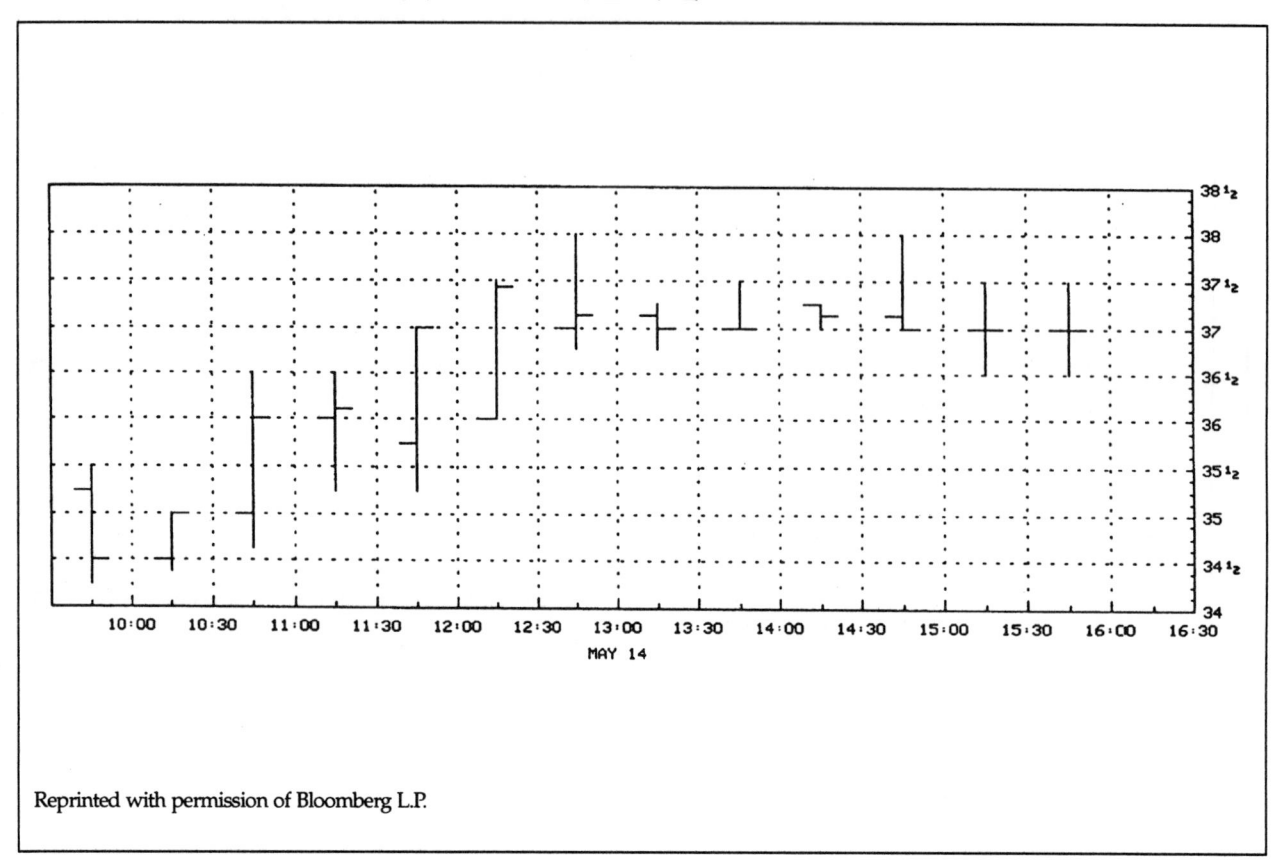

図表17.4 ルネッサンス・ソリューションズ

Reprinted with permission of Bloomberg L.P.

　ルネッサンス・ソリューションズ株は３３１／２ドルで値付けされた。寄り付きでは、３４ ３／４ドルの買い気配に対して、３５ １／４ドルの売り気配で始まる。一瞬、売り込まれるが、反転して３８ドルまで上昇する（また、このパターンは拡大ブレイクアウトでもあり、取引開始直後に「買い」シグナルを出している。複数のパターンが同時発生するときの戦略については第２５章を参照）。

まとめ

どうしてこの戦略が機能するのだろうか？

それは、時として、過剰な期待から、供給（増資株数）を超えた需要が発生するので、この戦略を有効にしている。なぜ？　この状態は、引受証券会社がこの増資案件をうまく運び過ぎ、少なくとも短期的には、増資株を割り当てられないという満たされない需要が発生することに起因する。さらに、引受証券会社が、増資株を割り当てた顧客に損をさせたくないのも事実なのである。したがって、この戦略での損切りは（株価が保証されている）放出価格の1／8ポイント下に置く。多くの場合、寄り付きはその日の（最）安値で、その後、株価は上昇することになる。やはり、これも低リスク・高収益な戦略なのである。

なぜ、上昇トレンドの株が高く寄り付くのを待つのだろうか？

それは「需要と供給」の関係からである。上昇トレンドにある銘柄であっても、増資株数は限定され、機関投資家などの需要が大きいからである。しかしこれは、引受証券会社が良い仕事をしているだけのことなのである。増資株を放出する日が近づくに連れて、株数が需要に追いついていないなどの噂が立ち、機関投資家は市場で株数を確保するようになる。しかし、実際の放出が行われるまでは、買うべきではない。それは、株価は操作される可能性が高いからである。私としては、放出価格を少なくとも1／4ポイント上回って株価が寄り付くのを待ちたい。ここまで上がれば、一連の動きが証明されたも同然で、株価が上昇する可能性は高い。さらに、もし仮にそれが間違っていたとしても、引受証券会社によって悲惨な状況を回避することができる。株が放出されたその日に放出価格割れをすることは、引受証券会社としても回避したい事態なのである。放出価格割れをするということは、引受証券会社の顧客のすべてが損を抱えるということであり、会社の評判にかかわる事態だからである。したがって、引受証券会社はこんなとき、放出価格に対して株価を維持するための買いを入れてくることになる。

この手法を使ったポジションを抱えるのは、最大でも２日間である。私の経験では、株価はそれ以降、熱が冷める。

もう１つは、この手法が強気相場を前提とした手法であること。弱気相場では増資も控えられるが、もしそんなことがあったとしても、相場が再び強気になるまでこの戦略はしまっておくことである。

PART3

REVERSAL STRATEGIES

反転相場での取引戦略

　トレンドの強い銘柄に発生する反転パターンを取引するのは、増幅するリスクに耐えることができる勇気のあるトレーダーに限られる。ご存知と思うが、株価の下落スピードは、上昇スピードよりも速い。それがトレンドの強い銘柄であれば、もっと速くなるし、ボラティリティ（価格変動率）も高くなる。収益を確保するには、機敏で迅速な対応が必要なのである。

第18章　拡大タートル・スープ
TURTLE SOUP EXPANSIONS

　ローレンス（ラリー）・コナーズとリンダ・ブラッドフォード・ラシュキ共著のベストセラー**『魔術師リンダ・ラリーの短期売買入門（Street Smarts）』**（パン・ローリング刊）では、タートル・スープ、タートル・スープ・プラス・ワンという2つの反転戦略が紹介されている。この取引戦略は、1980年代に一般的になった20日ブレイクアウト・パターンを基にしたものである。このお膳立てでは、過去20日間の高値を更新したところで買ったり（タートル・スープ戦略では売る）、過去20日間の安値を更新したところで売ったり（タートル・スープ戦略では買う）する順張り派（トレンドフォロー派）がよくだまされていた反転を利用するため、タートル・スープと名付けられた。

　この2つのタートル・スープとタートル・スープ・プラス・ワン戦略では稼がせてもらったが、ここではさらに改良を加え、発生頻度は少ないものの、収益可能性のある反転を認識しやすくしてある。

　私はこの戦略を、拡大タートル・スープと呼んでいる。

Chapter 18　TURTLE SOUP EXPANSIONS

　　　　このルールは以下の通りである。

　　空売りルール（買いはこの反対）

　　１．今日、株価は過去２０日間の高値を更新しなければならない。

　　２．前回の過去２０日間の高値を更新したのは、少なくとも４営業日以上前でなければならない。重要なことは、前回の高値の後の押しであり、再びこの高値が試され、それがだましに終わるパターンである。売りでそのまま持っていかれない（棒上げの動きを売らない）ために、２つの高値の間に少なくとも４営業日を見るのである。

　　３．今日か明日、もし株価が前回の過去２０日間の高値を下回り、さらにその日の値幅が過去４日間の中で最大ならば、翌日（第２日目）、前日の安値（第１日目）の1/16ポイント下で売る。最初の損切りは、売値の１ 1/2ドル上に置き、その後はマーケットの動きに合わせて仕切り注文を調整する（トレイリング・ストップを使う）。

図表18.1　ＣＢＲ

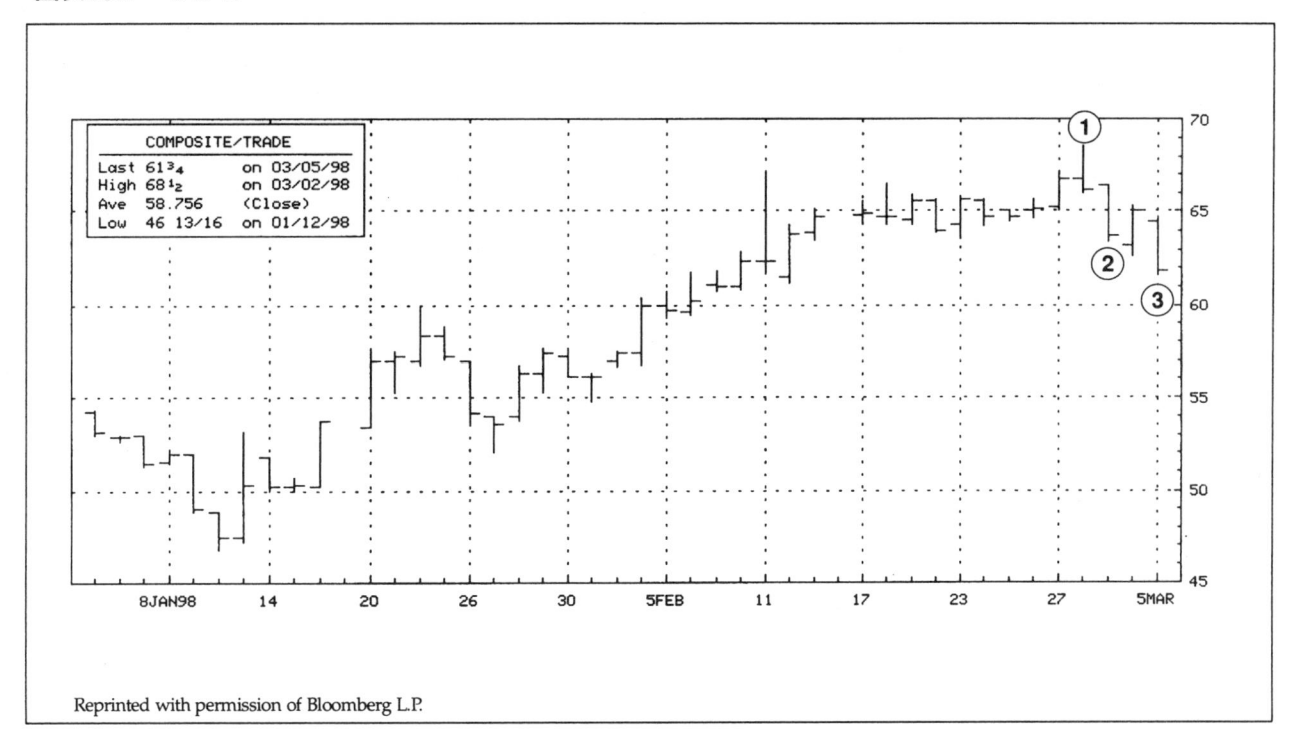

Reprinted with permission of Bloomberg L.P.

　１．過去２０日間の高値更新し、前回の２０日間の高値更新は４営業日以上前に起こっている。さらに、今日の値幅は過去４日間で最大。

　２．前日の安値の1／16ポイント下で売る。

　３．３日間で４ポイントの収益。

Chapter 18 TURTLE SOUP EXPANSIONS

図表18.2　デル

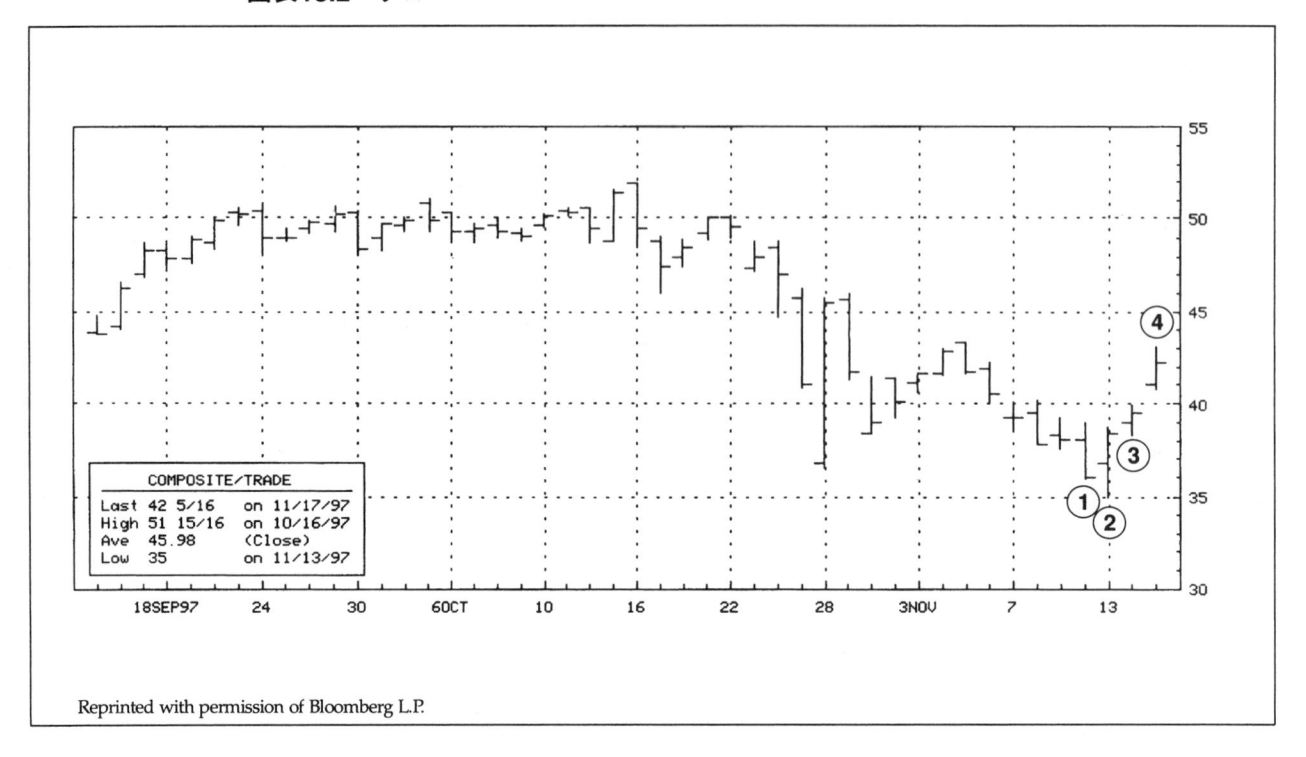

1．過去20日間の安値を更新。

2．過去4日間で最大の値幅であり、前回の過去20日間の安値である10月28日の安値を上回って、反転。

3．39ドルで買う。

4．一晩で10％の上昇。

図表18.3　ＳＬＲ

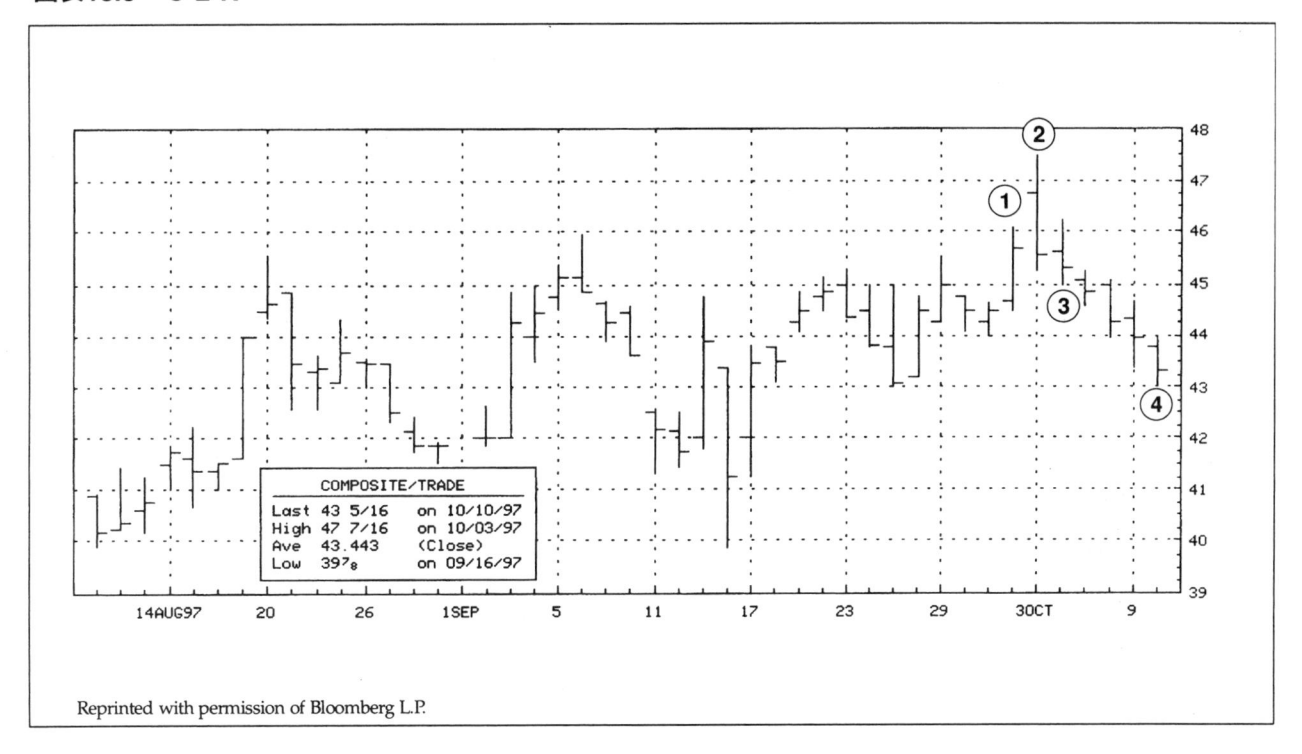

　１．過去２０日間の高値を更新。

　２．過去４日間で最大の値幅。さらに、前回の過去２０日間の高値である９月８日の高値を更新した後、下回る。

　３．１０月３日の安値の1／16ポイント下で売る。

　４．株価は５日間連続で下落する。

CHAPTER 18 TURTLE SOUP EXPANSIONS

図表18.4　ＢＴＬ

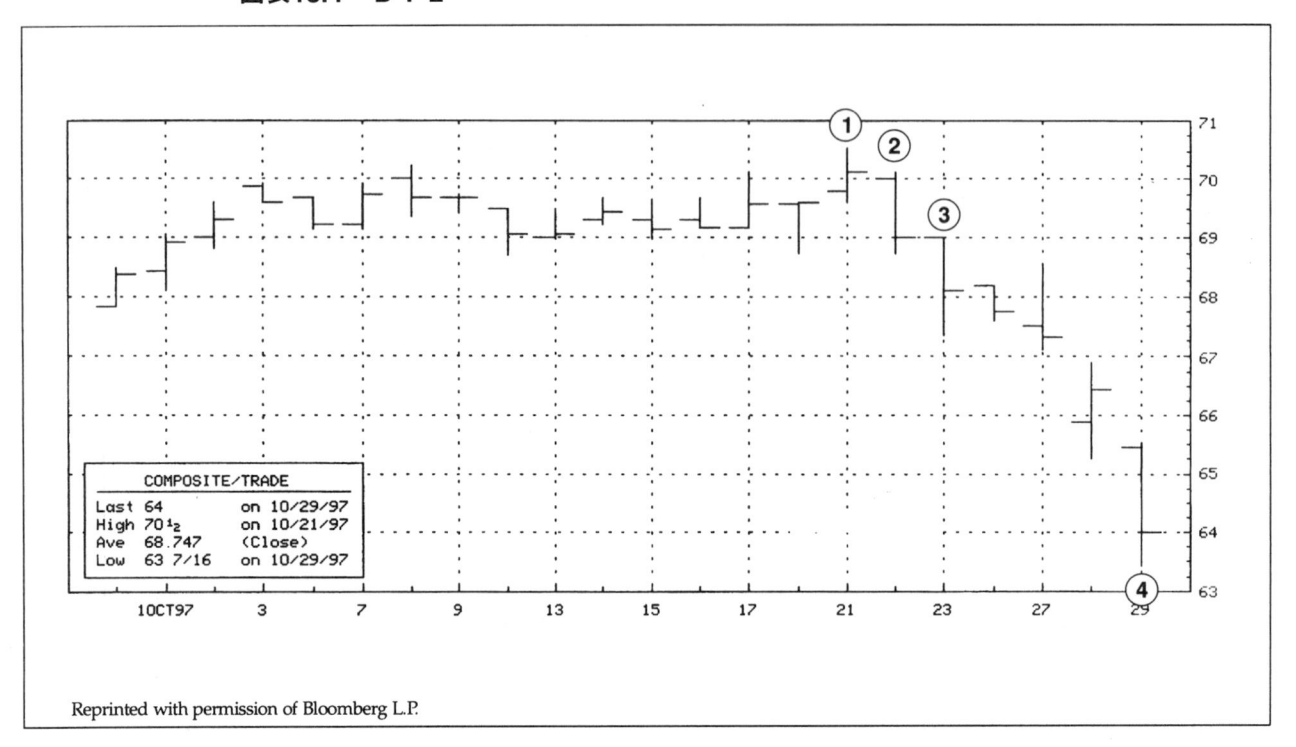

1．過去２０日間の高値を更新。前回の高値は、１０月８日の９日前。

2．過去４日間で最大の値幅となり、株価は１０月８日の高値を下回る。

3．１０月２２日の安値から1／16ポイント下で売る。

4．株価は継続的に売り込まれる。

図表18.5　ＪＤＡＳ

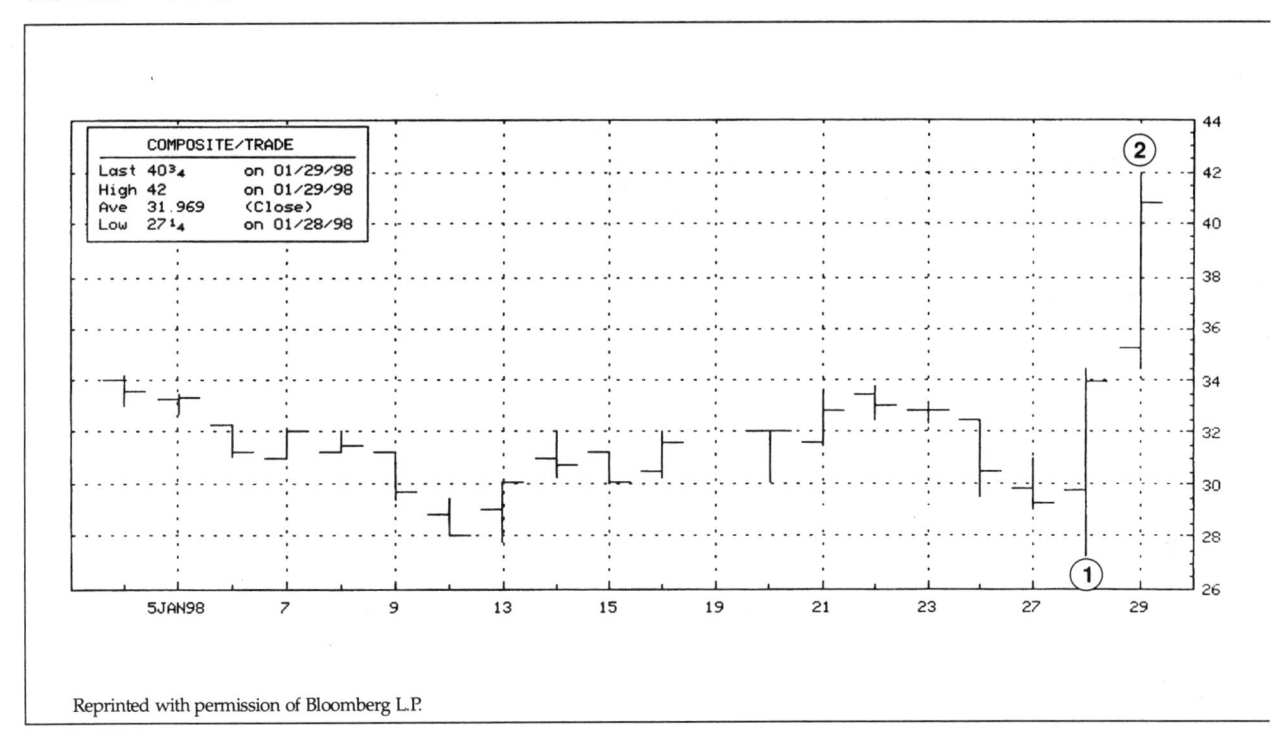

1．過去２０日間の安値を更新。反転したマーケットは１月１３日の安値を上回る。

2．寄り付きで買う。その日のうちに６ポイントも上昇する。

Chapter 18 Turtle Soup Expansions

図表18.6　ＳＯＣ

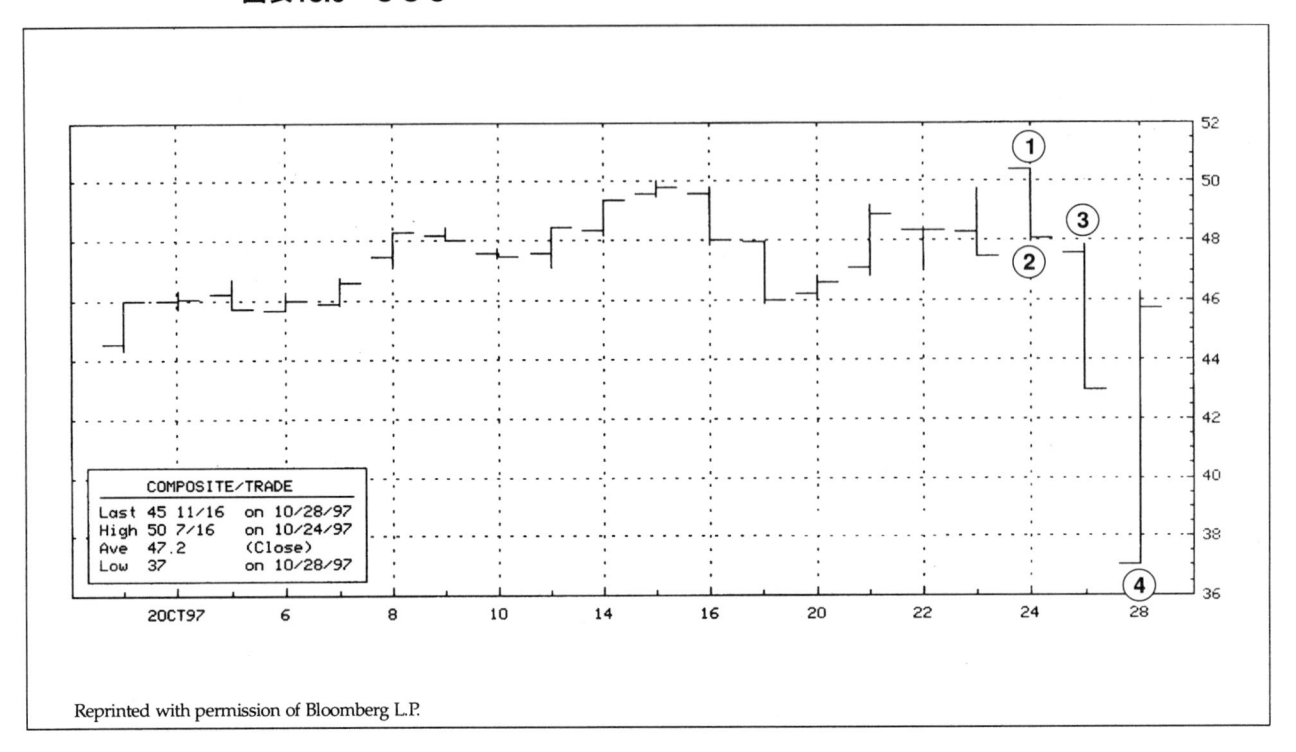

```
                                              ①
                                              │
                                              │ ③
                                              ②
COMPOSITE/TRADE
Last  45 11/16  on 10/28/97
High  50  7/16  on 10/24/97
Ave   47.2      (Close)
Low   37        on 10/28/97
                                                 ④
20CT97    6    8   10   14   16   20   22  24  28
```

Reprinted with permission of Bloomberg L.P.

１．過去２０日間の高値を更新。前回の過去２０日間の高値更新は１０月１５日で４日以上前。

２．高値を更新した後、前回の１０月１５日の高値を下回る。

３．４７３／４ドルで売る。

４．翌日、売値から１０３／４ドル下で寄り付く。

まとめ

　値幅拡大を伴うブレイクアウトのだましは、弱腰のトレーダーたちを振るい落とすことになる。これらのブレイクアウトに乗ったトレーダーたちは負け組となり、短期的パニックを増長することになる。このパニックで、株価は通常よりも大きく動くことになり、われわれに収益の機会を提供してくれるのである。

第19章　フップス
WHOOPS ™

　　だまそうとする者をだませ。

　　　　　　　　　　　　　　　　　　　　　　　　　　　オービッド

　何年も前、先物トレーダーとして有名なラリー・ウィリアムズ氏が完成させたのが、ウップス（Oops）である。前日の高値より上に窓を空けて寄り付くウップス・パターンは売り、前日の安値より下に窓を空けて寄り付くパターンは買い、というのが基本的な戦略である。この戦略では、前日の安値の1／8ポイント上で買い、前日の高値の1／8ポイント下で売る。このパターンは、特に株価指数のＳ＆Ｐ５００（スタンダード・アンド・プアーズ５００種）先物での成功率が高い。

　この株価指数に強い戦略を、ここでは補強して用いる。「フップス！」と名付けた戦略である。オリジナルのウップスとの主な違いは、株価の寄り付きというものは、Ｓ＆Ｐ先物ほど、その日の朝の気分だけで動くものではない、という前提である。それでも、多くの銘柄は、前日の高値を更新することなく上寄りする。そして、株価は反転し、寄り付き付近の動きに翻弄された投資家をのみ込むことになる。

　例えば、１９９６年４月９日、オラクル株は前日比1／2ポイント高で寄り付いた。その後、３０分ほどで反転し、数時間後には３　1／2ドルも下げたのである。この例では、株価は前日から下降トレンドに入っており、前日の終値も弱気であった。既にこの株を保有していることが気掛かりで仕方なかった証券会社が、この弱気の大引けに遭遇し、翌日、株価上昇を装わせたのかもしれない。

　株価がトレンドを形成しているとき、朝一番でこのように価格が反転することはよくある。例えば、証券会社は株価が下降トレンドにあるとき、その銘柄に対しての肯定的なコメントや収益予測の上方修正などで、株価を操作したりする（私の友人は、それを"馬糞物語"と呼ぶ）。こんなことがあって株価が朝一番に上昇すると、売り方の投資家は神経質になり、買い戻しが誘発される。それに対する売り手は？　それは、状況を装った証券会社である。突然の高値は売り方を過敏にし、これに対して証券会社は自己保有株を放出し、その日が進むにつれて前日の弱気が戻り、株価は下降

CHAPTER 19 WHOOPS ™

トレンドを再開する。もしも株価が進行し、前日比で下げになると、今度は買い方が過敏になる。この時点での買い支える力は弱く、大きな下げを誘発することになる。しかし、朝一番の相場で売り逃げている証券会社は、ここでの下げを静観することができるのである。

"フップス"パターンで稼ぐには……？

このルールは以下の通りである。

空売りルール

1．株価は１０日移動平均線と５０日移動平均線よりも下。

2．前日の終値が今日の寄り付きよりも下でなければならない。

3．今日の寄り付きは前日の終値よりも、少なくとも、1／4ポイント上でなければならない。

4．前日の終値の1／8ポイント下で、売る。

5．損切りを売値の１ポイント上に置く。

6．もし損切りになれば、（その日に限り）もう一度同じ値段で売りを仕掛ける。

7．株価が大きく売られたら、仕切り注文を売値の1／8ポイント下に移動し、利食いの準備をすること。大きく売られた後、高値引けする株は、トレンドが反転する可能性があり、含み利益を損失にしないように。

フップスを用いての「買い」作戦はない。証券会社では、株価は上昇するものなのである。したがって、この戦略は、株価に悪影響を与えるニュースとは無関係なのである。

Chapter 19 WHOOPS ™

図表19.1　ダイアナ・コープ

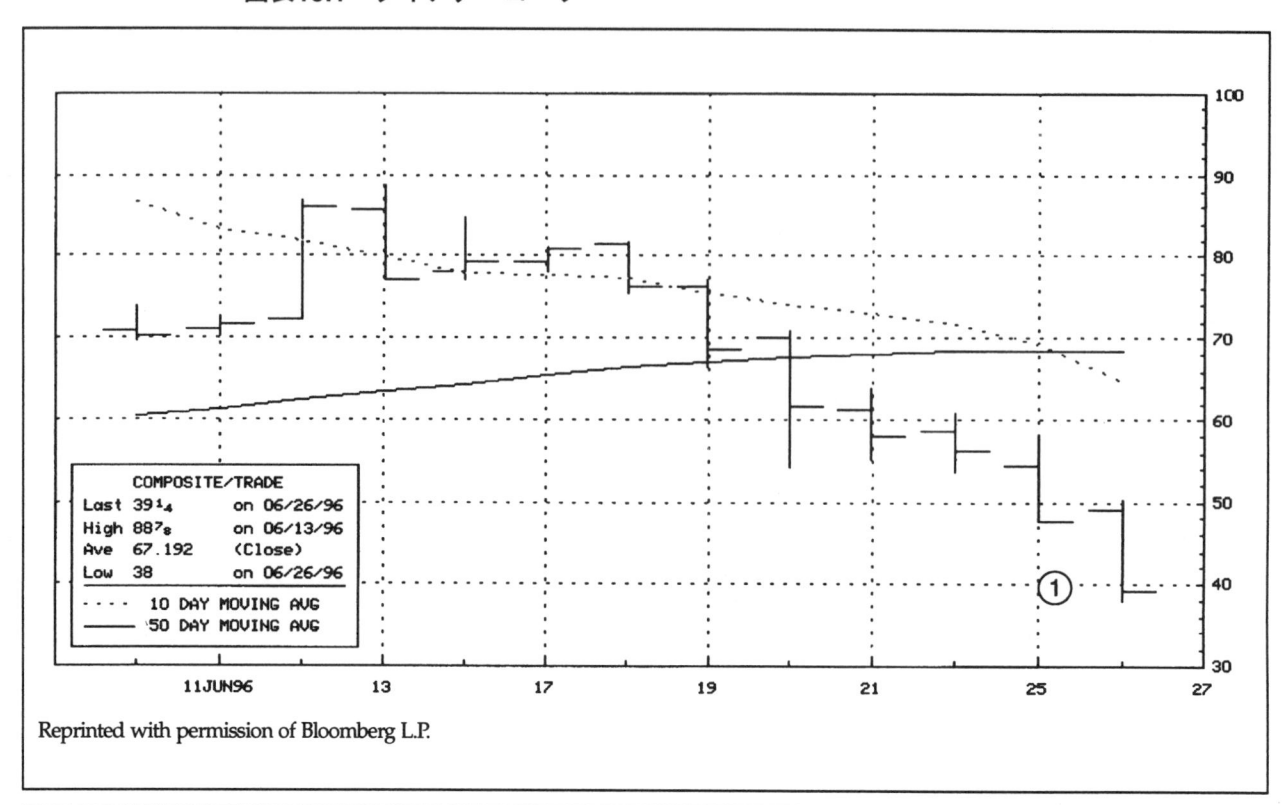

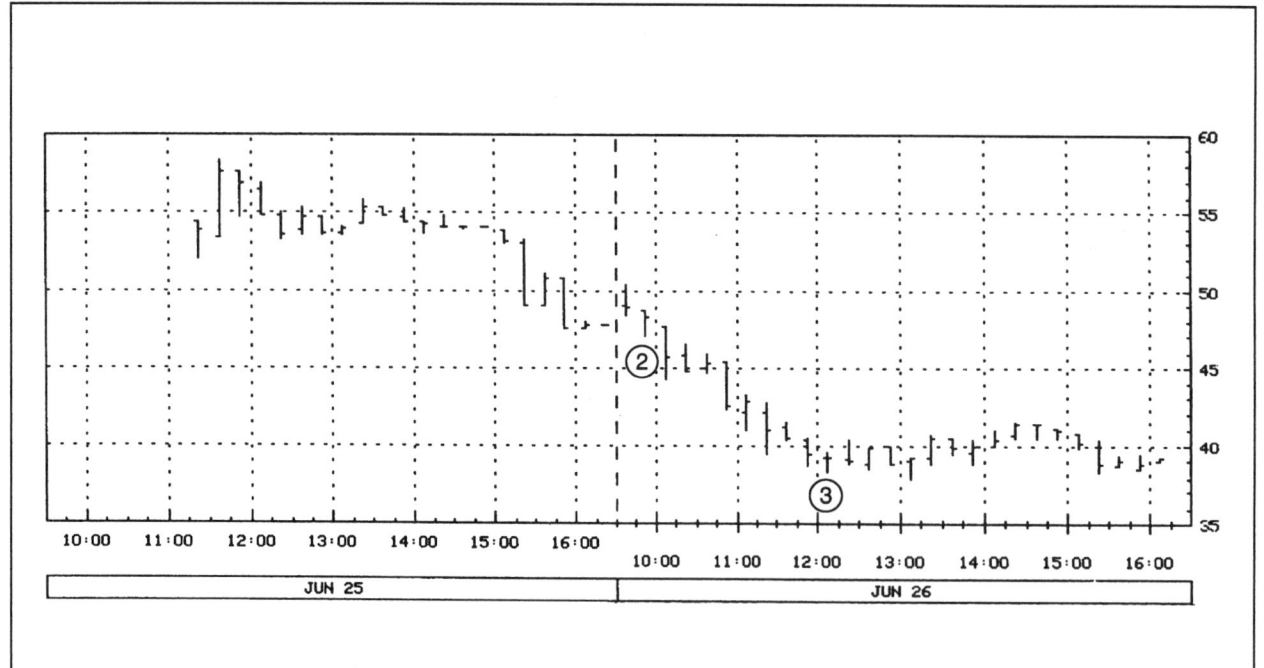

第19章　フップス

　フップスでの収益可能性は、この日中チャート（下）によく表されている。

　１．株価は１０日移動平均線と５０日移動平均線を下回っている。

　２．株価は前日の終値を上回って寄り付き、その後、反転。４６ 5／8ドルで売り、その売値は前日の終値の1／8ポイント下。

　３．２時間足らずで、株価は８ポイントの下落。

CHAPTER 19 WHOOPS ™

図表19.2 シロン

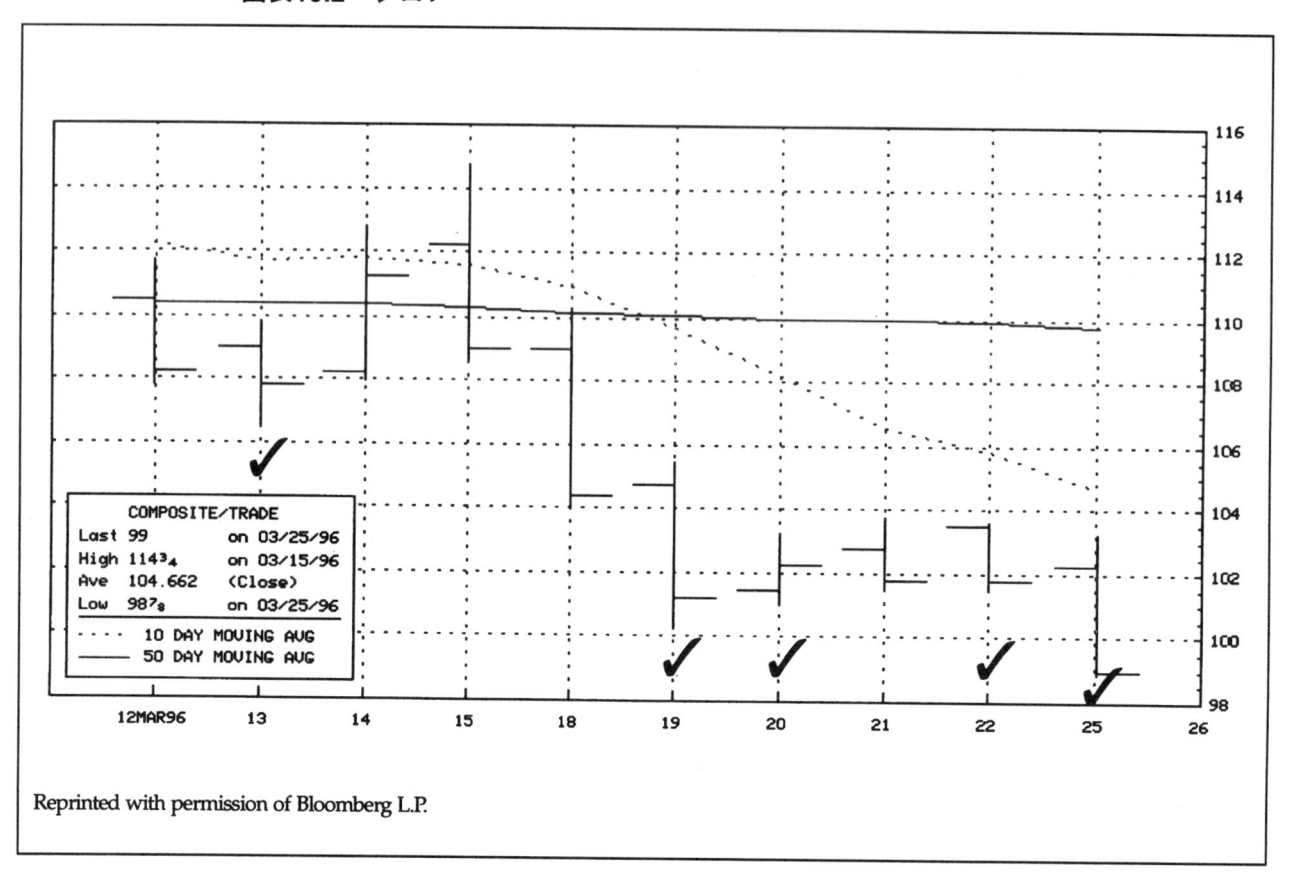

```
                                            116
                                            114
                                            112
                                            110
                                            108
                                            106
         COMPOSITE/TRADE                    104
  Last   99       on 03/25/96
  High   114 3/4  on 03/15/96               102
  Ave    104.662  (Close)
  Low    98 7/8   on 03/25/96               100
  ...... 10 DAY MOVING AVG
  ────── 50 DAY MOVING AVG                   98
 12MAR96  13   14   15   18   19  20  21  22  25  26
```

Reprinted with permission of Bloomberg L.P.

　１９９６年３月、シロンは典型的な売り放出状態にあり、１０日間で５つのフップス・パターンを発生させている。寄り付きは強かったことが多かったものの、１５％程度も下落している様子に注目してほしい。

図表19.3 アムゲン

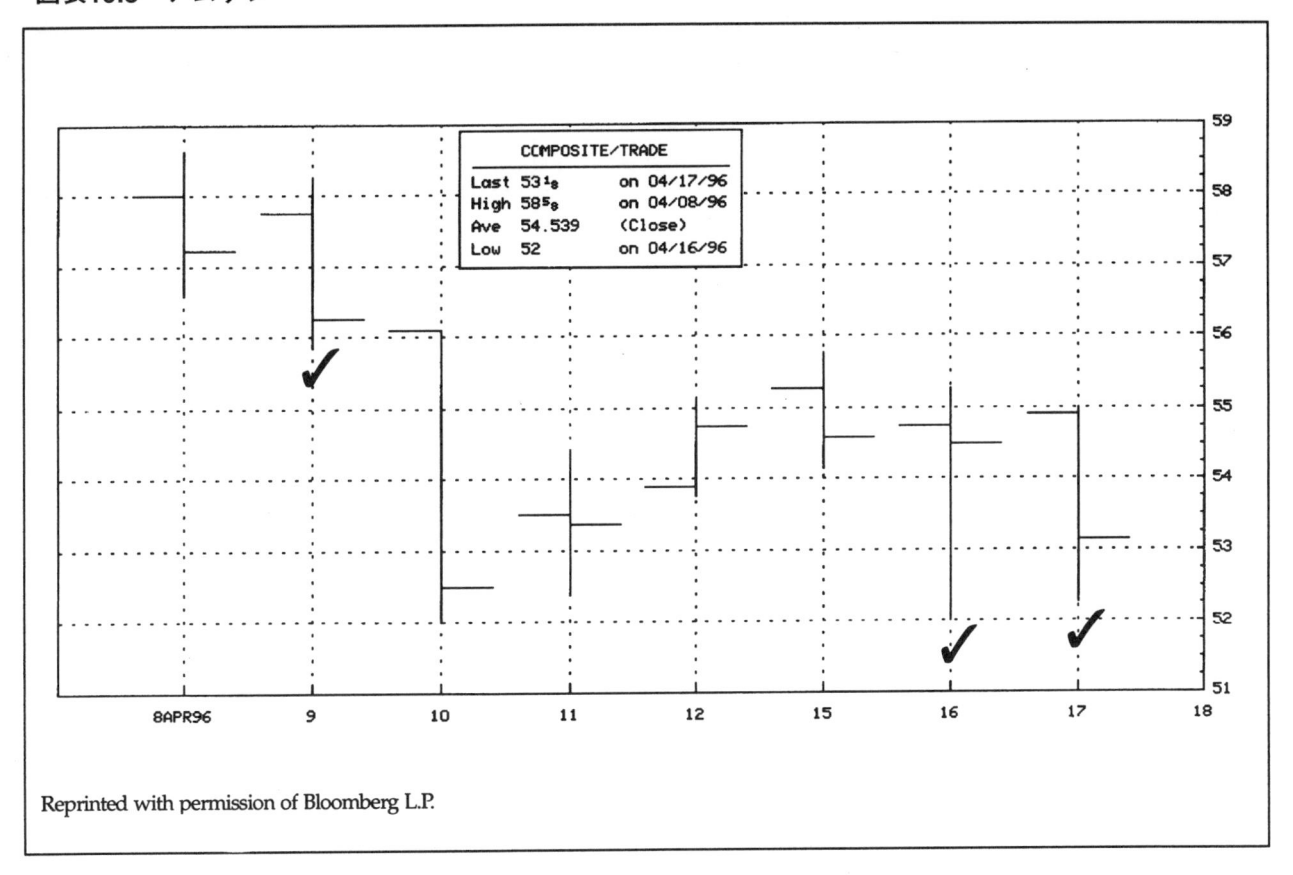

証券市場全体としては強気相場を形成している中、アムゲンは短期的な売り放出状態にあった。

CHAPTER 19 WHOOPS ™

図表19.4　Ｊ・Ｐ・モルガン

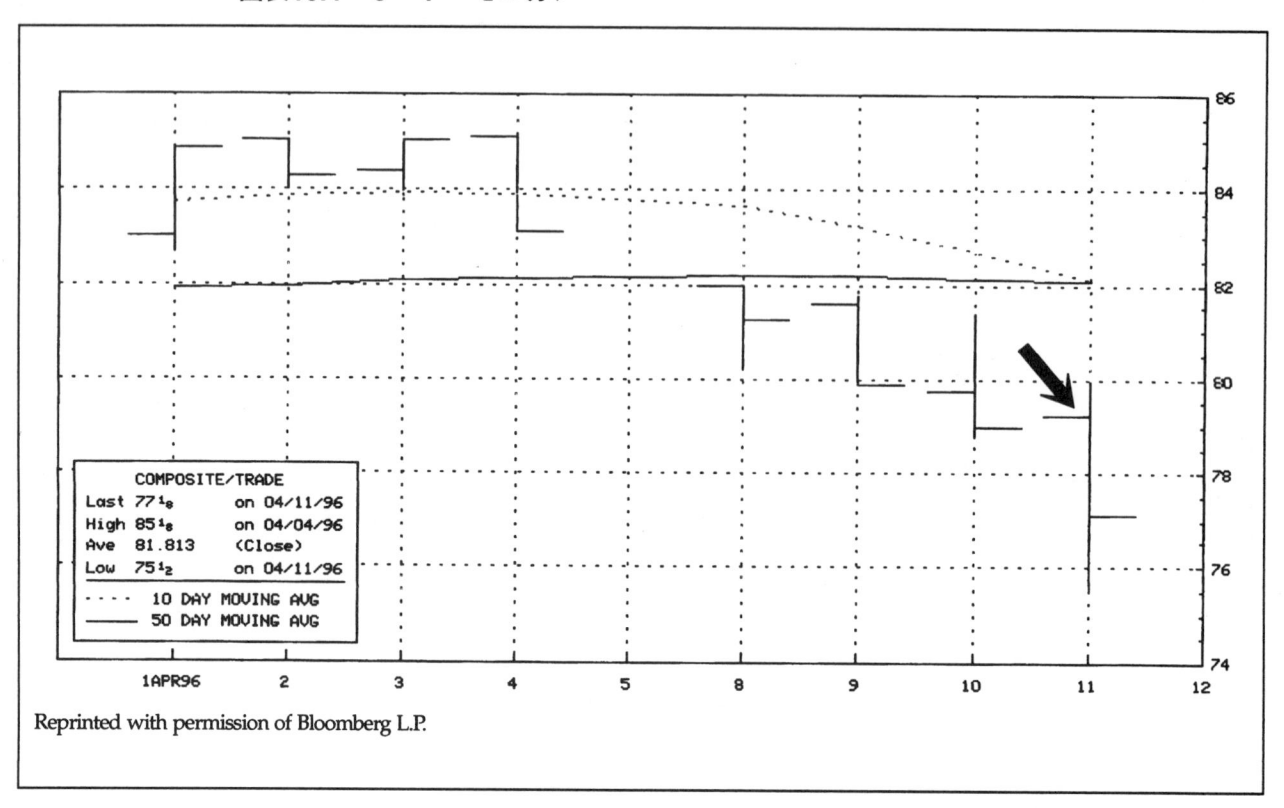

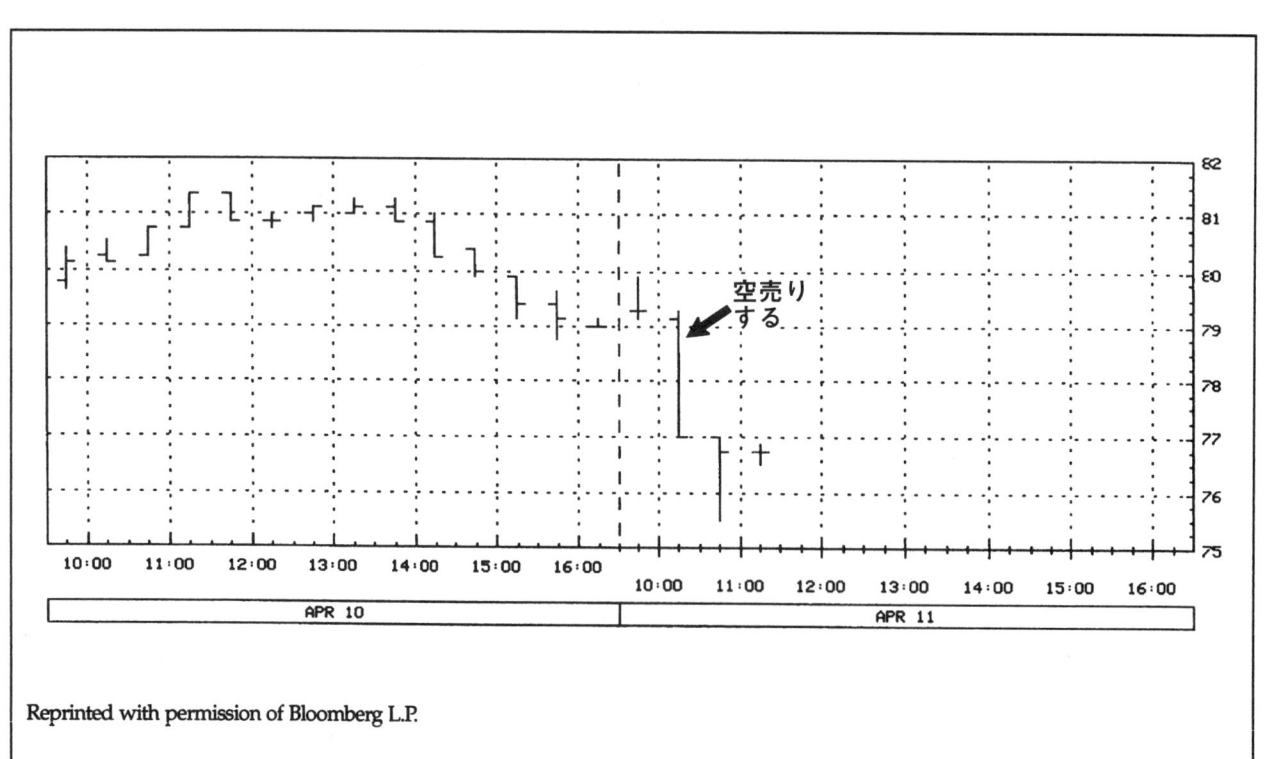

```
COMPOSITE/TRADE
Last 77 1/8   on 04/11/96
High 85 1/8   on 04/04/96
Ave  81.813  (Close)
Low  75 1/2   on 04/11/96
····   10 DAY MOVING AVG
─────  50 DAY MOVING AVG
```

Reprinted with permission of Bloomberg L.P.

空売りする

Reprinted with permission of Bloomberg L.P.

予想を上回る収益を発表したＪ・Ｐ・モルガンの例である（下のブルームバーグ・ニュース参照）。しかし、知的投資家は、これを売りの好機とみた。

＜ブルームバーグ・ニュース　４／１１＞

Ｊ・Ｐ・モルガン、第１四半期純利益が７２％増――トレーディング収益が拡大

　ニューヨーク４月１１日（ブルームバーグ）　Ｊ・Ｐ・モルガンの第１四半期純利益は、有価証券のトレーディング収益が倍増したことから、大方のアナリスト予想を超え、７２％増となった。米国第５位のこの銀行によると、純利益は４億３９００万ドル、１株に付き２ドル１３セント。昨年の第１四半期は、それぞれ２億５５００万ドル、１ドル２７セントであった。

　Ｊ・Ｐ・モルガンは、これで２四半期連続してウォール街の予想収益を上回ったことになる。商業・投資サービスを展開するこの銀行に対するＩＢＥＳインタナショナルのアナリスト調査では、１株当たりの収益は約１ドル７１セントと予想されていた。

　「すごい数字ですね」とブラウン・ブラザース・ハリマン証券のアナリスト、ラファエル・ソイファー氏。氏によると、証券界の収益はこの１、２月に全体的な上昇を示したが、「３月はあまりいい月ではなかったが、Ｊ・Ｐ・モルガンは例外だった」。

　モルガンによると、収益は全体的に好調であり、ダグラス・Ａ・ワーナー３世会長は「値付け業務、投資銀行業務、投資信託、それぞれに高い収益をもたらした」とコメント。収益は前年同期ベースで２５％増の１７億４千万ドル。

　業務コストは８％増。一方、金利収入は３億９６００万ドルと２１％の減（いずれも前年同期ベース）。取引開始直後の株価は、２ドル安の７７ドル。

トレーディング収益が倍増

　Ｊ・Ｐ・モルガンの収益は、３億３００万ドルから７億５８００万ドル（前年同期ベース）に倍増したトレーディング収入に負う部分が大きい。同社は、世界的にも大きな株・債券のトレーディング・オペレーションを展開しており、顧客ビジネスが活発であったことが収益倍増に貢献したとコメントしている。アナリスト予測では、同社のトレーディング収益は４億ドル程度とされていた。

第20章　ギリガン・アイランド
GILLIGAN'S ISLAND

　　何も入っていないとき、バッグは形をなさない
　　　　　　　　　　　　　　　　　ベンジャミン・フランクリン

　短期の窓空け反転（ギャップ・リバーサル）の戦略として、私は、「ギリガン・アイランド」のパターンでトレードしている。窓とは、前日の値幅の外側で寄り付くことである。

　窓空け反転が起こる要因は、取引前に流されるニュースなどによることが多い。予想外の高収益を発表したり、証券会社の推奨銘柄リストに載ったり、それによって株価は前日の高値より高く始まる。また、収益が悪かったり、その株に対して証券アナリストが強気から弱気に変わったとき、株価は前日の安値より安く始まるのである。

　ここでは、（良いニュースは買い／悪いニュースは売りなどの）条件反射的なマーケットの動きをとらえる。これまでの経験では、窓はすぐに反転する、というのが私の結論である。しかし、必ずしも常に反転しないので、これを事前に予測させるパターンを調べてみた。調査とテストを重ねた結果が、ギリガン・アイランドと名付けたパターンである。

　このギリガン・アイランド・パターンでは、上昇トレンドにある銘柄が高値を更新して窓を空けて寄り付き、その後、反転するのが理想である。翌日、その下落に飛び乗るのである。この反転は大抵、短く終わる。しかし、時として、中・長期的な高値をこのパターンで予測することもでき、高い収益をもたらす。

このルールは以下の通りである。

買いルール

1．窓を空けての寄り付きは、過去2カ月間の安値でもある。窓の幅（前日の安値－当日の始値）が大きければ大きいほど、この時点では収益性が高い。

2．終値は当日の値幅の上半分で、始値と同じか、またはそれ以上で引ける。

3．その翌日に限り、前日の高値の上1／8ポイントで買う。

4．損切りを買値の1ポイント下に置く。

5．終値が強気なら、ポジションを翌日まで持ち越す。

空売りルール

1．窓を空けての寄り付きは、過去2カ月間の高値でもある。窓の幅（当日の始値－前日の高値）が大きければ大きいほど、この時点では収益性が高い。

2．終値は当日の値幅の下半分で、始値と同じか、またはそれ以下で引ける。

3．その翌日に限り、前日の安値の下1／8ポイントで売る。

4．損切りを売値の1ポイント下に置く。

5．株価が大きく下げたら、ポジションを翌日まで持ち越す。株価はもっと下げる公算が大きい。

第20章　ギリガン・アイランド

図表20.1　アメリカ・オンライン

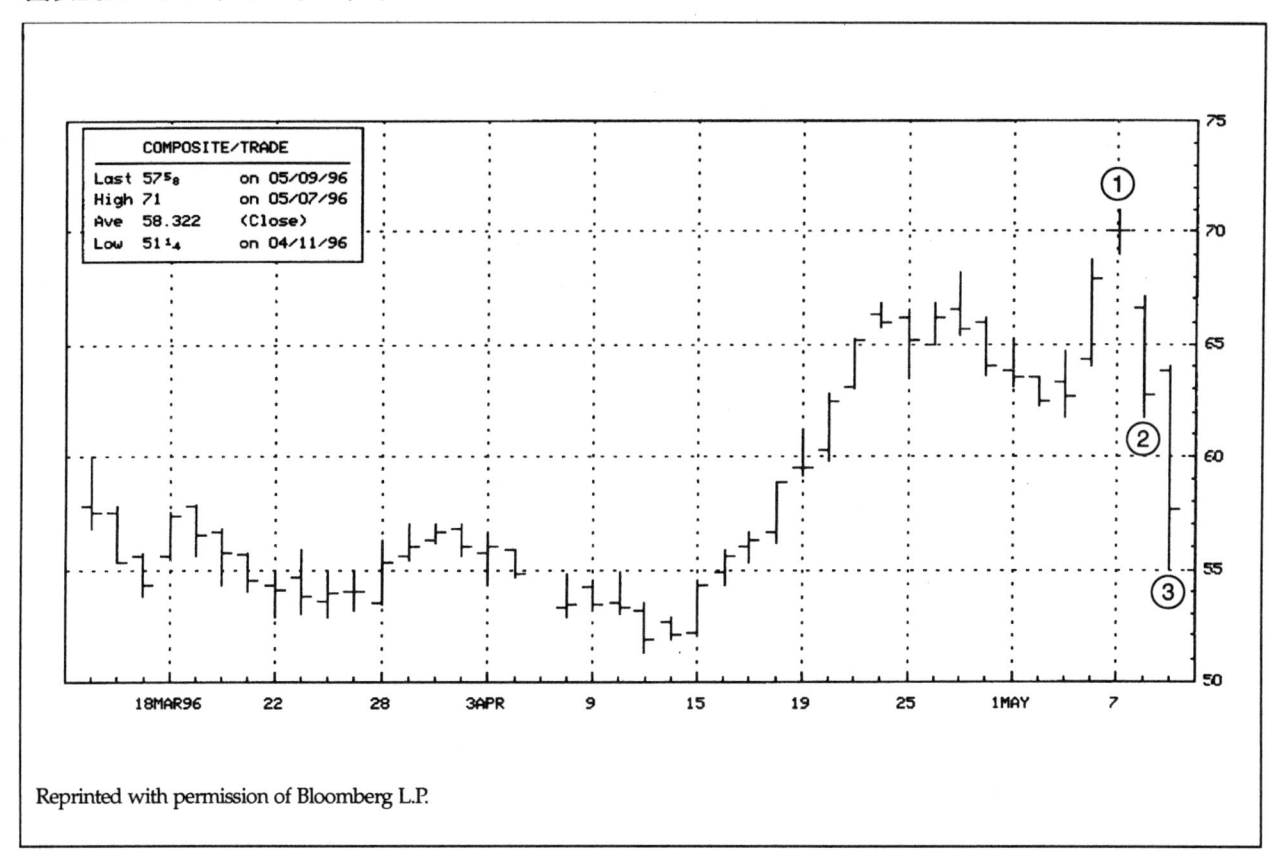

1．アメリカ・オンラインの寄り付きは過去2カ月間の高値。終値は始値と同じで、その日の値幅の下半分で引けた。

2．前日の安値を更新して寄り付く。66 5/8ドルで売り注文が通り、損切り注文を67 5/8ドルに置く。

3．株価は、売値から11 5/8ドル下げる。

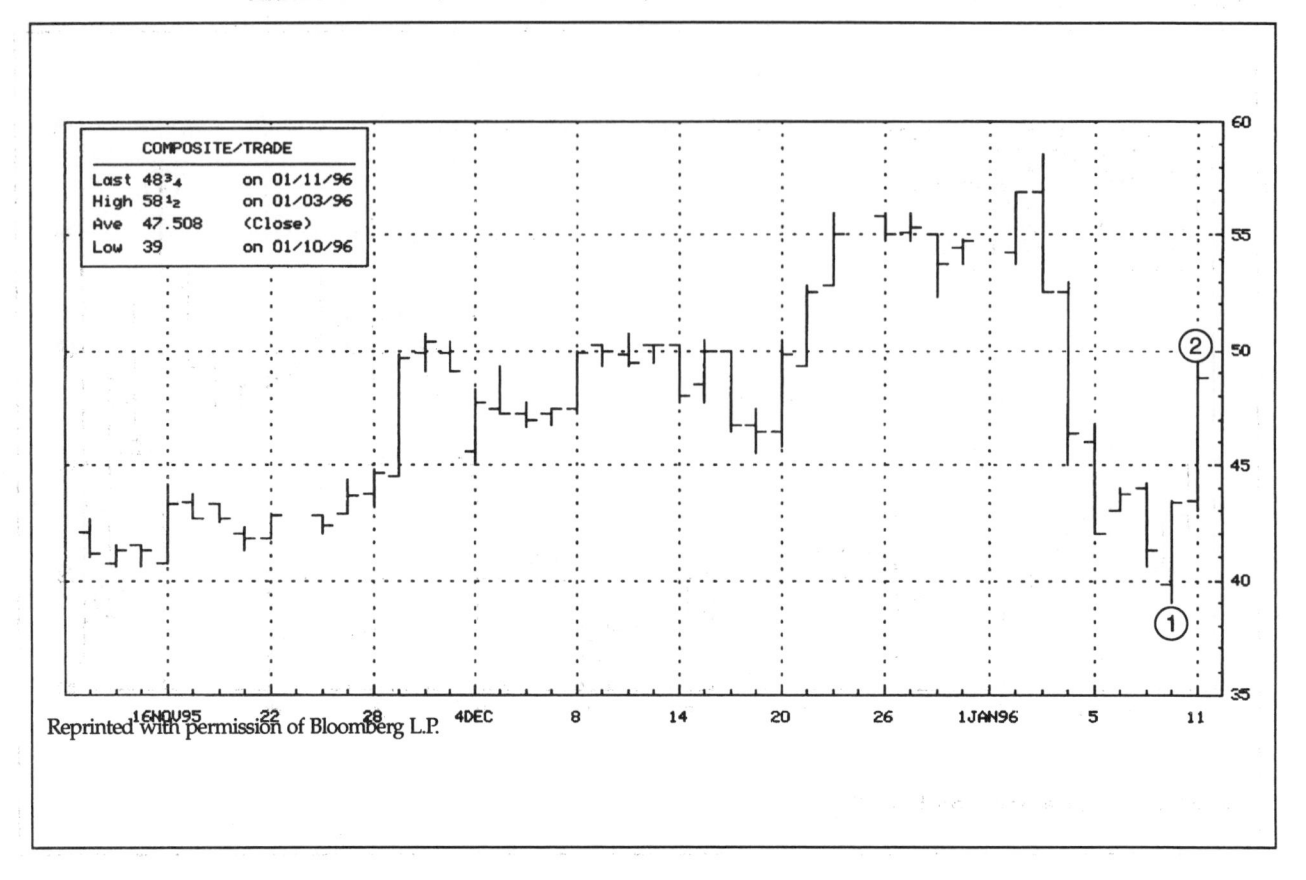

CHAPTER 20 GILLIGAN'S ISLAND

図表20.2 パーゲイン・テクノロジーズ

1．パーゲイン・テクノロジーズは下に窓を空けて寄り付き、その始値は過去２カ月間の安値、そして反転。

2．前日の高値の1／8ポイント上の４３ 5／8ドルで買う。この日のうちに、株価は6ポイント上昇する。

図表20.3　エレクトロニック・アーツ

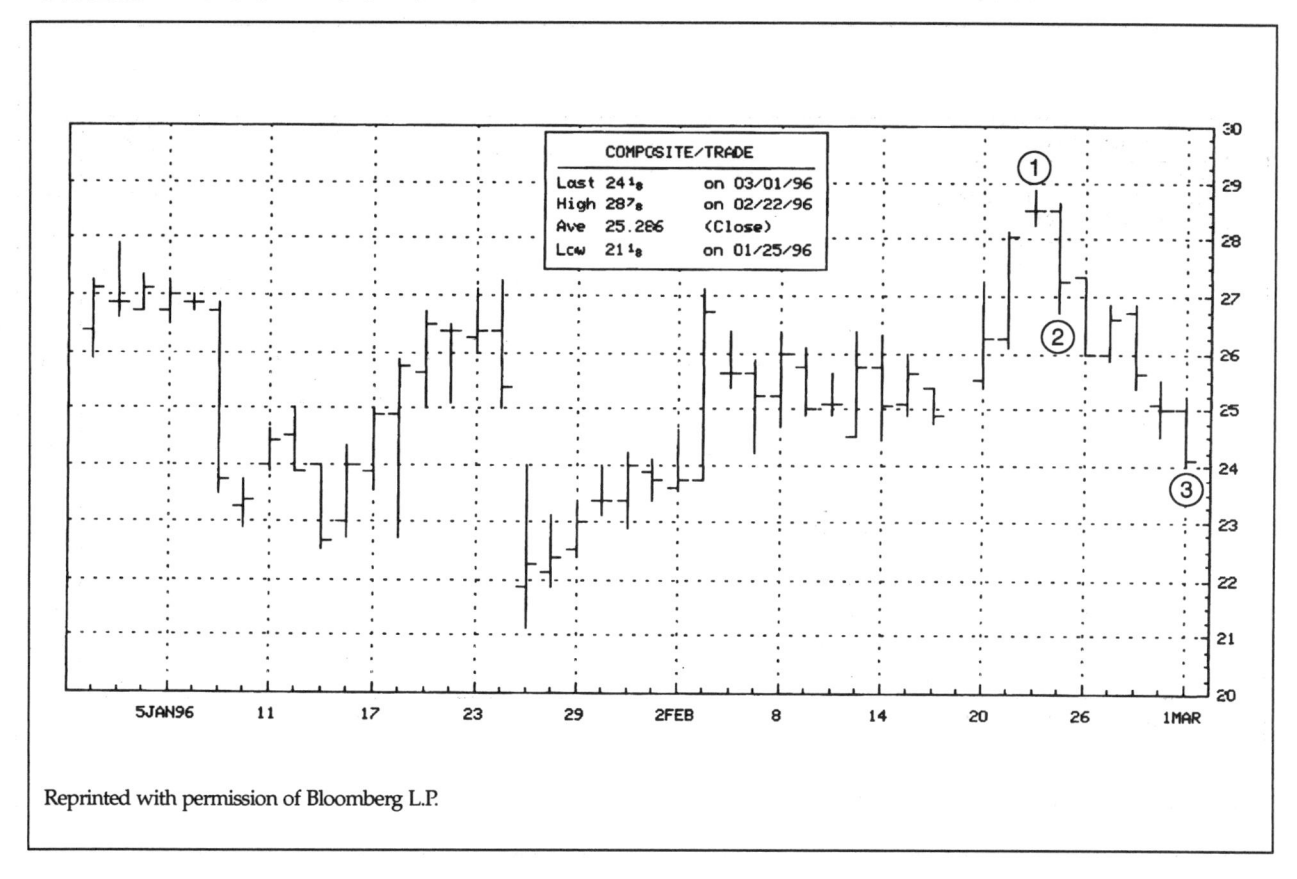

　１．エレクトロニック・アーツは上に窓を空けて寄り付き、その始値は過去２カ月間の高値。終値は始値と同じで、その日の値幅の下半分で引ける。

　２．前日の安値の１／８ポイント下の２８１／８ドルで売る。損切りを売値の１ポイント上である２９１／８ドルに置く。

　３．翌週、株価は１５％以上売り込まれる。

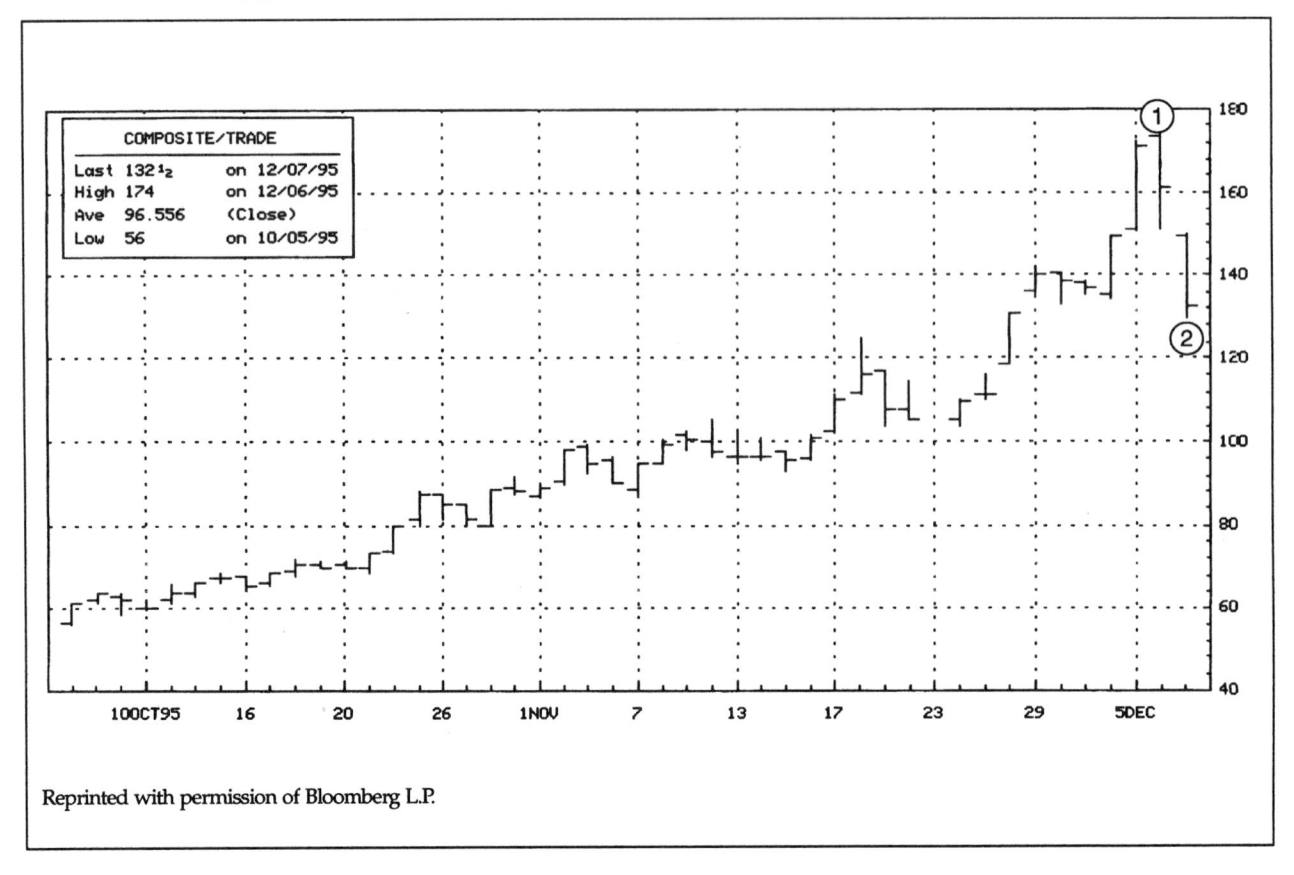

CHAPTER 20 GILLIGAN'S ISLAND

図表20.4　ネットスケープ

1．ネットスケープは上に窓を空けて寄り付き、その始値は過去６０日間の高値。終値は始値よりも下で、その日の値幅の下半分で引ける。

2．前日の安値を更新して寄り付き、始値は１４９１／２ドル。ここで売る。損切りを１５０１／２ドルに置く。ご覧のように、株価は、１３２１／２ドルにまで急落する。売値から１７ポイントも下である。

第20章　ギリガン・アイランド

図表20.5　ネットスケープ

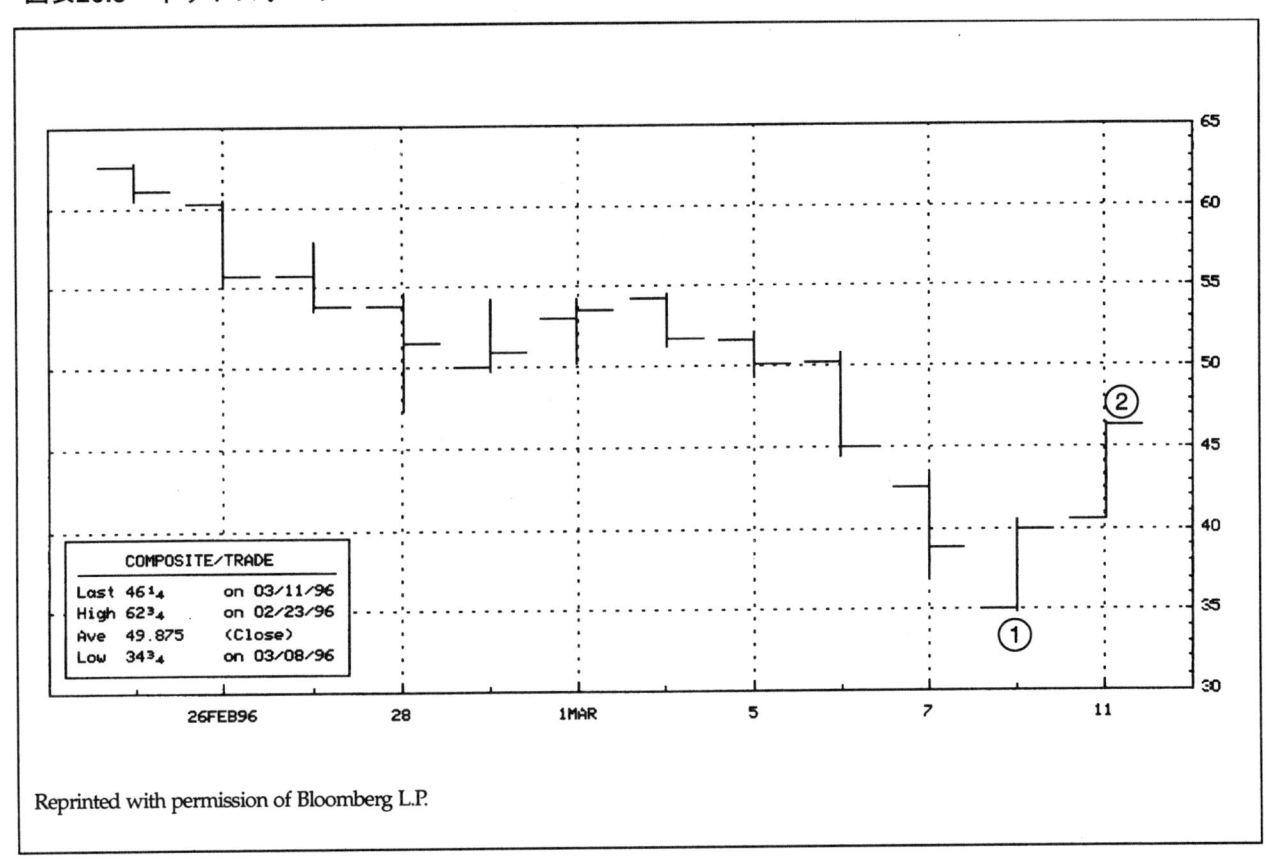

図表20.4から2カ月後、今度はネットスケープでの買いトレードの例である。

1．下に窓を空けて寄り付き、その始値は過去2カ月間の安値であり、そして反転。

2．買値は４０５／８ドル。終値は４６１／４ドル。

CHAPTER 20 GILLIGAN'S ISLAND

まとめ

　どうしてこのようにうまくいくのか？　典型的な「噂で買い、ニュースで売る」のパターンだと私は考える。株は強気のニュースを期待して上昇を続け、アナリストやファンドの運用担当者たちはこの強気のニュースに関する噂を聞かされており、発表に先立って買い上げている。ニュースが流れてから買いに走るのは、最後の買い手たちである。この腰の入らない買いが一巡すると、利益を実現して知恵のある売り手がマーケットを叩く。この利食いは通常、少なくとも数日、またはそれ以上続く。

　さらに、古典的なテクニカル分析では、これは息の途切れた窓（ギャップ）であり、突き上げた後に反転するパターンなのである。

　言ったように、このギリガン・アイランドでは時としてマーケットの最高値・最安値を拾うことがあり、こんなポジションは抱え続けたいという誘惑が付き回る。しかし、これは避けるべきである。ほとんどの場合、反転は１日、２日で終わり、株価はそれまでのトレンドを取り戻すことになる。ホームランを打つことよりは、継続的に数ポイントを稼ぐことを考えるのである。

第21章　リザーズ
LIZARDS ™

> 堅実な人は運命を信じ、気まぐれな人は偶然を信じる。
>
> ディズラエリ

　"リザーズ（トカゲ）"も、低リスクで収益性の高い、反転（リバーサル）パターンである。日足が長い尻尾のように見えることから、このパターンをリザーズ（トカゲ）と名付けている。継続性が低いことから、もっぱらデイ・トレードに限ってこの戦略を使用している。

このルールは以下の通りである。

買いルール

1．今日（第1日目）の寄り付きと大引けは、いずれも値幅の７５％以上。

2．今日の安値は過去１０日間の安値。

3．明日に限り、今日の高値から1／8ポイント上で買う。

4．損切りを買値から１ポイント下に置く。損切りに引っかからない場合は、その日の大引けで手仕舞う。

空売りルール

1．今日（第1日目）の寄り付きと大引けは、いずれも値幅の２５％以下。

2．今日の高値は過去１０日間の高値。

3．明日に限り、今日の安値から1／8ポイント下で売る。

4．損切りを売値から１ポイント上に置く。損切りに引っかからない場合は、その日の大引けで手仕舞う。

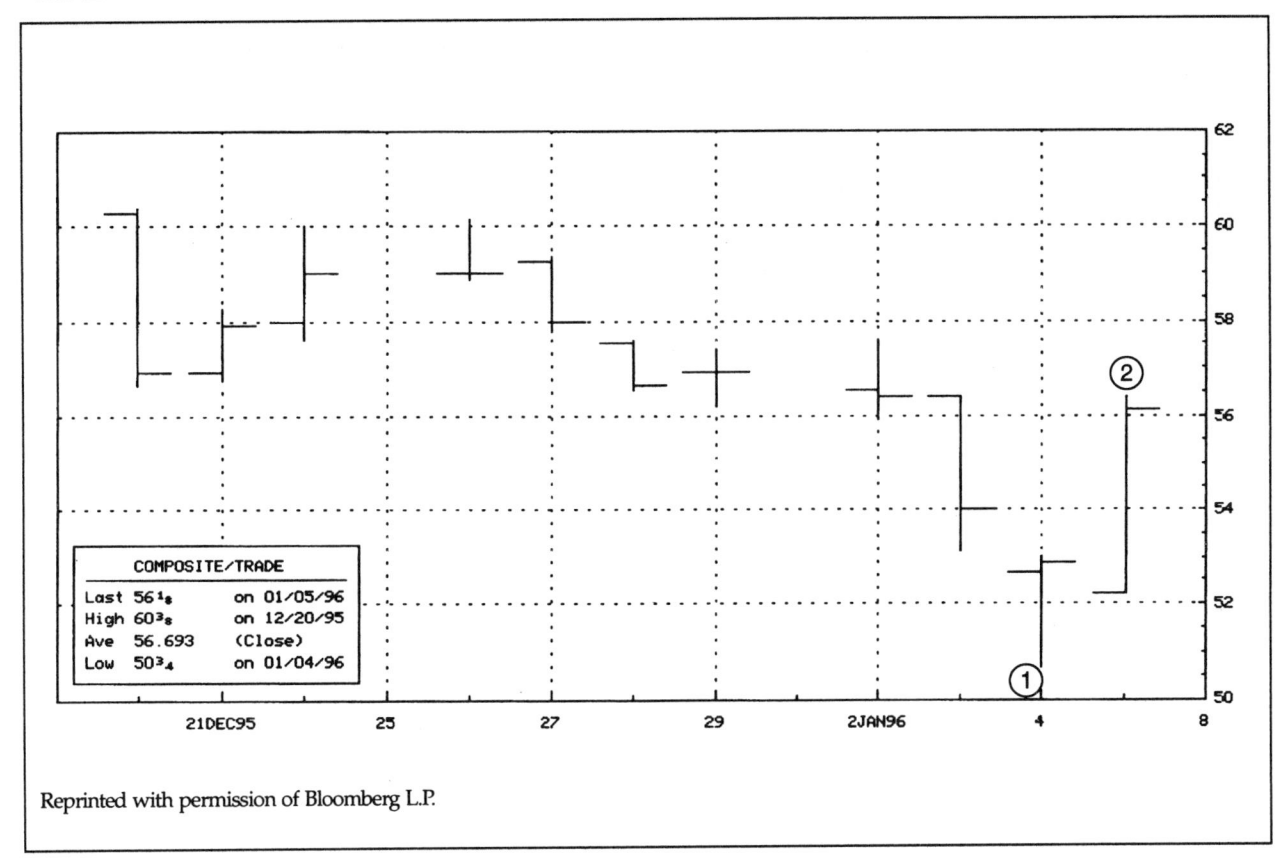

図表21.1　コンピューター・アソシエイツ

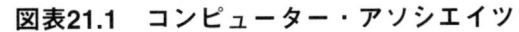

1．コンピューター・アソシエイツはこの日の値幅の７５％以上で寄り付き、その後、過去１０日間の安値を付け、この日の値幅の７５％以上で引けた。

2．前日の高値である５３ドルの1／8ポイント上で買う。株価は大引けで５６ドルを超える。

CHAPTER 21 LIZARDS ™

図表21.2　アムゲン

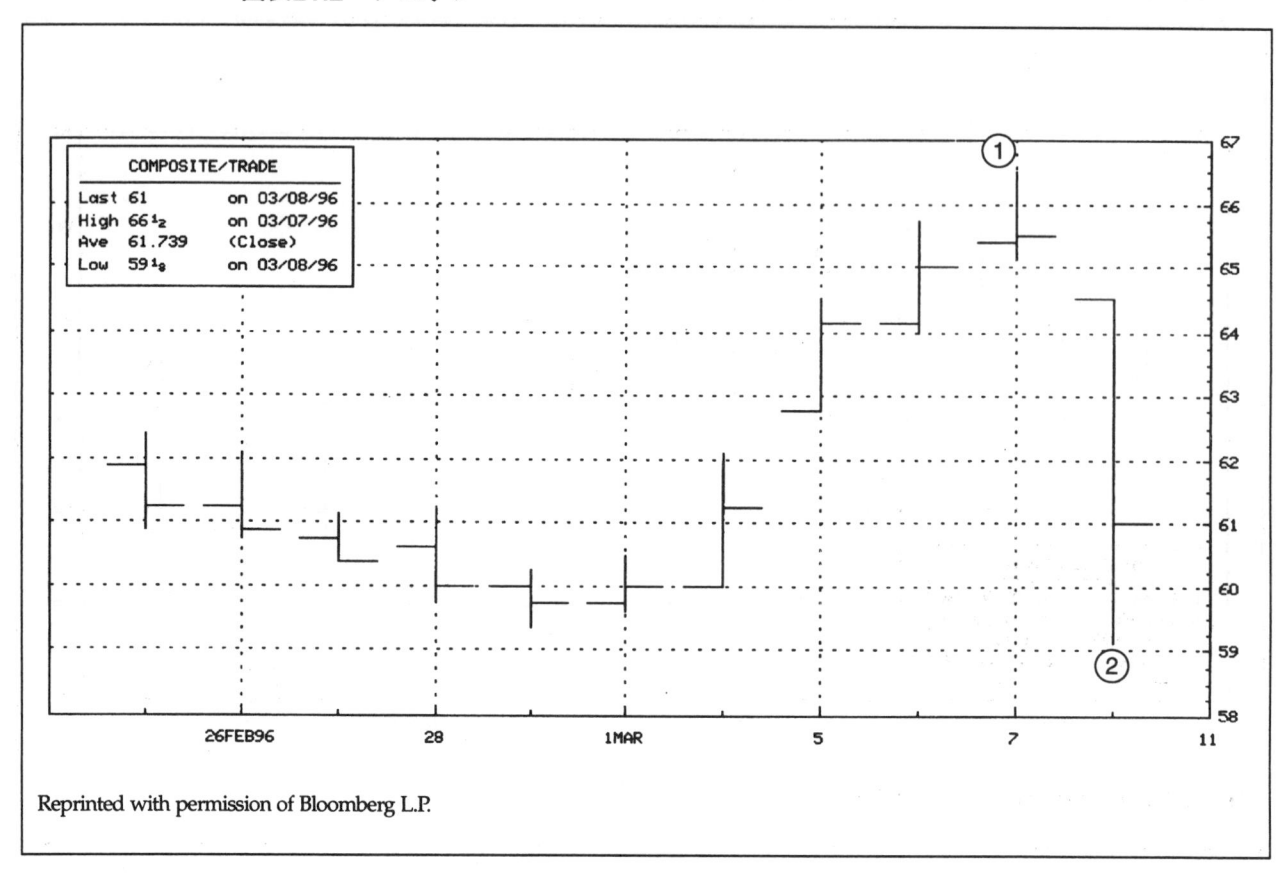

```
COMPOSITE/TRADE
Last  61        on 03/08/96
High  66½       on 03/07/96
Ave   61.739    (Close)
Low   59⅛       on 03/08/96
```

Reprinted with permission of Bloomberg L.P.

　　１．過去１０日間の高値を付け、寄り付きと大引けはその日の値幅の２５％以下。

　　２．前日の安値より下に窓を空けて寄り付き、６４　1/2ドルで、売り注文が通る。その後、この日のうちに５ポイント以上、暴落した。

第21章　リザーズ

図表21.3　アトメル・コープ

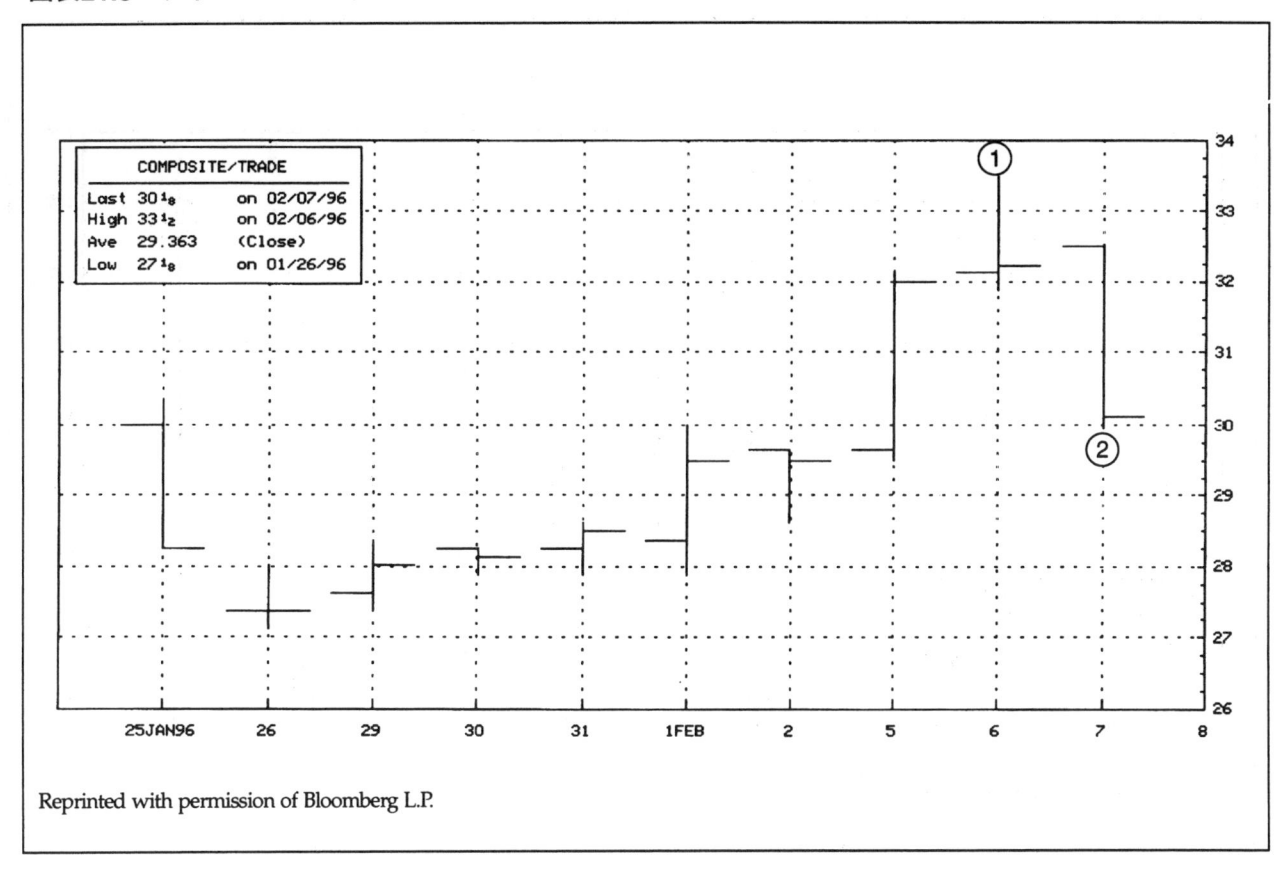

1．過去１０日間の高値を付け、寄り付きも大引けもその日の値幅の２５％以下。

2．前日の安値である３１７／８ドルの１／８ポイント下で売り注文が通る。その日は、売値から１５／８ドル下で引けた。

CHAPTER 21 LIZARDS ™

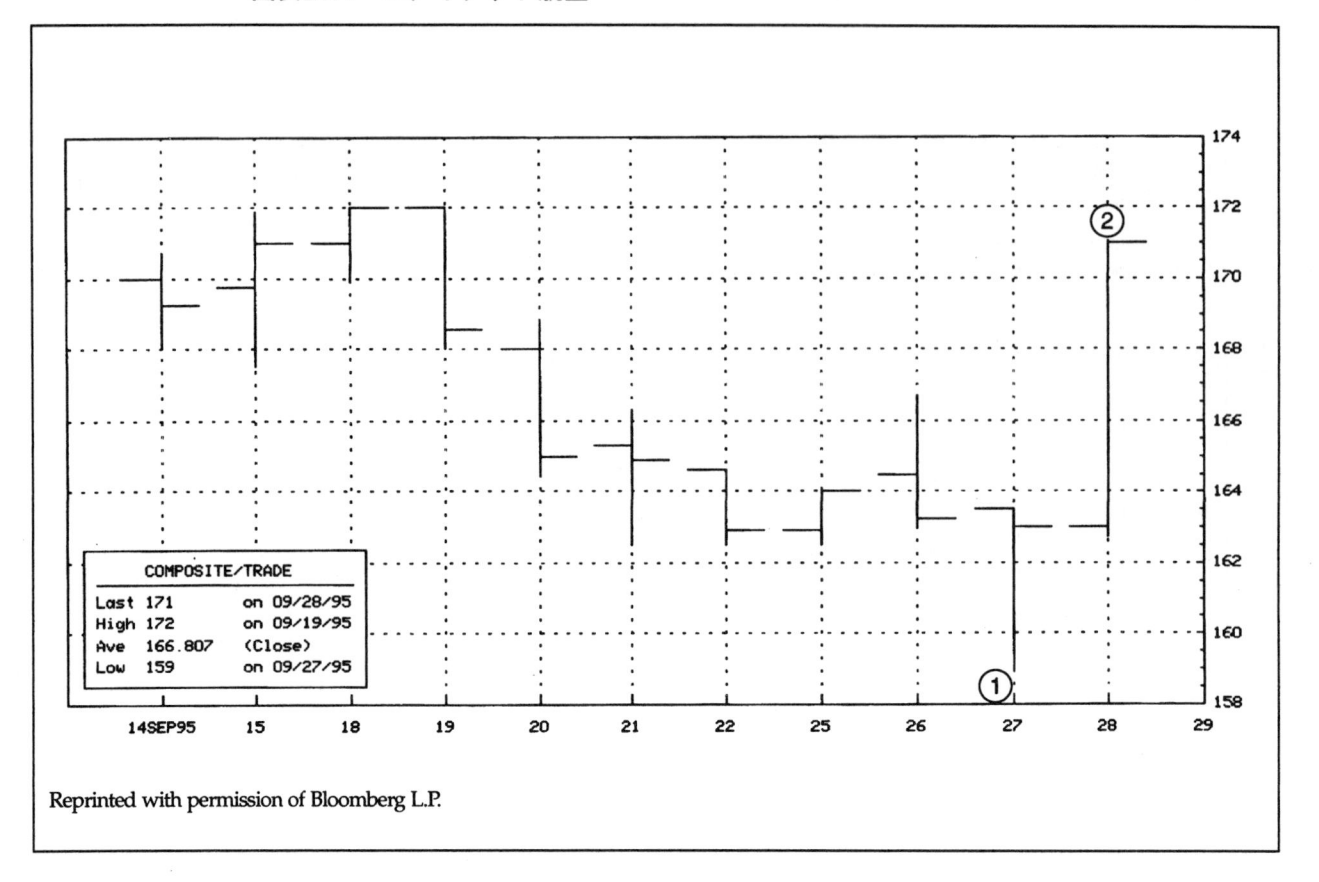

図表21.4 ユナイテッド航空

1．過去10日間の安値を付け、寄り付きも大引けもその日の値幅の75％以上。

2．163 3／4ドルで買う。（申し訳ないことに）株価は、買値から7 1／4ドル上の171ドルまで上昇した。

まとめ

この戦略は、出尽くしパターンであるために機能する。つまり、最後の売り手や買い手が、知的投資家が参入する前に株価を極端な安値や高値に導くのである。株価は短期の高値や安値を付けることになり、日中の反転は、急速で激しいものとなる。

第22章　イグアナ
IGUANAS

　この本にまとめた取引戦略は、短期売買戦略の方法論として、日足チャートをベースに開発されたものである。しかし、週足チャートは無視していい、という訳ではない。週足チャートを観察することで、日足では見えにくい部分を補強できることが多い。例えば、週足チャートで強い反転下落相場を示している株価では、資金が流失している場合が多い。

　リザーズやギリガン・アイランドの反転戦略を、ここでは週足チャートに応用する。

　イグアナの戦略は日足チャートをベースとした他の手法と同様であり、一時的な上昇局面を認識しようとするものである。ただ、ここでは、そのサインが週の大引けから発せられる。

　その翌週の初め、この前週の引けによって発生する株価動向に乗ろうとするのがイグアナなのである。違いといえば、イグアナでは出動するまでに2日かかることである。なぜなら、株価が大きく反転した後、翌日に株価が動かないのは珍しいことではないからである。

このルールは以下の通りである。

空売りルール（買いはこの反対）

１．週足（週間チャート）が過去４週間の高値を付けなければならない。

２．（週足の）寄り付きと大引けは、値幅の２５％以下であること。

または、

３．（週足の）寄り付きは過去４週間の高値よりも上に窓を空け、（週足の）引けは寄り付きよりも下でなければならない。

４．翌週の月曜日か火曜日に限り、先週の安値から1／16ポイント下で売る。損切りを売値の１ポイント上に置く。

５．売り注文が通り、株価が大きく自分の方向に動いて引けるならば、この流れは翌日にも継続されることが多いことから、少なくともポジションの半分は翌日に持ち越す。

このお膳立てが週足をベースとする反転パターンであることから、ポジションの一部については、仕切り注文をマーケットの動きに合わせて調整しながら（トレイリング・ストップを使いながら）、２日から５日抱えることは収益性の高い戦略と言える。

では、このいくつかの例を見てみよう。

第22章 イグアナ

図表22.1　ＰＯＳ

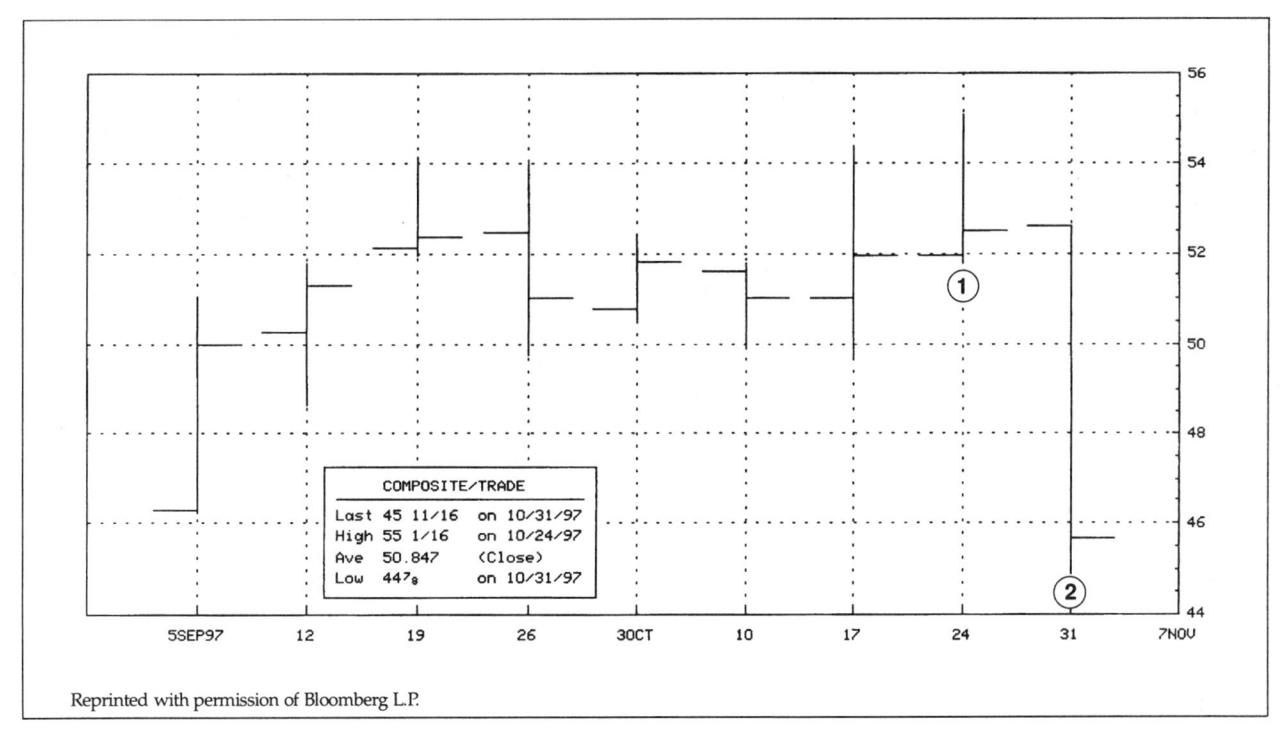

```
COMPOSITE/TRADE
Last  45 11/16   on 10/31/97
High  55 1/16   on 10/24/97
Ave   50.847    (Close)
Low   44 7/8    on 10/31/97
```

Reprinted with permission of Bloomberg L.P.

1．過去4週間の高値を更新し、寄り付きと大引けは値幅の25％以下。

2．10月27日（月）、株価は前週の安値より1／16下の51 11／16ドルを付けたので、ここで売る。この日の終値は、48 7／16ドル。翌日の寄り付きは47 1／4ドル。仕切り注文を48 1／4ドルへ移動し、2 3／8ドルの収益を確保して仕切り注文に引っかかる。

Chapter 22 IGUANAS

図表22.2　ＭＴＺ

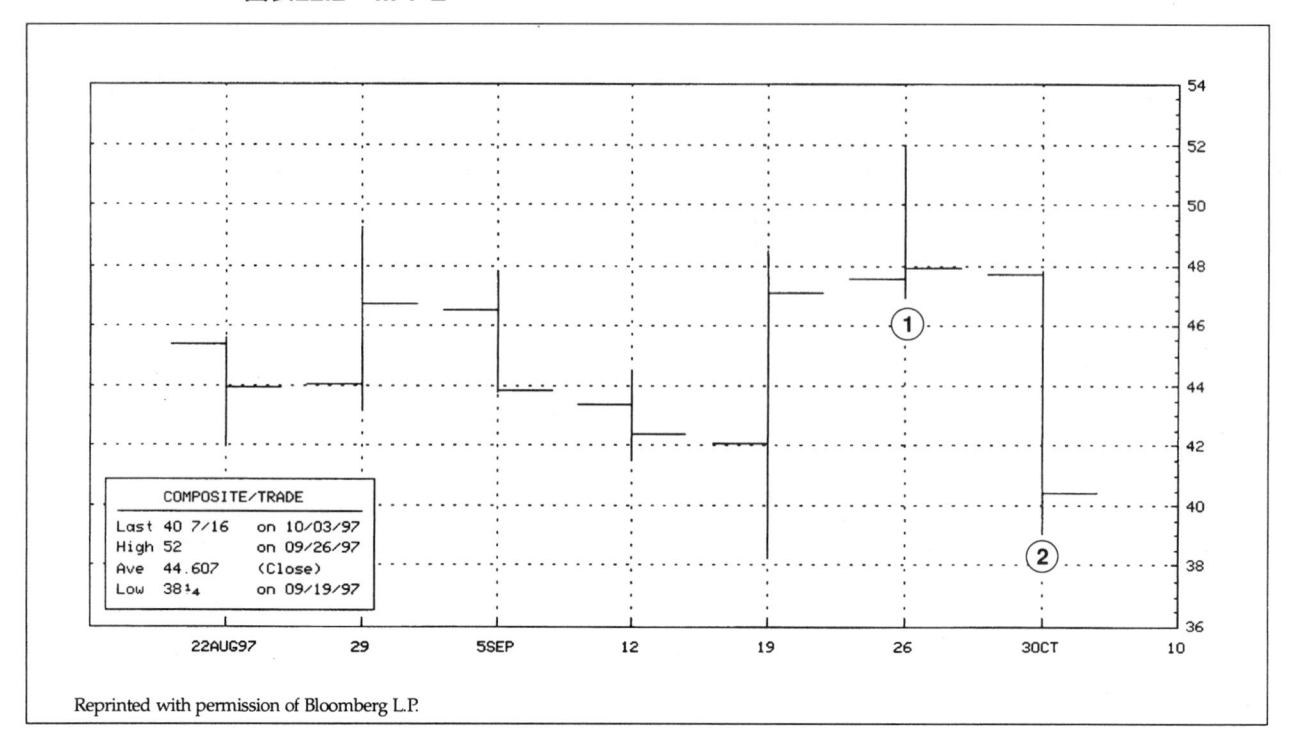

```
COMPOSITE/TRADE
Last  40 7/16   on 10/03/97
High  52        on 09/26/97
Ave   44.607    (Close)
Low   38 1/4    on 09/19/97
```

Reprinted with permission of Bloomberg L.P.

　　１．過去４週間の高値を更新。しかし株価は振るわず、値幅の２５％以下で弱く引ける。もし翌週の月曜日か火曜日に株価が４７ドルを下回ったら、売る。

　　２．売りは、４６ 15／16ドルで通り、株価のこの週の引けは、４０ 1／2ドル。

図表22.3　ＴＢＲ

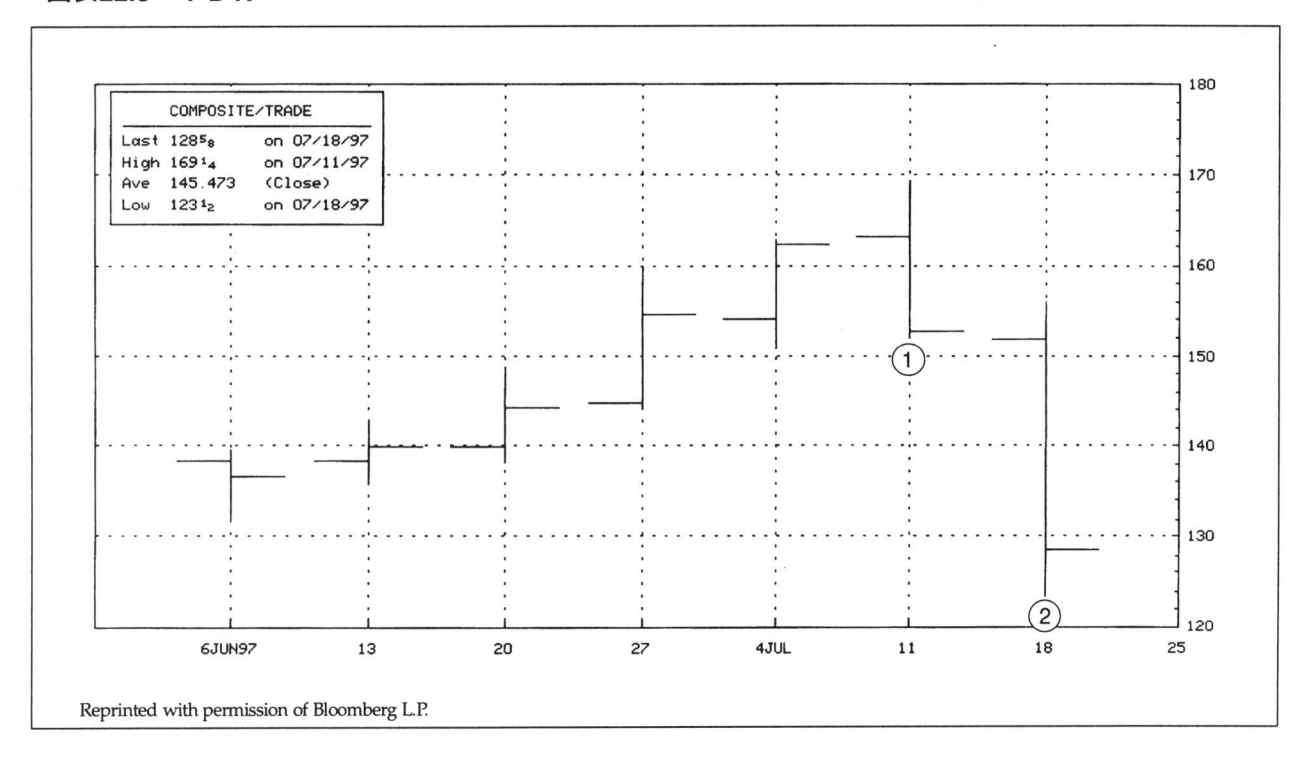

```
           COMPOSITE/TRADE
     Last  128 5/8    on 07/18/97
     High  169 1/4    on 07/11/97
     Ave   145.473    (Close)
     Low   123 1/2    on 07/18/97
```

Reprinted with permission of Bloomberg L.P.

　１．過去４週間の高値よりも上に窓を空けて寄り付き、引けは弱い。翌週の月曜日に安値の1／16ポイント下の１５１ １／８ドルで売ることを考える。

　２．月曜日の寄り付きは、１５１ ３／４ドル。火曜日の引けは、１４６ １／４ドル。週の引けは売値から２０ポイント以上も下。

まとめ

　発生頻度は低いが、イグアナは確実に週足での反転を予測し、翌週に流れ込む継続的な売りの勢いに乗せてくれる。他の反転戦略でもそうだが、ここでも損切り注文や仕切り注文を厳格に用いること。多くの場合、反転は鋭角で短期な動きであり、ポジションに含み益が発生したら、必ず仕切り注文でそれを守りながら、手仕舞えるようにすること。

第23章　ブーメラン
BOOMERANGS

　この章では、数日に及ぶ反転パターンでの取引戦略を見てみよう。数日をかけて準備されるこのお膳立てでは、株価の起爆性も当然高い。

　基本的な取引概念は、強いトレンドを持った株価が狭い値幅に収束することである。次に、株価はこの狭い値幅から抜け出そうとする（ブレイクアウト）。株価は値幅から飛び出すものの、すぐに戻って来る。ブーメランという名前の由縁である。

　だましには素早い動きが続くので、ブーメランは強力なパターンである。ただし、株価の全体的なトレンドに反した動きであることから、損切りは厳格に用いること。

　ブーメランは時間をかけて形成されるパターンであることから、他の取引手法に比べて、ここでのルールはより主観的なものである。ただし、次に用意した例を観察すれば、この戦略はより明解なものになるはずである。

CHAPTER 23 BOOMERANGS

このルールは以下の通りである。

空売りのルール（買いはこの反対）

１．強いトレンドのある銘柄であり、５０日移動平均線を上回り、ＡＤＸは３０以上である（ただし、株価が一時的に休止するか、揉み合いの段階に入れば、ＡＤＸは少し低めとなる）。

２．強いトレンドを示している途中で、株価が５日～２０日間、狭い値幅で揉み合う。

３．第１日目、株価は揉み合いを**上**に放れる（ブレイクアウトする）。

４．第２日目か第３日目か第４日目（第１日目に続く３日間のうちに）、第１日目（放れた日＝ブレイクアウト・デイ）の安値から1／16ポイント下で売る。

５．もし終値がその日の値幅の２５％以下なら、翌日までポジションを持ち越す。さらに、その後数日間、マーケットの動きに合わせて仕切り注文を調整しながら（トレイリング・ストップを使いながら）、収益の最大化を試みる。

第23章　ブーメラン

図表23.1　デル

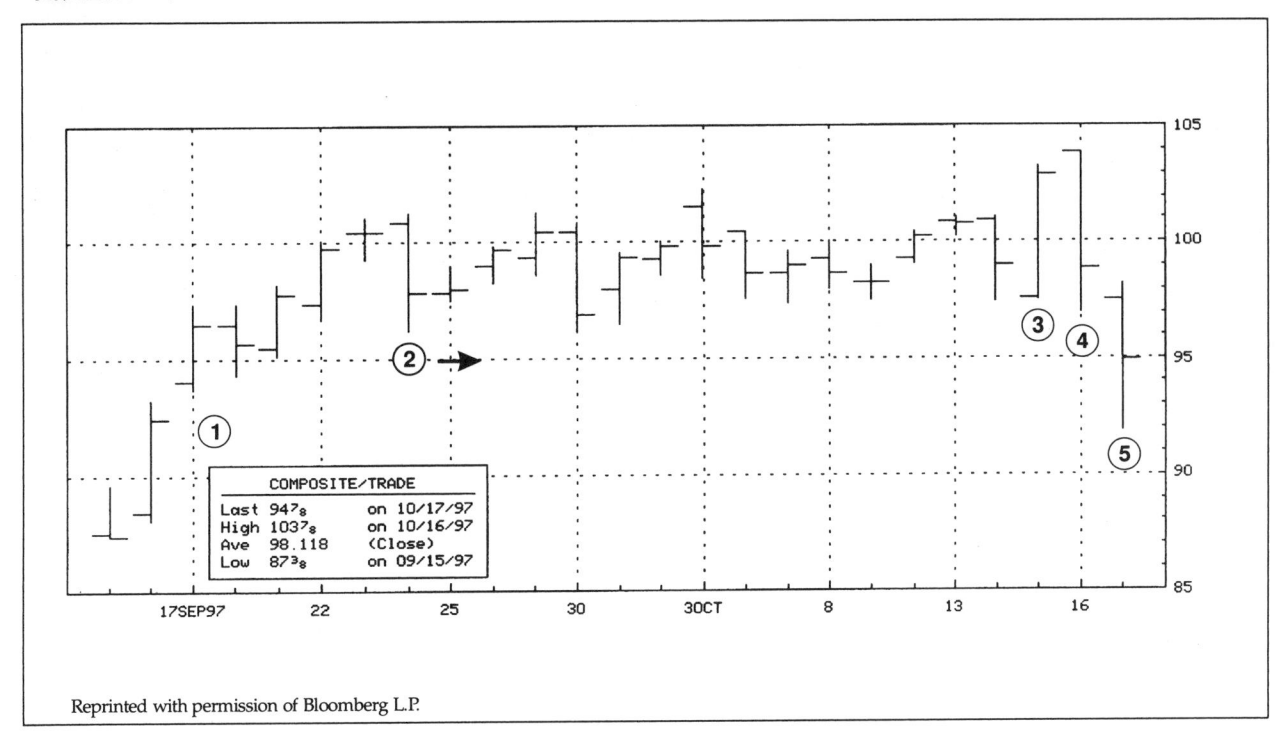

1．7月から9月にかけて、株価は強かった。

2．9月24日、株価は狭い値幅の揉み合いに入る。

3．10月15日、上に放れる（上にブレイクアウト）。

4．次の3日間、97 7／16ドルで売りを仕掛ける。

5．10月17日、株価は91 7／8ドルまで下落。その後、株価はさらに73ドルまで下落した。

CHAPTER 23　BOOMERANGS

図表23.2　ＰＧ

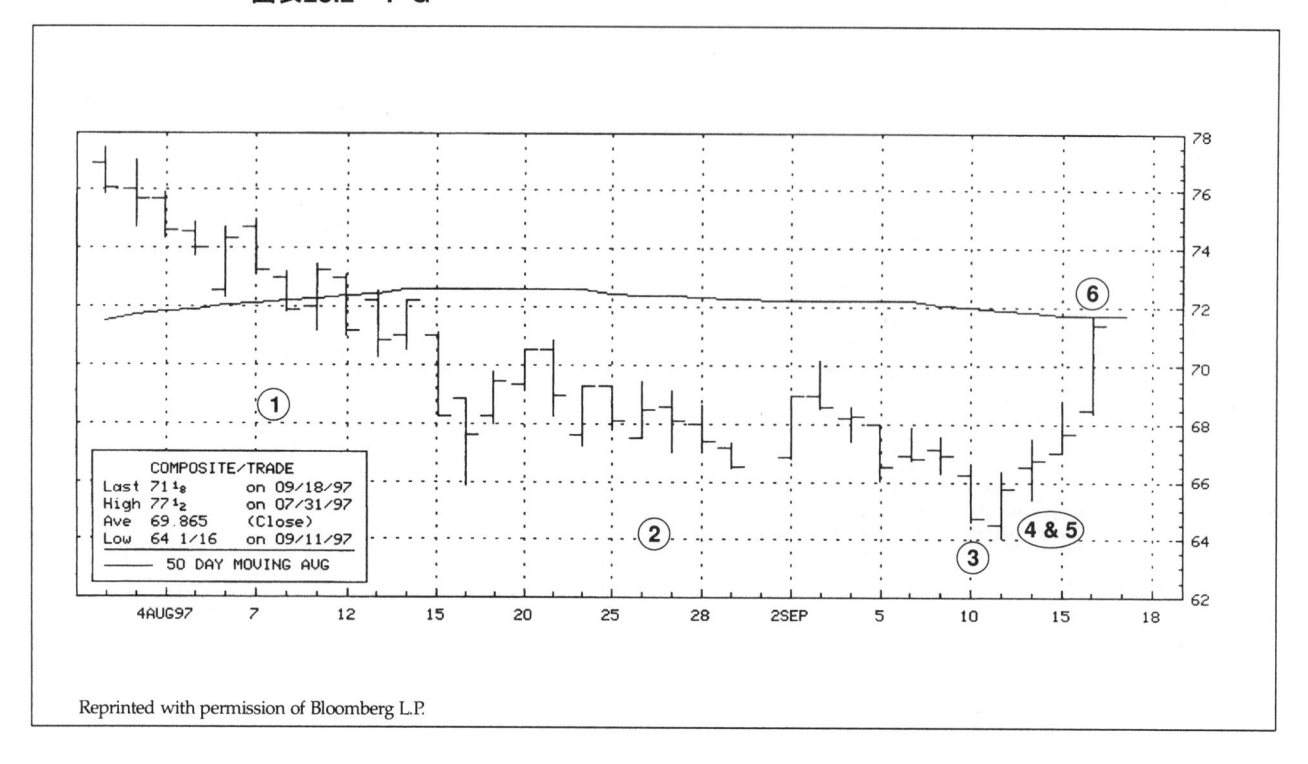

Reprinted with permission of Bloomberg L.P.

1．8月18日まで、株価は強い下降トレンドを示していた。

2．8月18日から9月9日まで、揉み合いになった。

3．9月10日、下に放れる（ブレイクダウン）。

4．次の3日間（9月12日、13日、15日）、ブレイクダウンした日の高値から1／16ポイント上で買いを仕掛ける。

5．9月12日、買い注文が66 3／4ドルで通る。

6．次の2日間で、株価は71 3／4ドルまで上昇する。

第23章　ブーメラン

図表23.3　ＫＳＵ

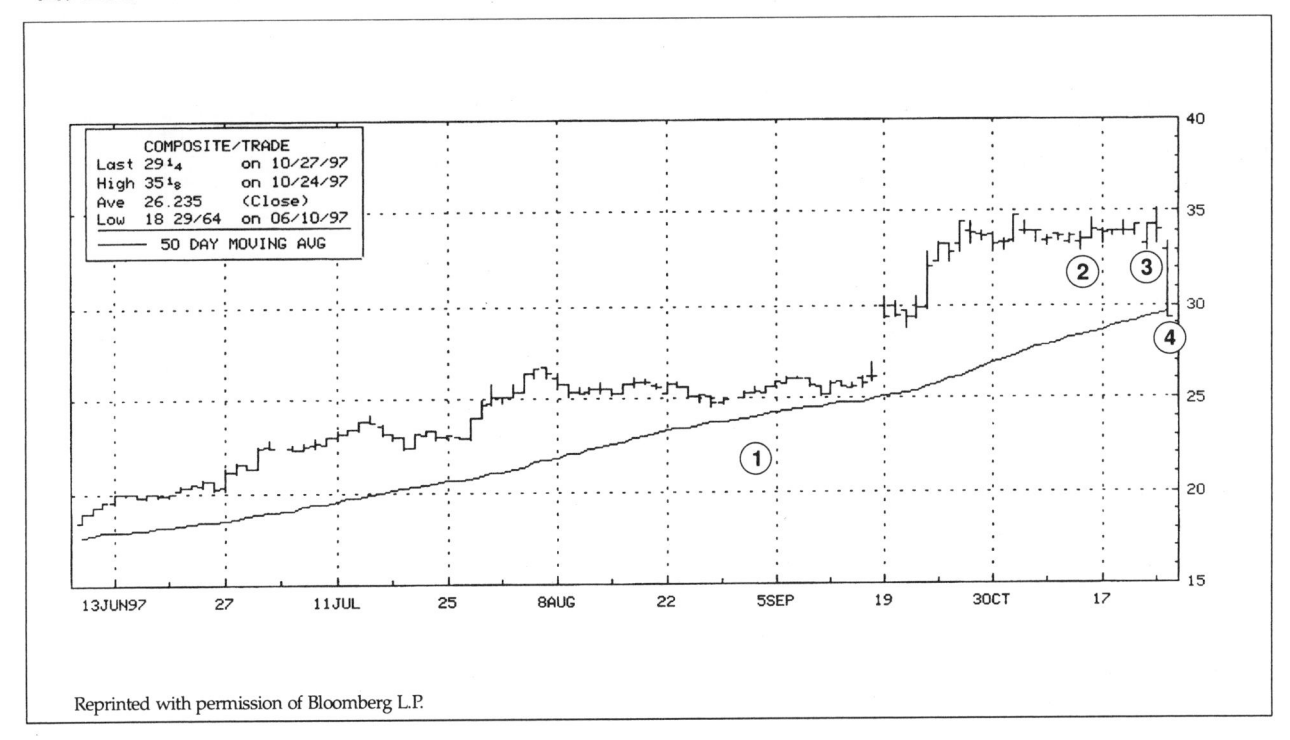

1．6月10日から9月30日、強い上昇トレンドの途中にある。

2．その後、10月23日までの17日間、狭い値幅で揉み合う。

3．10月24日、上に放れ、ブレイクアウト・デイになる。そのブレイクアウト・デイの安値は、33 1/4ドル。

4．売り注文が33ドル付近で通り、29 1/4ドルで引ける。

CHAPTER 23 BOOMERANGS

図表23.4　ＳＬＢ

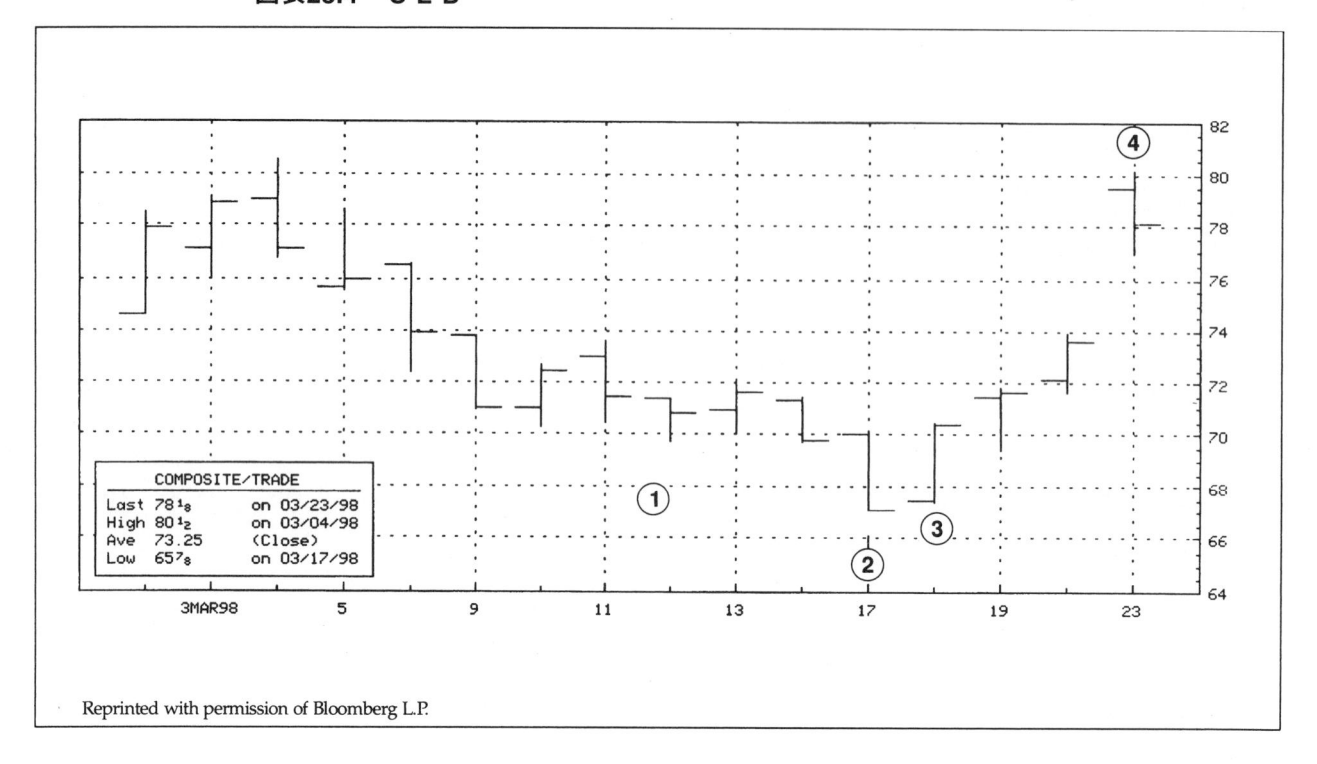

Reprinted with permission of Bloomberg L.P.

　１．安値圏での揉み合い。

　２．下に放れる（ブレイクダウン・デイ）。

　３．反転を狙って買う。ここでは値幅拡大ダブル・スティック（第２４章参照）のお膳立ても整っていることに注意。同じ方向のシグナルが複数発生するのは、最高のお膳立てである（第２５章参照）。

　４．数日間で１０ポイント近く上昇。

図表23.5　ＶＲＳＮ

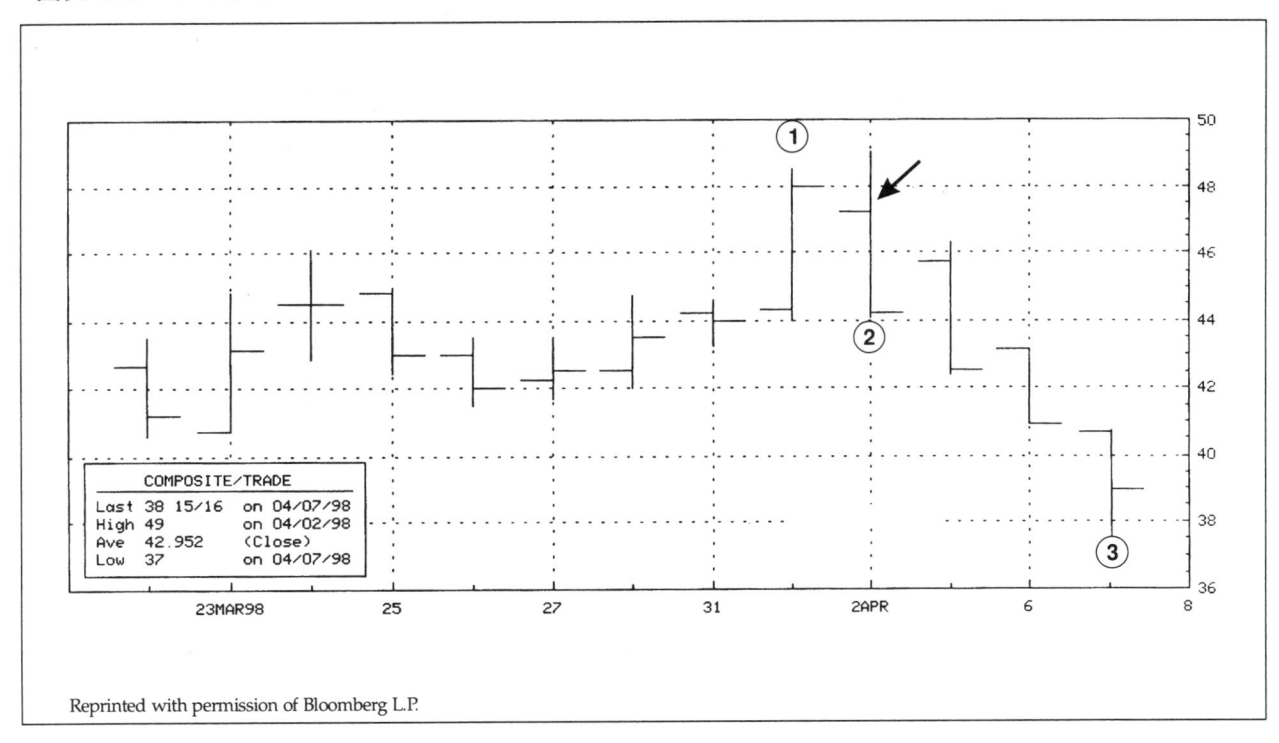

ここでは、ブーメラン、拡大タートル・スープ（第１８章参照）、値幅拡大ダブル・スティック（第２４章参照）の３つが同時に発生している。

１．揉み合いから放れる（ブレイクアウト）。

２．反転の始まり。

３．３日間で高収益。

Chapter 23 BOOMERANGS

まとめ

　腰の入らないブレイクアウトの買い(ブレイクダウンの売り)に関しては、ブーメランは非常に有効な取引手法であると思う。ブレイクアウトに継続性がないとき、腰の入らないポジションは迅速に仕切られ、狼狽した側は株価をブレイクアウトした方向とは反対方向に大きく動かすことになる。

第24章 値幅拡大ダブル・スティック
EXPANSION RANGE DOUBLE STICKS

　この章では、私がごく最近用いるようになった取引戦略を紹介する。値幅拡大ダブル・スティックは、1日から4日の反転戦略に用いる手法である。このお膳立てでは、パニック買いの日があり、次にパニック売りの日が続く。さらに、売りはその次の日にも続き、われわれに売りの好機を提供してくれるのである。

　このルールは以下の通りである。

　1．第1日目（前日）、株価は過去60日間の高値を更新する。また、この日の値幅は過去10日間で、少なくとも3番以内に入る大きさである。

　2．第2日目（今日）、寄り付きよりも下で引け、また、この日の値幅は過去10日間で、少なくとも3番以内に入る大きさである。

　3．もし1と2が成立するならば、翌日、第2日目（今日）の安値から1/16ポイント下で売る。損切りを売値の1ポイント上に置く。

　4．マーケットの動きに合わせて仕切り注文を下げ（トレイリング・ストップを使って）、収益を確保する。

　では、次ぎの5つの例を見てみよう。

Chapter 24 EXPANSION RANGE DOUBLE STICKS

図表24.1　ＳＢ

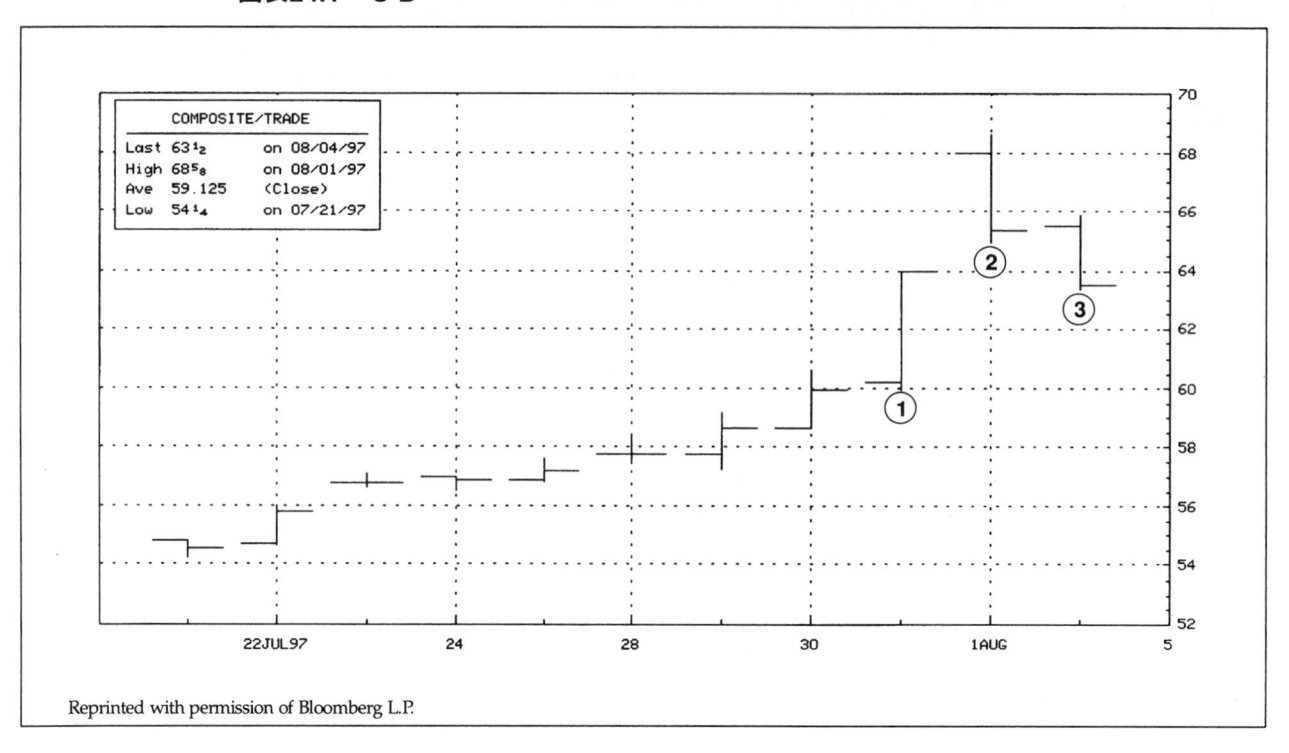

1．株価は過去６０日間の高値を更新し、この日の値幅は、過去１０日間で３番以内の大きさ（実際には、１番大きい）。

2．値幅は、過去１０日間で３番以内の大きさ。さらに、寄り付きよりも下で引ける。

3．前日の安値から1／16ポイント下の６４ 7／8ドルで売る。損切りを１ポイント上の６５ 7／8ドルに置く。

4．６３ 1／2ドルで引け、１ 3／8ドルの収益。

図表24.2　ＲＭＢＳ

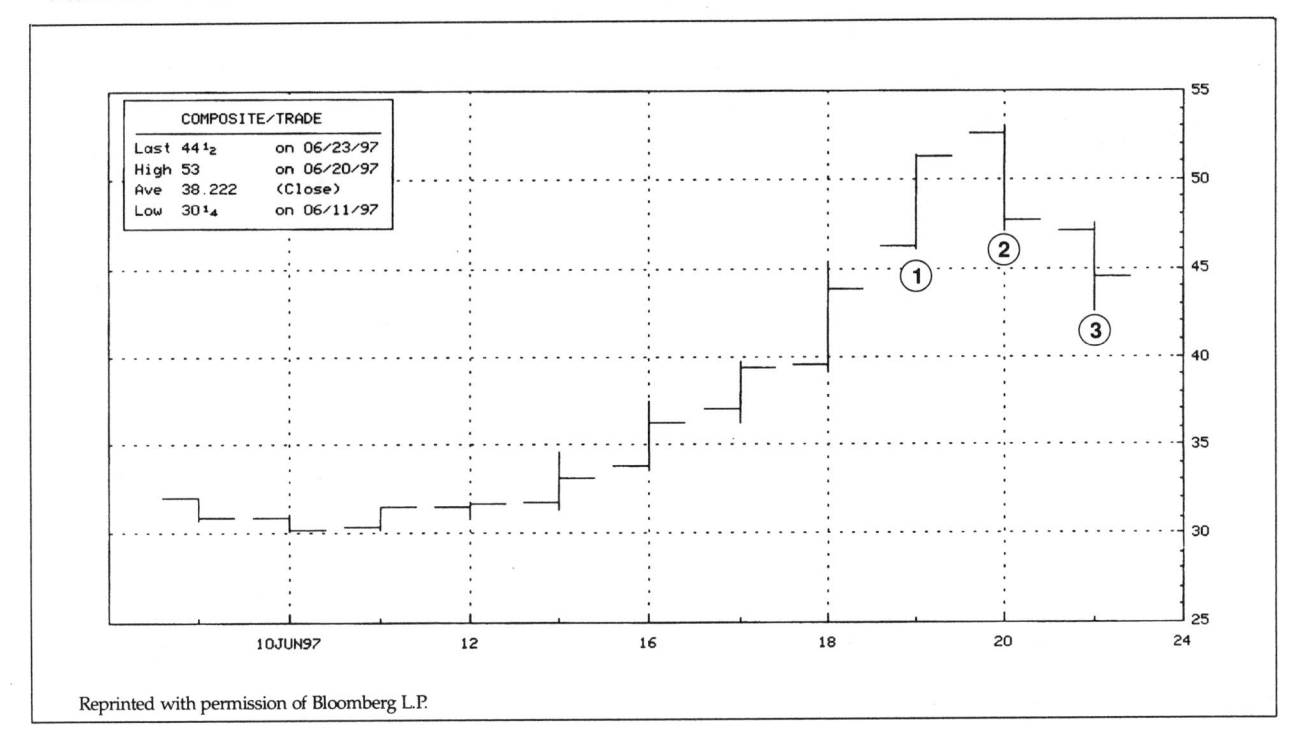

```
            COMPOSITE/TRADE
        Last  44 1/2    on 06/23/97
        High  53        on 06/20/97
        Ave   38.222    (Close)
        Low   30 1/4    on 06/11/97
```

Reprinted with permission of Bloomberg L.P.

　１．株価は過去６０日間の高値を更新し、その日の値幅は、過去１０日間で３番以内の大きさ。

　２．値幅は、過去１０日間で３番以内の大きさで、寄り付きよりも下で引ける。また、ここではギリガン・アイランドにもなっており、売りのシグナルが２つ同時に発生している。

　３．４６ 15／16ドルで売る。損切りを４７ 15／16ドルに置く。その日のうちに、株価は４ 1／2ドルも下落する。

CHAPTER 24 EXPANSION RANGE DOUBLE STICKS

図表24.3　ＮＯＢＥ

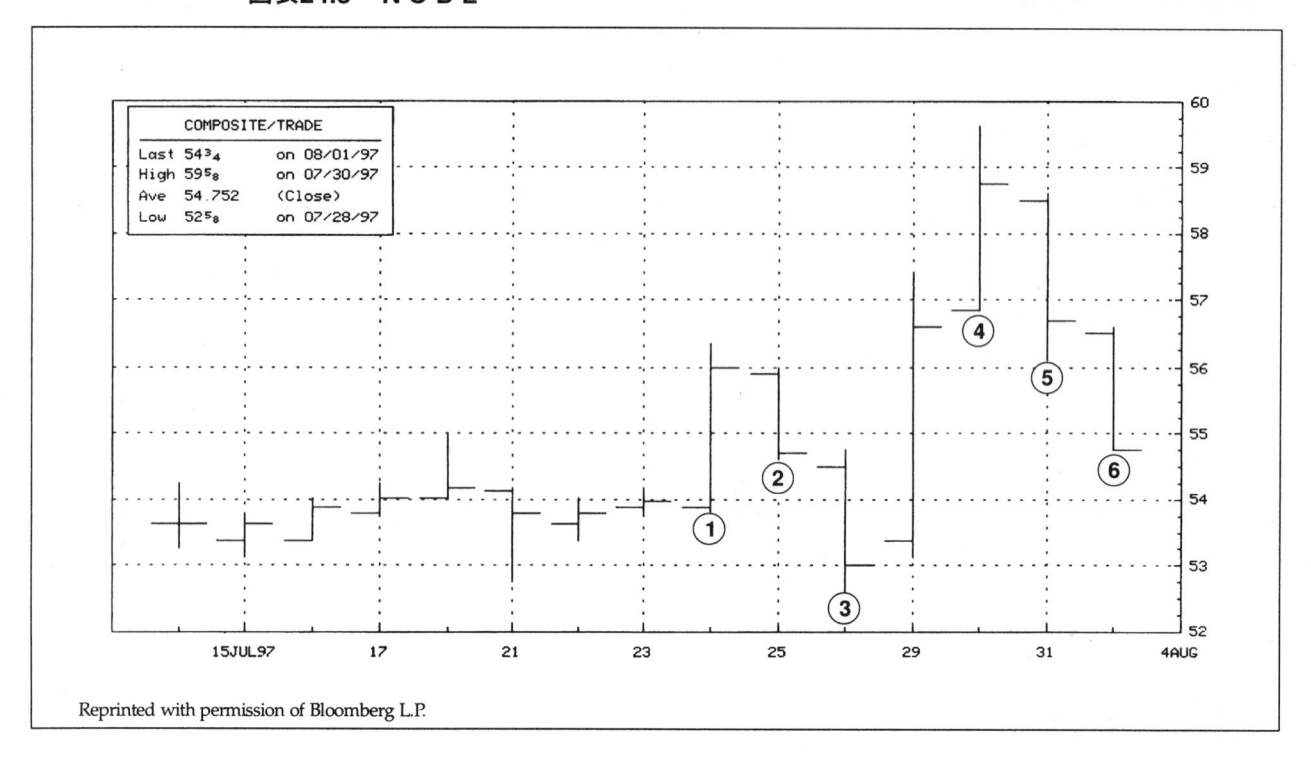

　　１．株価は過去６０日間の高値を更新し、その日の値幅は、過去１０日間で３番以内の大きさ。

　　２．値幅は、過去１０日間で３番目以内の大きさで、さらに、寄り付きよりも下で引ける。

　　３．５４９／16ドルで売る。損切りを５５９／16ドルに置く。売値の１１／２ドル下で引ける。

　　４．過去６０日間の高値を更新し、その日の値幅は過去１０日間で２番目の大きさ。

　　５．過去１０日間で３番目に大きな値幅で、寄り付きよりも下で引ける。

　　６．売る。素早く利益を確定する。

194

図表24.4　ＣＣＫ

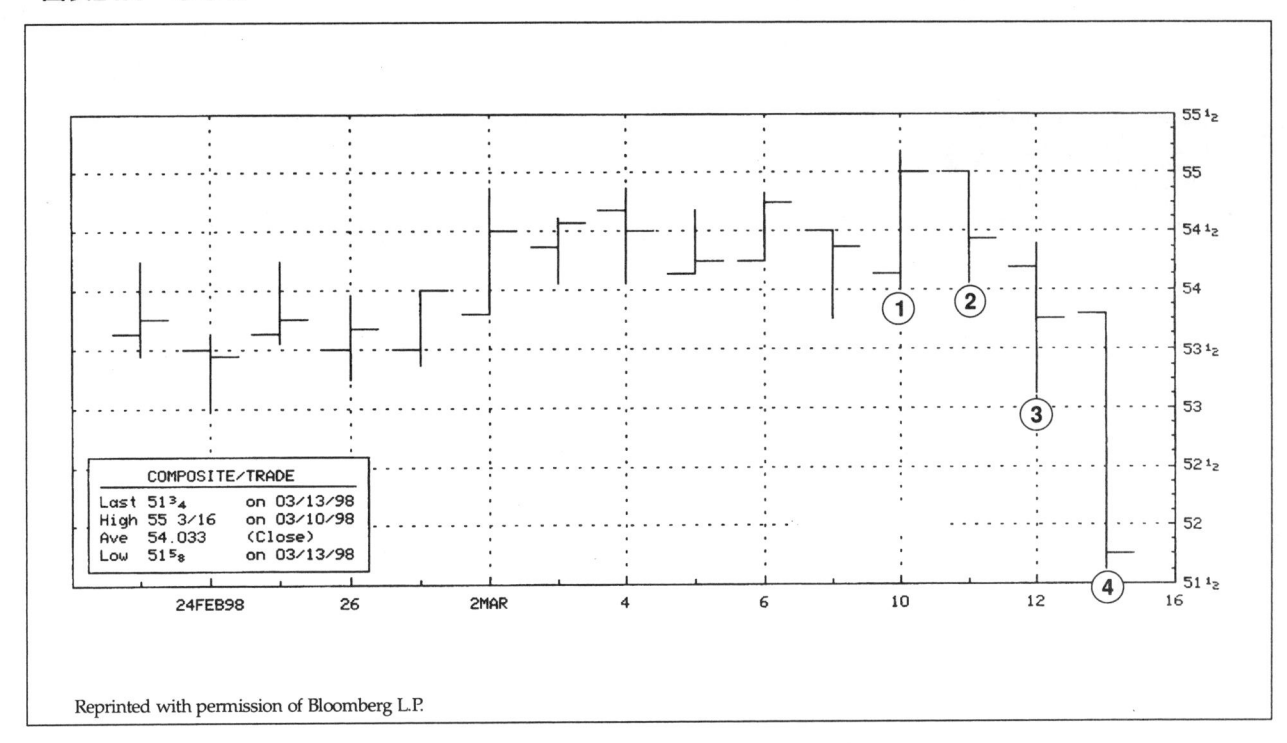

1．過去６０日間の高値を更新し、値幅も十分に大きい。

2．値幅は過去１０日間で２番目に大きく、寄り付きよりも下で引ける。

3．５４ドルで売る。

4．翌日は５１３／４ドルで引ける。

CHAPTER 24 EXPANSION RANGE DOUBLE STICKS

図表24.5　ＦＤＸ

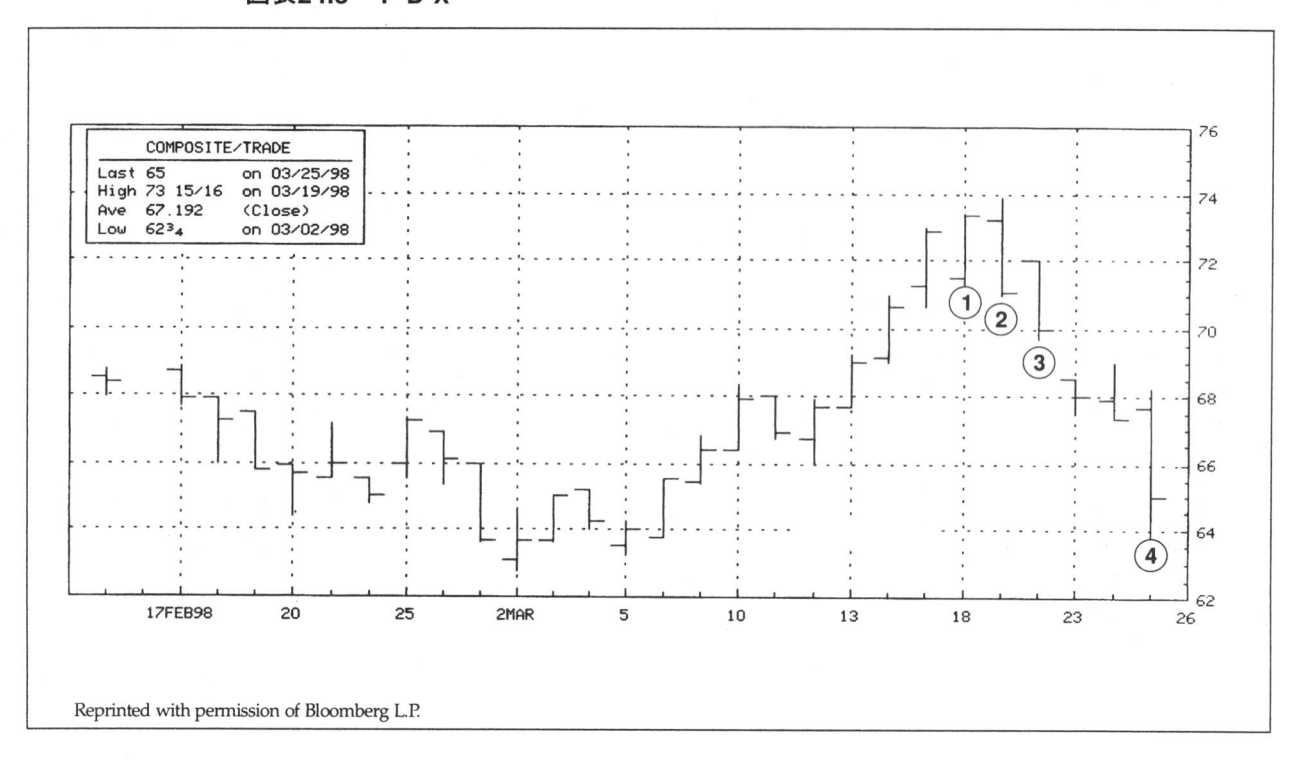

Reprinted with permission of Bloomberg L.P.

１．過去６０日間の高値を更新し、値幅は過去１０日間で最大の大きさ。

２．値幅はさらに大きく、寄り付きよりも下で引ける。

３．７０３／４付近で売る。

４．数日間で７ポイント下落する。

まとめ

　この戦略は下げ相場でより有効に働くと、私は思う。パニック買いによって発生したブレイクアウトは、その動きが継続されなければ、その後数日間、売られるのである。このパターンは長期的な意味合いを持たず、低リスクのトレード・チャンスを提供してくれる短期現象である。

　最後に、他の取引戦略でもそうだが、このお膳立ては高価格の銘柄で用いることをお勧めする。利益を上げるのに十分な値幅を得るためである。

PART 4

TECHNIQUES OF A
PROFESSIONAL
TRADER

プロの
テクニック

　このパート4は、今までのパート1とパート2とパート3を合わせたくらい、重要である。ここでは、トレードをする上で大切なことでありながら、多くのトレーダーが気付いていないことに焦点を当てる。例えば、マネー・マネジメント（資金管理）、損切りの置き方、仕切りなどである。また、日々トレードに向かう姿勢について、トップ・トレーダーとその他の人たちはどう違うのかについても考察する。

　このパート4は精読されることをお勧めする。ここに展開される原理を理解し、それに熟達することは、必ず結果に反映されるからである。

第25章 複数パターンの同時発生—最も重要な章
PUTTING PIECES TOGETHER–THE MOST IMPORTANT CHAPTER

　　株式市場では、歴史が繰り返される。株価の動向パターンや揉み合い構造は、何度
　も何度も繰り返されるのである。

　　　　　　　　　　　　　　　　　　　　　　　　　　　ウィリアム・オニール

　この章のポイントは、簡潔・端的である。**ヒットエンドラン戦略を使って収益を上
げる最良の方法とは、同様のサインを出しているパターンが複数・同時に発生してい
る銘柄をトレードすることである**。例えば、第5章の拡大ブレイクアウトと第8章の
180のパターンが同時に発生していれば、これは強いシグナルであるといえる。
　例をいくつか見る前に、売りシグナルと買いシグナルの異なったパターンが同時に
発生した場合を考えてみよう。端的に言って、**そんな場合にはトレードをするべきで
はない**。そうでなくてもトレーディングは困難な作業なのに、矛盾するサインでトレ
ードする必要はない。複数のシグナルが同一の方向を示すとき、そんなときにだけト
レードすればいい。そうすることで、トレードで勝つ可能性が向上するのである。

　次に掲載するのは、同一方向のサインを示す複数のパターンが発生している例であ
る。

Chapter 25 PUTTING PIECES TOGETHER–The Most Important Chapter

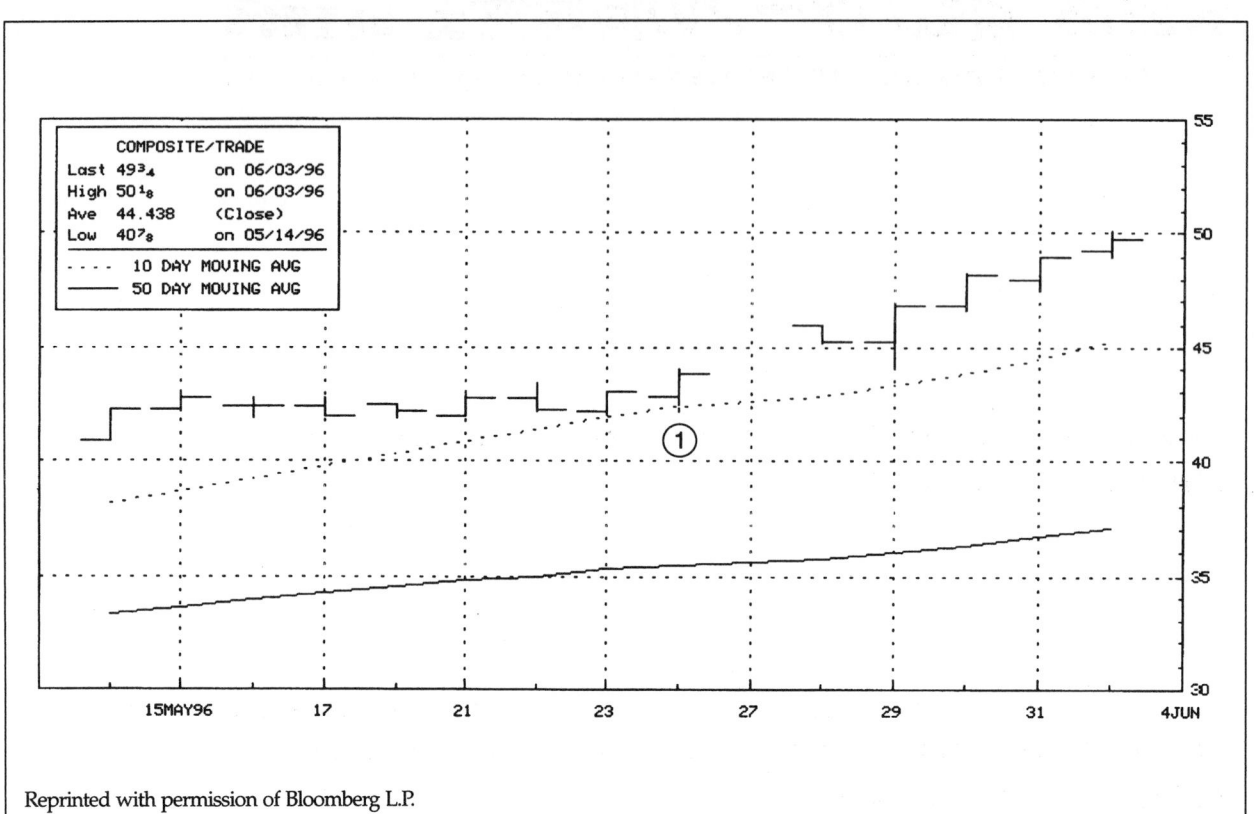

図表25.1 モッシーモ

Reprinted with permission of Bloomberg L.P.

1．１９９６年５月２４日、モッシーモはスリング・ショット（第２３章）の買いシグナルと同時に、１８０（第８章）の買いシグナルも発している。その後の６営業日で、株価は７ポイント近く上昇する。

図表25.2　Ｓ＆Ｐ５００株価指数

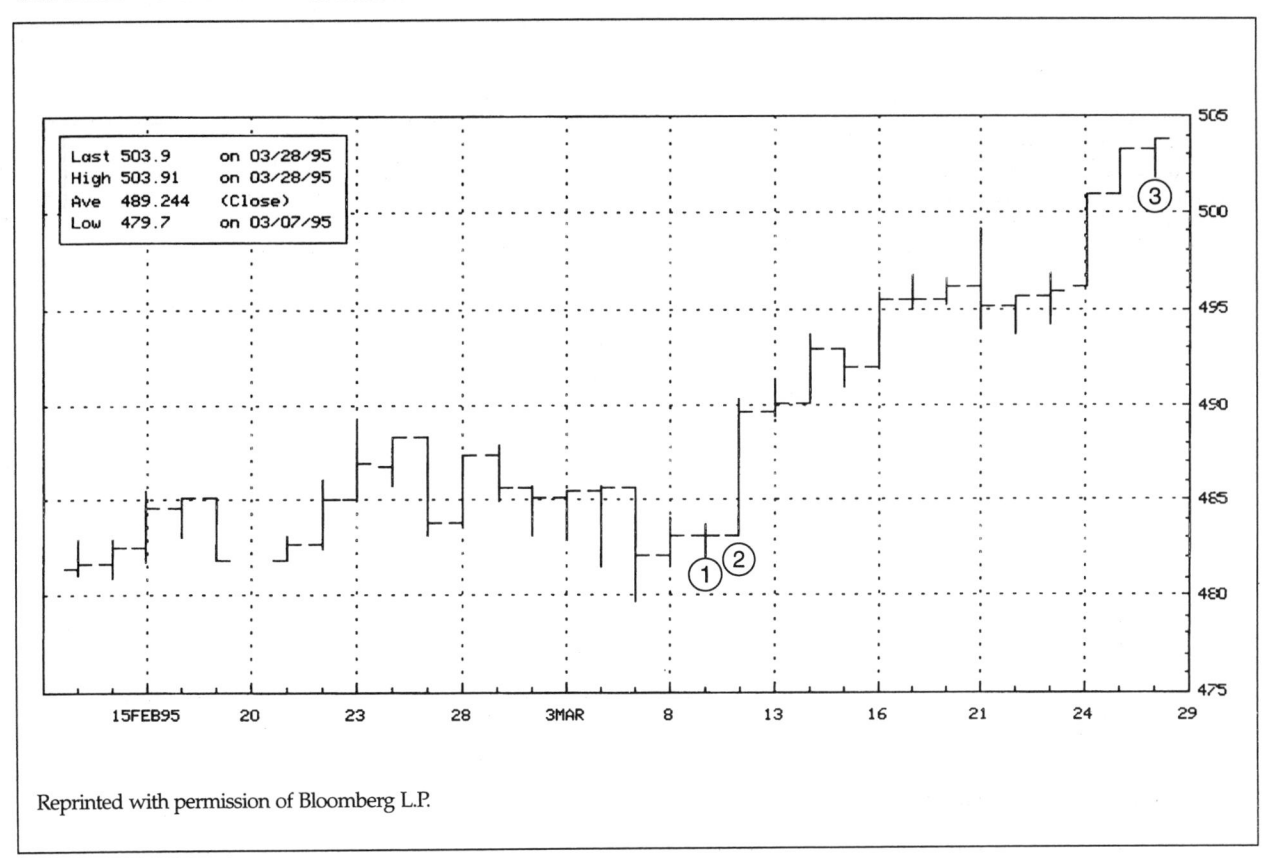

これは、買いシグナルが連続して発生した例である。

１．上昇を示すブーマー（第１１章）で、ＡＤＸは４７、＋ＤＩは－ＤＩよりも高い。

２．株価は大きく上に抜け、拡大ブレイクアウト（第５章）。

３．３週間で２０ポイントの上昇。

CHAPTER 25 PUTTING PIECES TOGETHER–THE MOST IMPORTANT CHAPTER

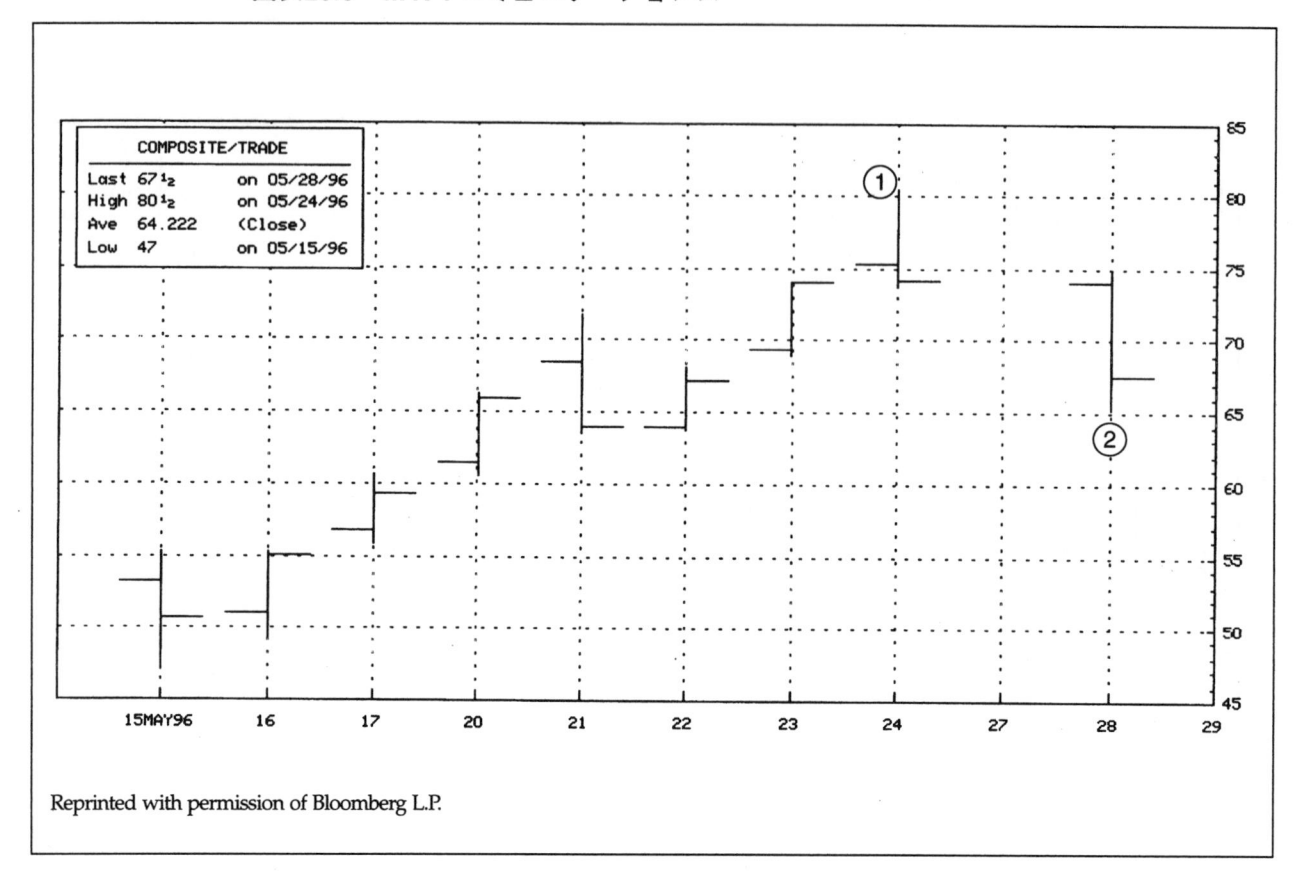

図表25.3　ＭＲＶコミュニケーションズ

1．１９９６年５月２４日、ＭＲＶコミュニケーションズはギリガン・アイランド（第２０章）とリザーズ（第２１章）で、売りサインを出した。

2．翌日、その日のうちに株価は９ポイントの下落。

第25章 複数パターンの同時発生――最も重要な章

図表25.4 デルタ＆パイン

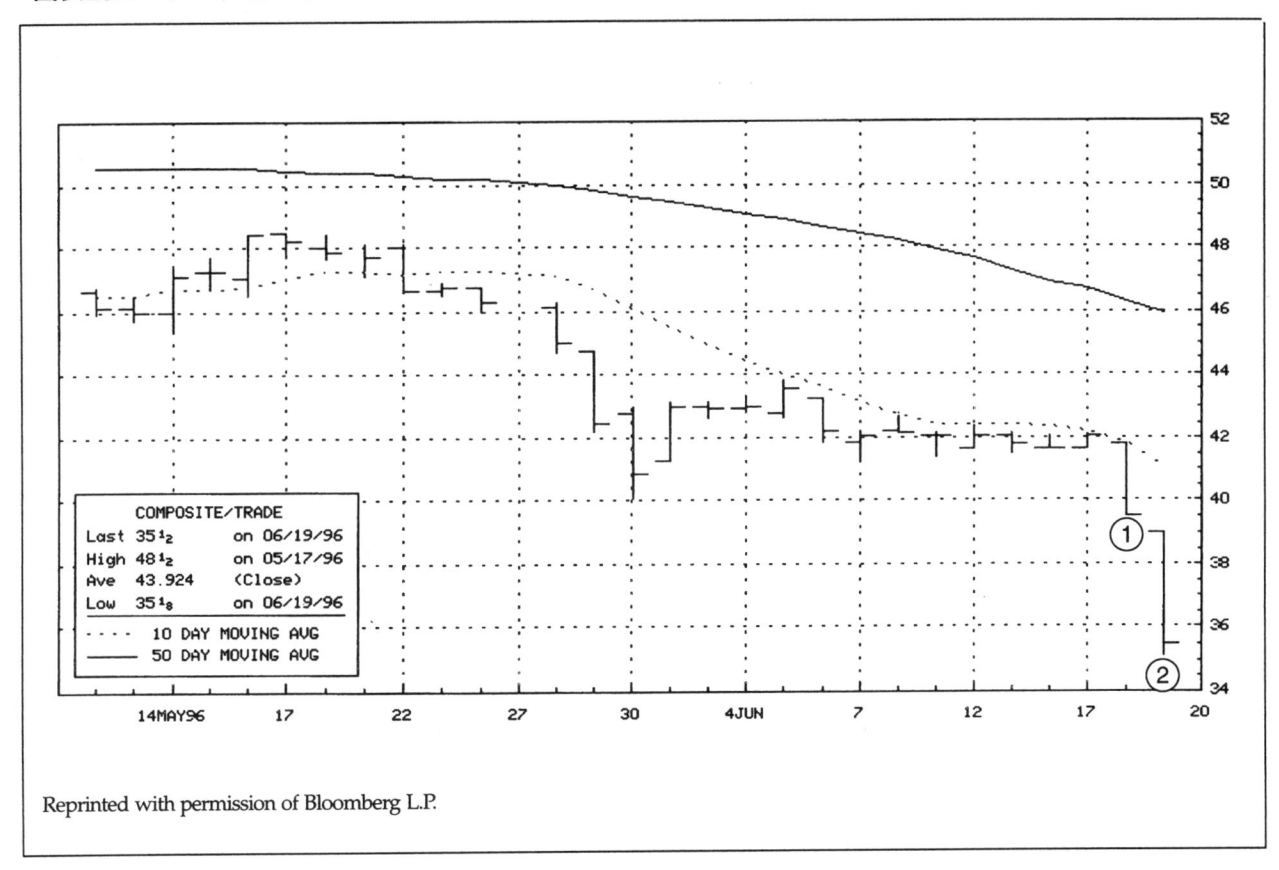

１９９６年の夏、下降傾向にあったデルタ＆パインは、この収益性の高い２日を導いた。

１．朝方のブーマー（第１１章）の売りシグナル。そして、引けにて１８０（第８章）と拡大ブレイクダウン（第５章）の売りシグナルが出た。

２．下に窓を空けて寄り付いて売りシグナルを重ね、株価はさらに売り込まれる。

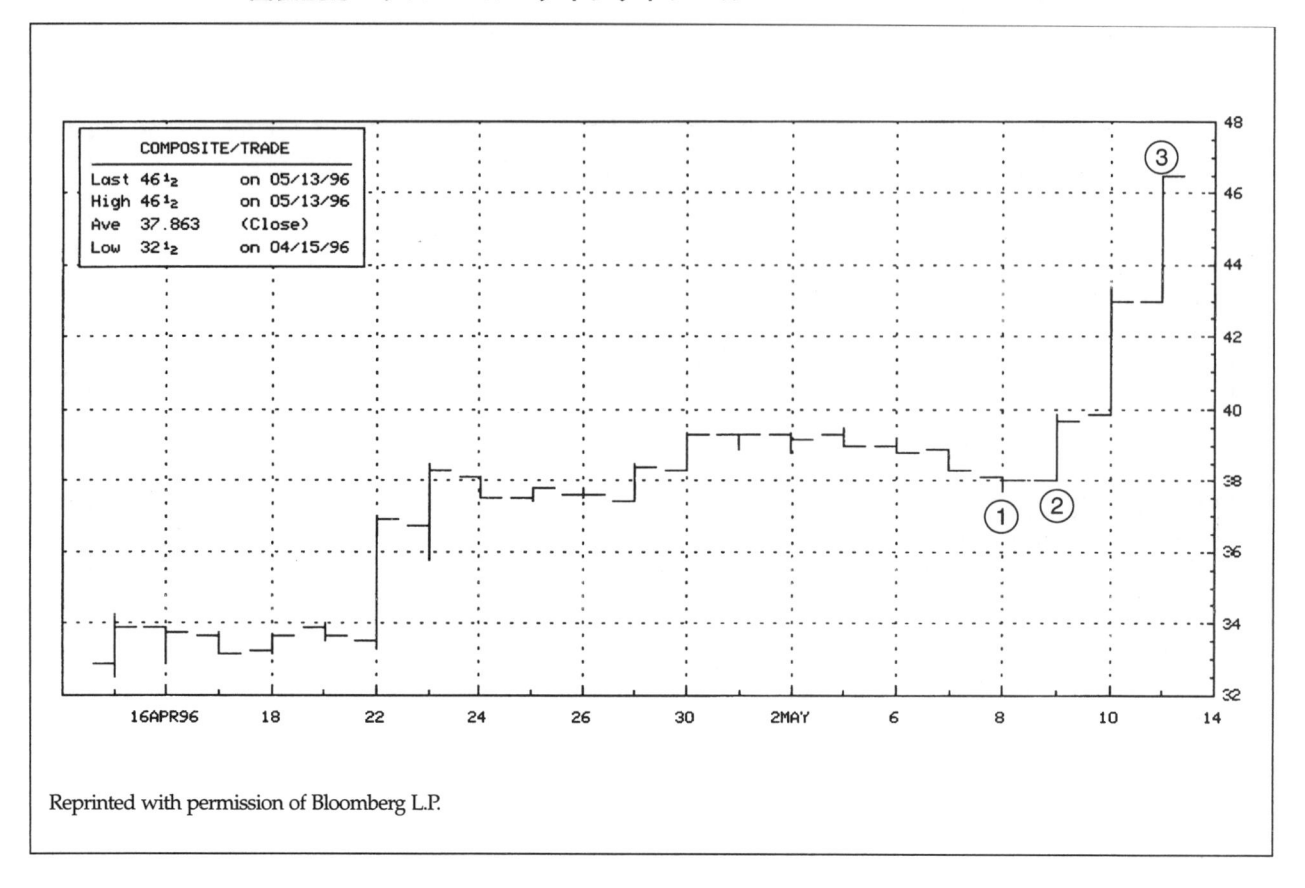

CHAPTER 25 PUTTING PIECES TOGETHER–THE MOST IMPORTANT CHAPTER

図表25.5　グローバル・ダイレクトメール

Reprinted with permission of Bloomberg L.P.

1．1−2−3−4（第6章）の買いシグナル。

2．さらに拡大ブレイクアウト（第5章）が続く（ここで増し玉）。

3．2日間で8ポイントの収益。

第25章　複数パターンの同時発生――最も重要な章

図表25.6　ＭＬＨＲエクイティ

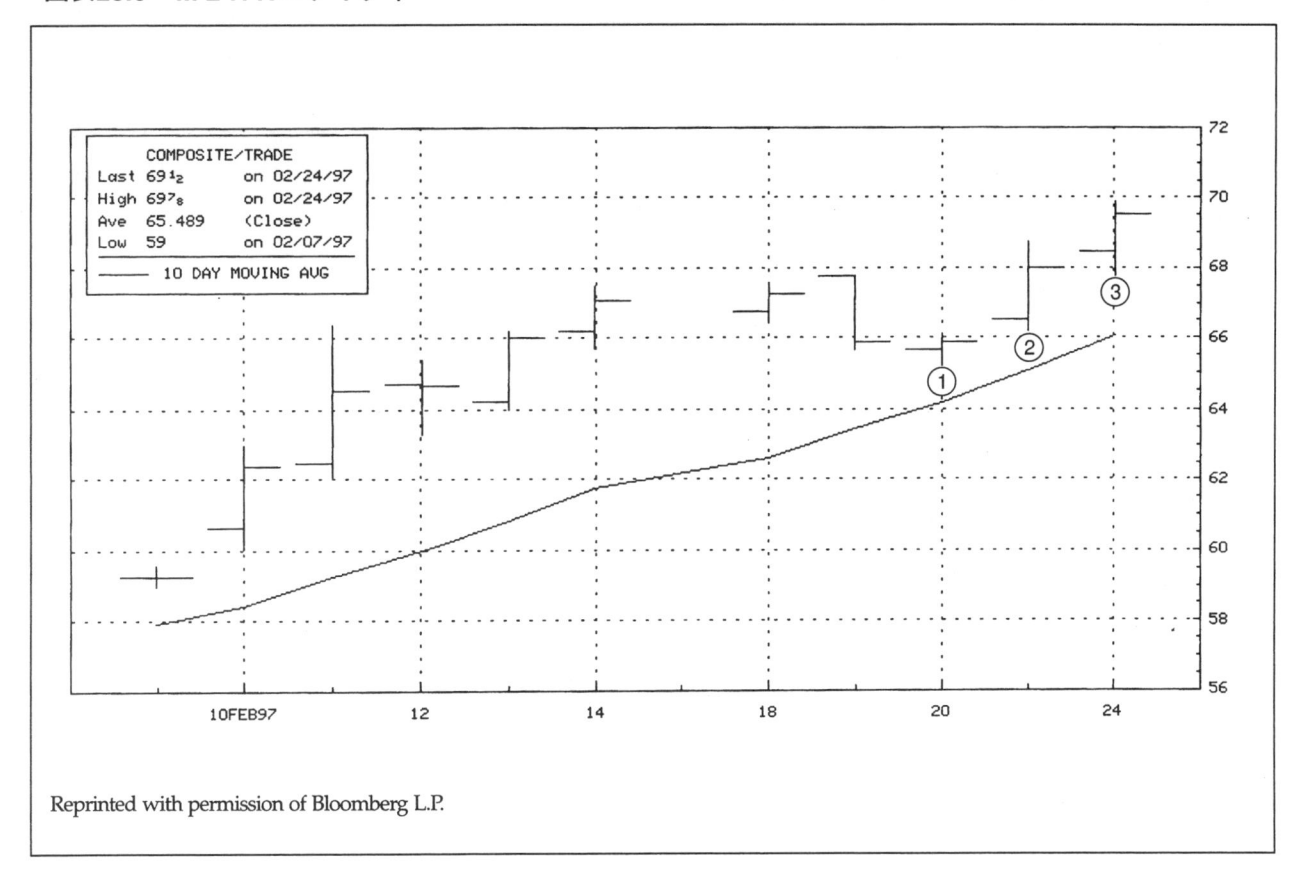

```
          COMPOSITE/TRADE
Last  69½      on 02/24/97
High  69⅞      on 02/24/97
Ave   65.489   (Close)
Low   59       on 02/07/97
——— 10 DAY MOVING AVG
```

Reprinted with permission of Bloomberg L.P.

　３つのサインが同時に出ることはまれである。しかし、そんなときの収益可能性は格段に高いといえる。

　１．１８０（第８章）と１－２－３－４（第６章）の買いシグナル。さらに、２月１９日の新高値を考慮に入れると、スリング・ショット（第１２章）の買いシグナルも同時発生。

　２．寄り付きと同時に、１８０と１－２－３－４で買う。引けではスリング・ショットの買い出動も。

　３．株価は引き続き、上昇する。

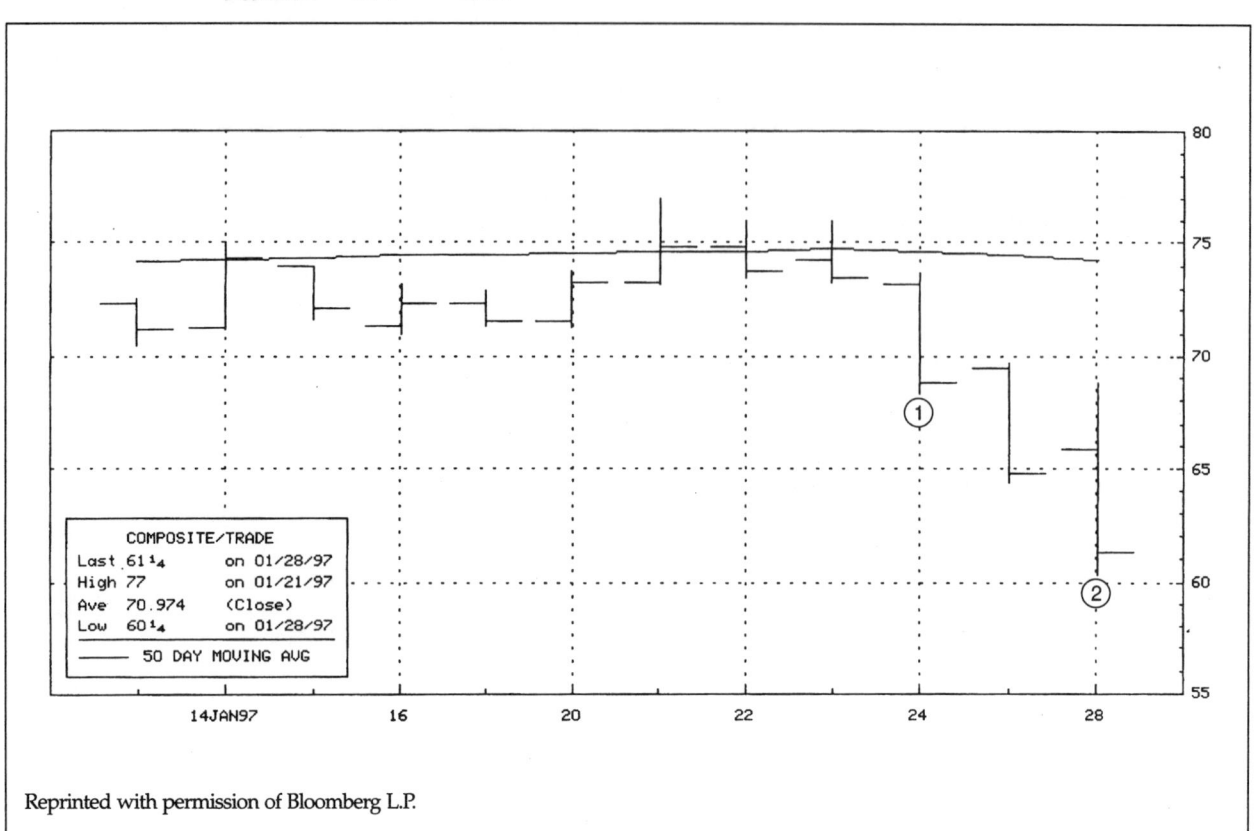

CHAPTER 25 PUTTING PIECES TOGETHER–THE MOST IMPORTANT CHAPTER

図表25.7　スリー・コム

1．1997年1月24日、拡大ピボット（第7章）と拡大ブレイクダウン（第5章）のサインが同時発生。ブレイクアウトを待っていた投資家と50日移動平均線を見ていた機関投資家の注目を集めることになった。

2．2日間で、株価は10％下落する。

第25章　複数パターンの同時発生──最も重要な章

まとめ

　複数のシグナルが同時発生するまでトレードを控えることによって、そのトレードの有利性を高めることになる。それぞれのパターンは個別でも収益性が高いことから、これが組み合わされることで導かれる収益性は格段に向上する。

　同じ日に複数のパターンが発生した場合、私は株数を増やすことにしている。例えば、もし私が単一パターンに対して１０００株単位でトレードしているとすれば、複数パターンが同時発生した場合、１５００〜３０００株でトレードするのである。当然リスクは高くなるが、私の経験では、こんな場合に導かれる収益規模から考えると、これだけのリスクを取るのも正当化できるものである。

第26章 トレイリング・ストップを使い、収益を最大化する
MAXIMIZING PROFITS WITH TRAILING STOPS

　短期戦略における最大の決断は、どのレベルで収益を確定するか、である。１ポイントの収益に歓喜し、そのポジションを仕切る。ただ、もし仕切らずにもう数時間そのポジションを抱えていたら、１ポイントではなく３ポイント稼ぐことができたのに、というようなことがある。また、（株価は反転しているのに）１ポイントの収益では足らず、せっかくの収益を吹き飛ばしてしまう、というようなこともある。

　この章では、株価の動きに合わせて仕切り注文のレベルを調整する（トレイリング・ストップを使う）ことで収益を確定し、さらにこの収益を最大化するためのテクニックを考える。この章と次章（取引が終了するまでに仕切るか、それともポジションを一晩持ち越すか？）を組み合わせることで、収益を最大化する方程式を導き、収益率を格段に向上させることが可能になるのである。

　例に行く前に、仕切り注文を調整する（トレイリング・ストップを使う）ことで成し遂げようとしていることを、ここで確認しておこう。第一に、新規のトレードを仕掛けたときに最初の損切りを決めておくのは、このトレードが失敗した場合の損失を少額に限定するためである。トレードに対する保険のようなものである。株価の反転に備え、３／４ポイント程度の含み益が発生するまで、この損切りはそのままにしておく。

　３／４ポイントの含み益が発生したら、損切りを、まず収支トントンのレベルまで動かす。例えば、４１１／２ドルで注文が通った新規の買いなら、そのポジションに対する最初の損切りは３９１／２ドルとなる。株価が４２１／４ドルまで上昇したら、損切りを４１１／２ドルか４１５／８ドルまで上げる。この時点で、もし株価がそれ以上上昇しなくても、最悪、トレードを収支トントン（スクラッチ）で仕切ることが可能となる。

　さらに株価が上昇し、ポジションに対して１１／４ドルから１１／２ドルの含み益が発生したら、仕切り注文を（少なくともポジションの半分に対して）４２１／８ドルか、４２１／４ドルまで上げる。残りの半分のポジションをここで仕切るかは、主観的な判断となる。私の場合は経験則であり、科学というよりも感覚である。ただ、ここで大切なのは、**少なくとも３／４ポイントの含み益が発生しているなら、決してそれを吹き飛ばし、含み損に変えてしまうことがないようにすること**。覚えておかなければならないのは、短期戦略は１／８ポイントのゲームなのであり、含み益は守られなければな

らない、ということである。

最後に、利が乗っていくにつれ、ポジションの半分について利益を確保している可能性は大きくなるはずである。もちろん、収益を最大化するため、そのマーケットの動きに合わせてストップを調整していく（トレイリング・ストップを使う）ことになる。

最後に一言

この原稿を書いている時点では、ナスダックの値付け業者の多くがトレイリング・ストップを使うことを受け付けていない。そこで、①取引する銘柄はＮＹＳＥ（ニューヨーク証券取引所）かＡＳＥ（アメリカン証券取引所）に上場されているものだけにする、または、②仕切り注文を業者に出すのではなく、自分で管理する（日本の場合は、逆指値の仕切り注文を受け付けていないので、自分で管理することになる）。②の場合、株価が反対方向に動き始めたら、厳格に自ら仕切り注文を通し、その時点での含み益を実現すること。

ここで、最近の事例から３つを紹介する。この３つは学習効果という点から選んだものだが、意図的に売りの事例を２つ用意した。株価の下落局面での積極的な売りに、読者のみなさんが早く慣れることは大切だからである。

図表26.1　ＩＢＭ

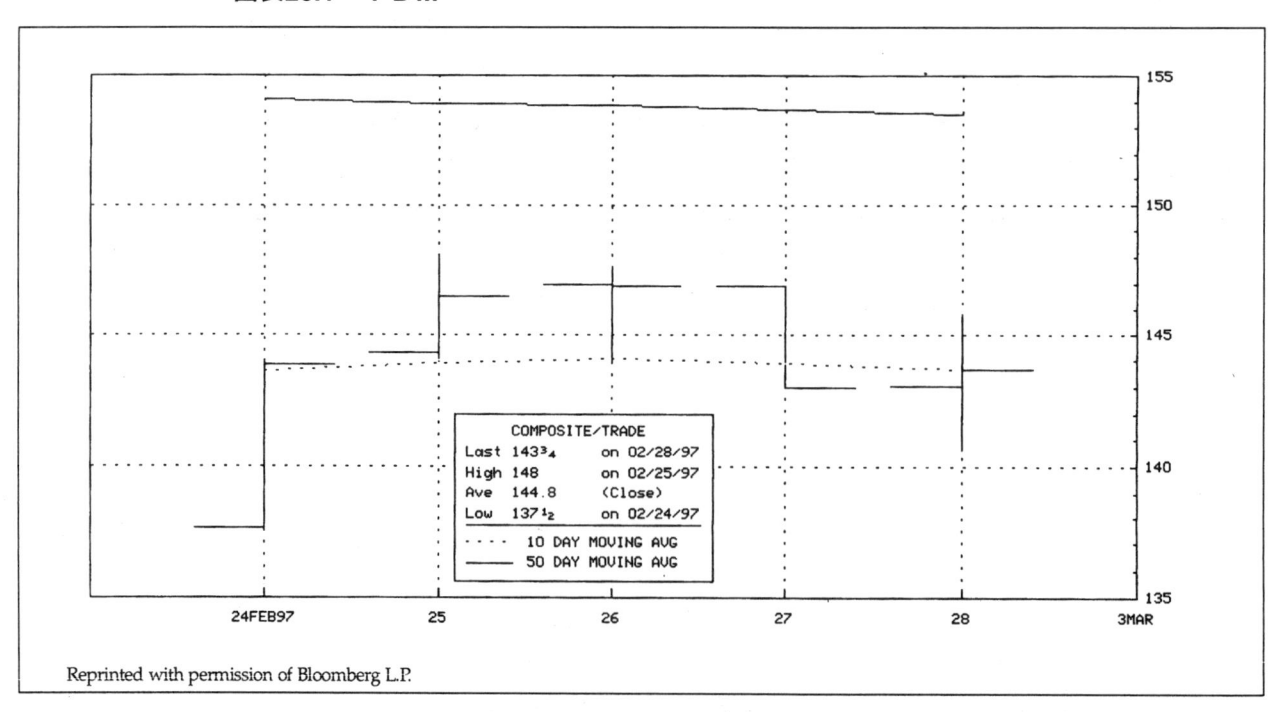

Reprinted with permission of Bloomberg L.P.

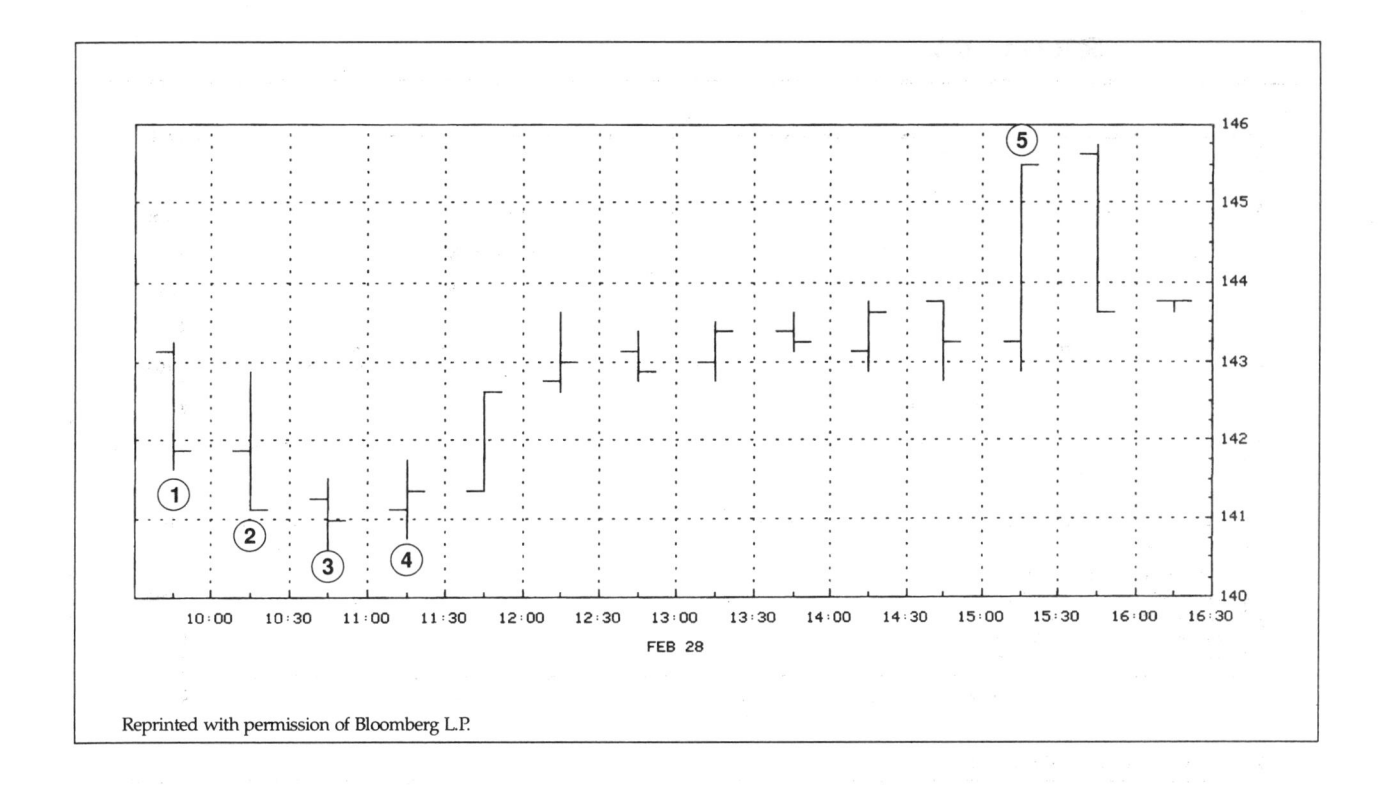

第26章　トレイリング・ストップを使い、収益を最大化する

　１９９７年２月２８日、この時点で、株価には１８０の売りサインが出ていた。

　１．１４２ ７／８ドルでの売りに対して、１４３ドルで注文が通る。１ポイントのリスクを取り、損切りを１４４ドルに置く。数分後、株価は１４２ １／４ドルまで下落。損切りを損益分岐点（収支トントン）の１４３ドルへ移動。

　２．株価は１４１ １／８ドルまで下落して、含み益が１ ７／８ドルになる。仕切り注文を１４２ドル（１／８ポイント加えるか、差し引いてもよい）へ移動。ポジションの半分をここで仕切ってもよい。

　３．株価は１４０ ５／８ドルまで下落し、含み益は２ ３／８ドル。このさらなる含み益を守るため、仕切り注文を１４１ １／２ドルへ移動。

　４．仕切り注文が通り、収益が確定する間に……。

　５．仕切り注文を用いなかったトレーダーたちの含み益は吹き飛ばされていく。

CHAPTER 26 MAXIMIZING PROFITS WITH TRAILING STOPS

図表26.1　C L

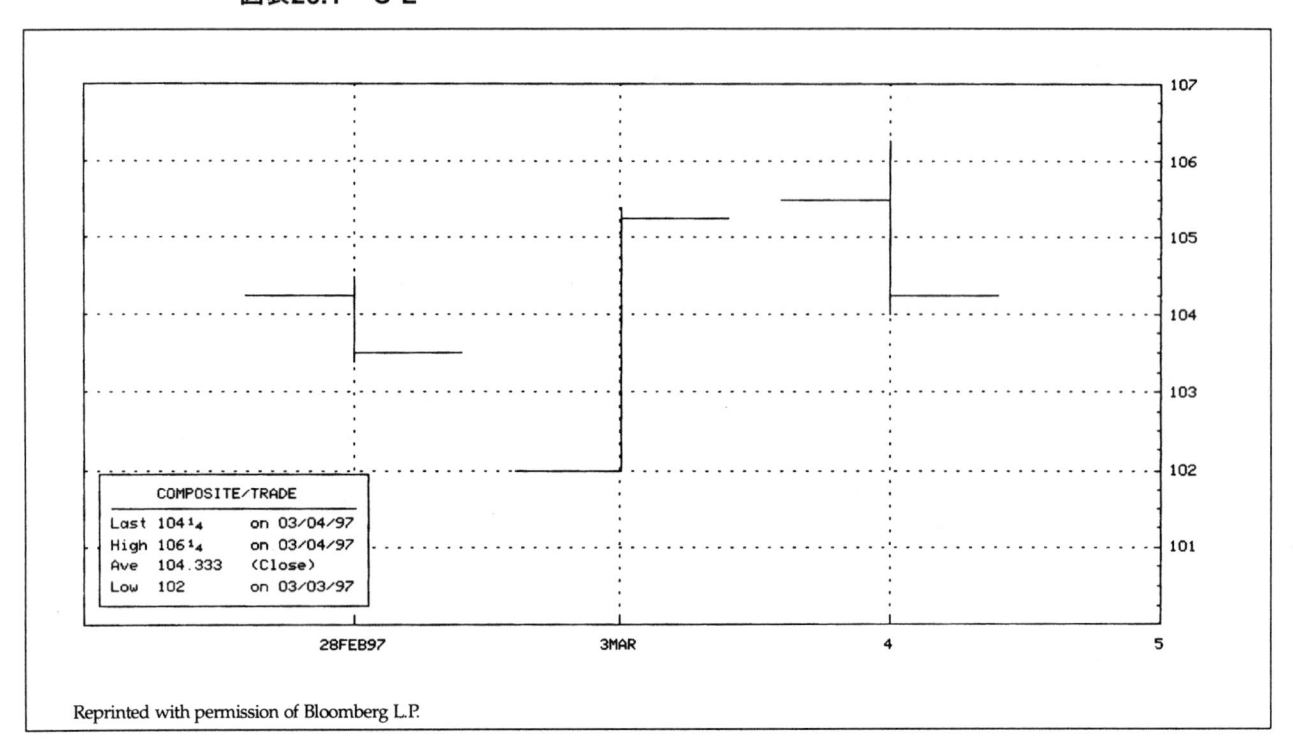

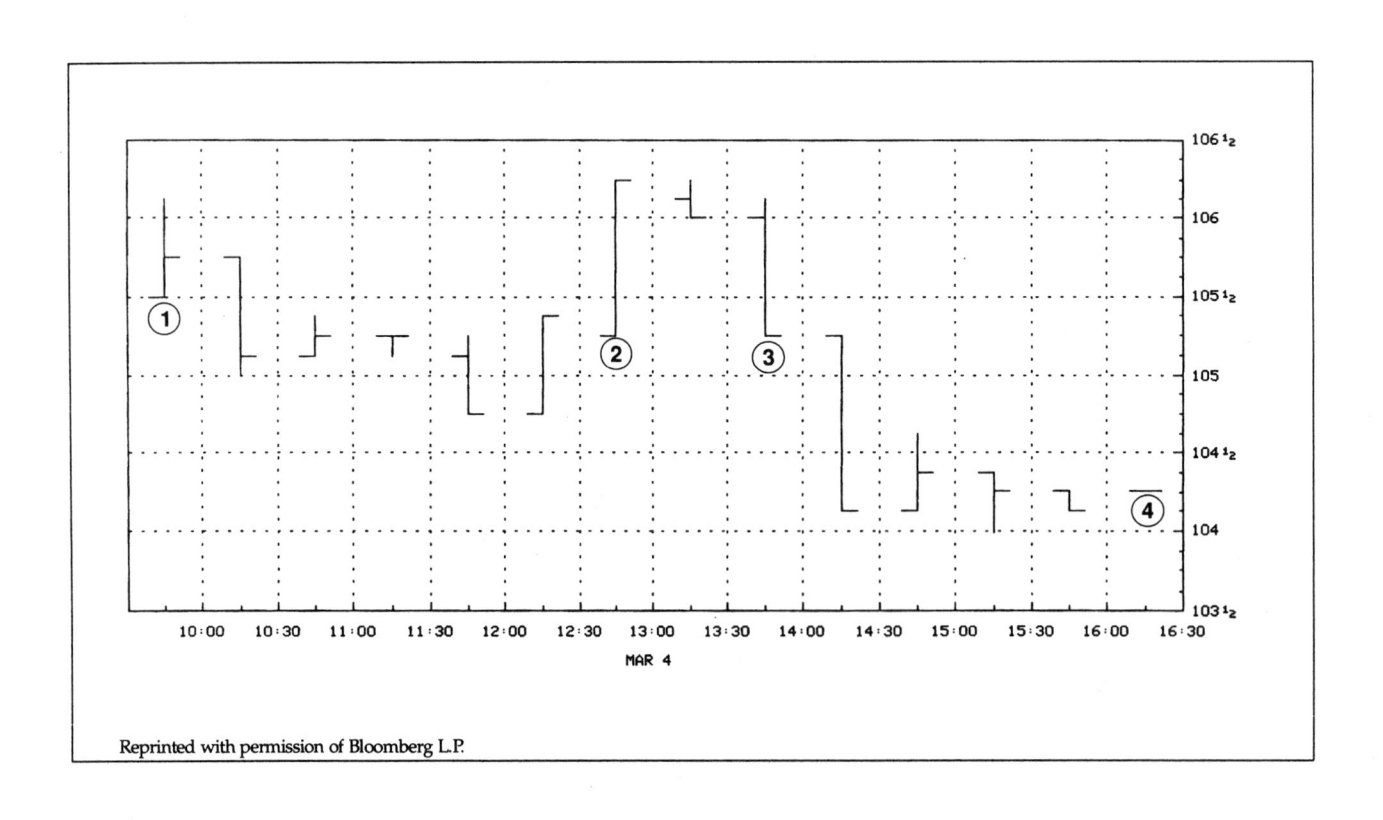

第26章　トレイリング・ストップを使い、収益を最大化する

　１９９７年３月４日、株価には１８０の買いサインが出る。

　１．（１０５１／４ドルに入れた）買い注文は、寄り付きの１０５１／２ドルで通る。このポジションに対する最初の損切りを、１０４１／２ドルに置く。

　２．株価は狭い値幅での取引を重ね、ついに3／4ポイントの含み益を生む。仕切り注文を１０５１／２ドルか１０５５／８ドル（最悪スクラッチのレベル）へ移動。

　３．株価は高値を更新できず、仕切り注文が通る。

　４．もし大引けまで抱えていたら、悲惨な結果になっていた。ポジションを収支トントン（スクラッチ）で仕切れたのは、仕切り注文を調整していたからである。何度も述べたが、トレードを収支トントンで仕切る（スクラッチする）ことを、私は躊躇しない。特に、スクラッチしなければ損になるようなトレードのときはそうである。投資資金を守る意味で、これは重要なポイントである。

CHAPTER 26 MAXIMIZING PROFITS WITH TRAILING STOPS

図表26.3　CMB

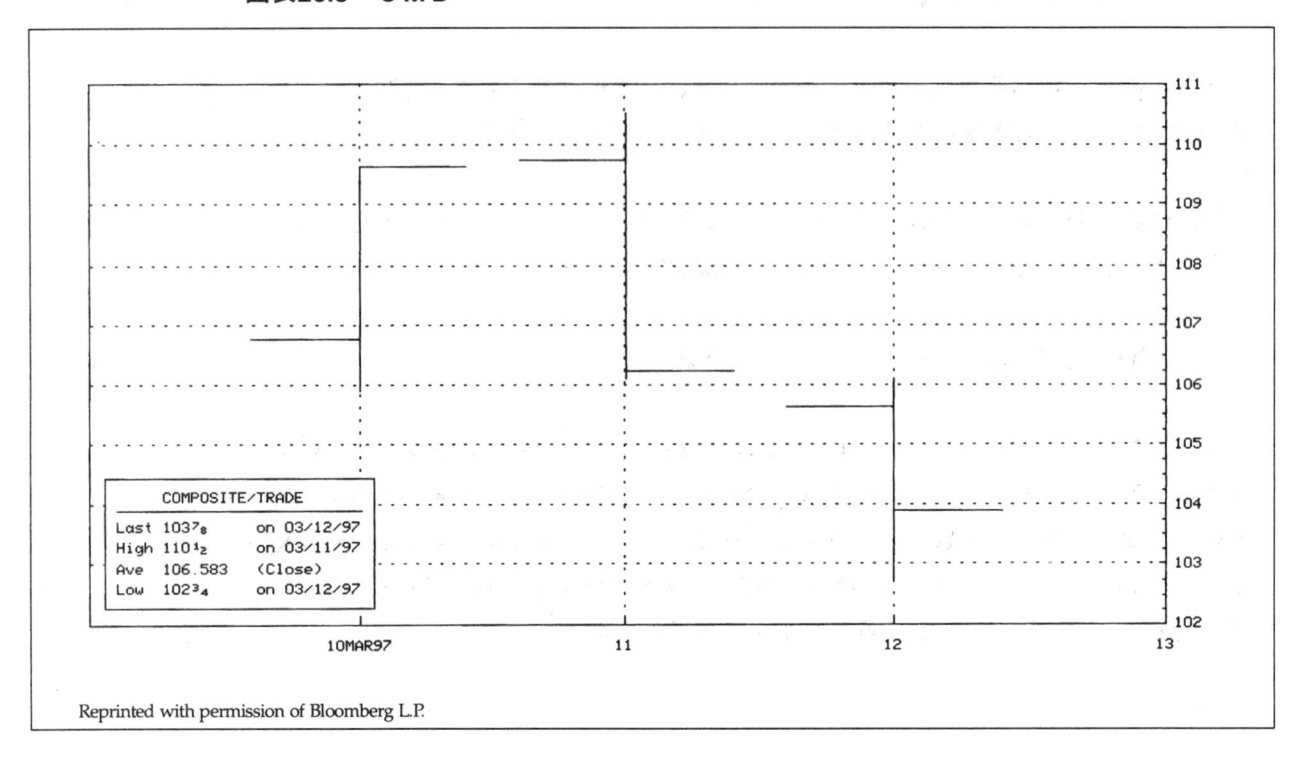

```
COMPOSITE/TRADE
Last  103 7/8   on 03/12/97
High  110 1/2   on 03/11/97
Ave   106.583  (Close)
Low   102 3/4   on 03/12/97
```

Reprinted with permission of Bloomberg L.P.

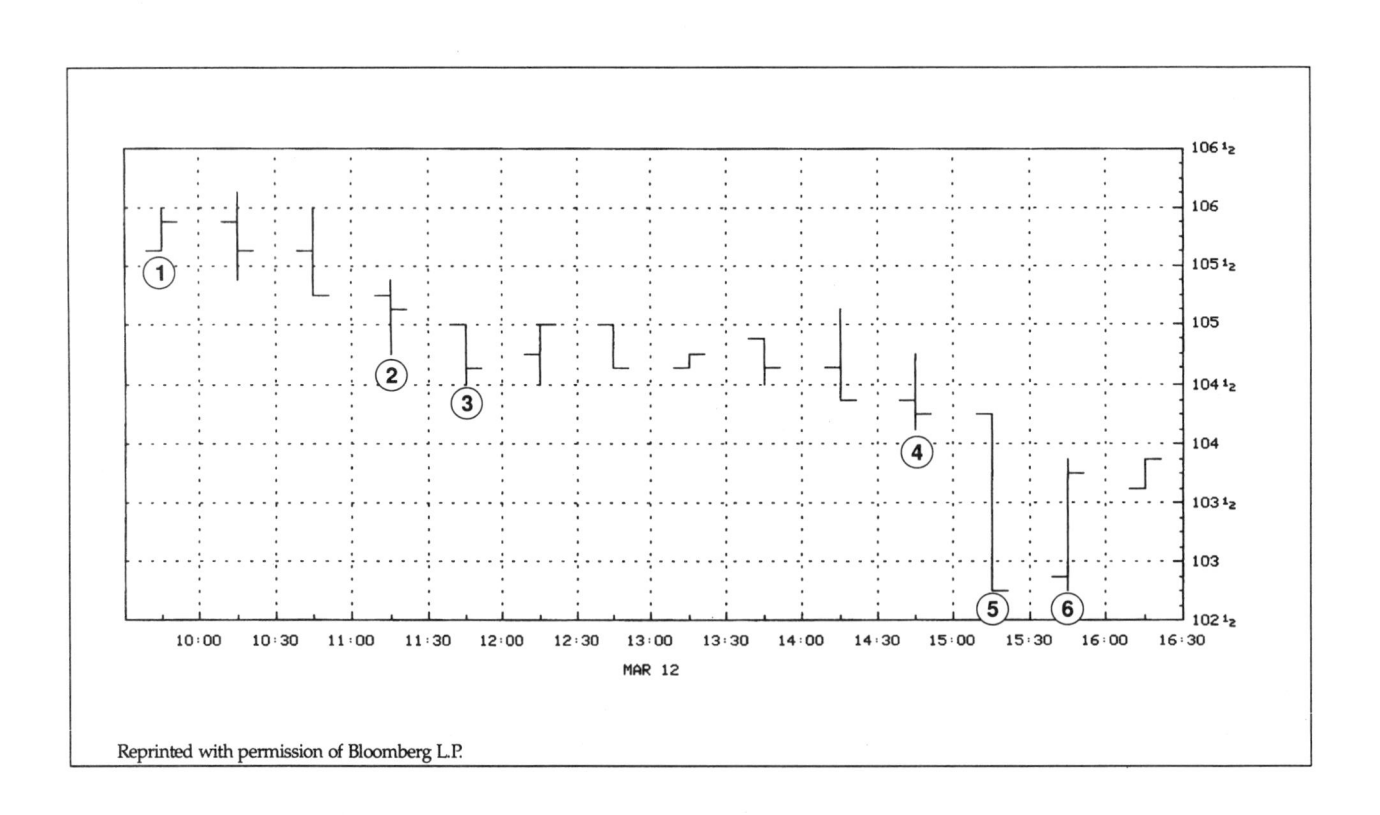

Reprinted with permission of Bloomberg L.P.

214

第26章　トレイリング・ストップを使い、収益を最大化する

　１９９７年３月１１日、株価はギリガン・アイランドのパターンを形成し、翌日に売りを示唆している。

　１．寄り付きは１０５５／８ドル。売り注文が１０５３／４ドルで通る。このポジションに対して取るリスクは１ポイント。損切りを１０６３／４ドルに置く。

　２．株価は次第に売られ、含み益は２時間で３／４ポイントに達する。仕切り注文をを損益分岐点（１０５３／４ドル）へ移動。

　３．さらに１／２ポイントの含み益。仕切り注文を１０５１／４ドルか１０５１／２ドルに移動し、少額ではあるが、収益を確保する。

　４．さらなる含み益。株価が１０４１／４ドルに達したら、ポジションの半分を仕切るのもよい。仕切り注文を１０５ドルへ移動。

　５．株価は激しく売られる。取引値に仕切り注文を近づけ、少なくとも１０３３／４ドルのレベルに移動。

　６．（株価が反転して）２ポイントの収益を確保する。

まとめ

前述のように、数年前、トレイリング・ストップ（マーケットの動きに合わせて、仕切り注文や損切りを移動すること）を使うようになってから、私はより稼げるトレーダーになった。このアプローチに短所があるとすれば、仕切り注文が執行された後、株価が元の方向に反転することである。しかし、それもゲームの一部であり、収益を確定したり、大きな損失から身を守ったりするため、私は喜んでこの短所を甘受している。

第27章 いつ抱え、いつ仕切るのか？
WHEN TO HOLD 'EM AND WHEN TO FOLD 'EM

　収益を確定するため、また株価の反転から身を守るため、適切に仕切り注文や損切り注文を調整することについては、前章で述べた。この章では、どんなときポジションをその日のうちに仕切り、どんなとき一晩持ち越すのかについて考察する。

　含み益を生かすのは、トレーディングで最も難しいことの1つである。収益を確定し、次のトレードを手掛けたいと思うのは、人の性だからである。この本の基本がそこにあることからも分かるように、多くの場合、それは正しい判断である。しかし、時として、ポジションを一晩持ち越すことで、収益向上の可能性を格段に高めることができる。

　収益の最大化は尽きることも、完成されることもない追求である。ただ、私の経験やリサーチから、次の原則に従うことで収益率を向上させることは可能である。

1．決して、絶対、どんなことがあっても、含み損が発生しているポジションを翌日まで抱え込んではならない。

　『マーケットの魔術師』（日本経済新聞社刊）に掲載されたインタビューで、成功するトレーディングの要素を尋ねられたゲーリー・ビールフェルドは、「勝ちポジションをそのままにし、負けポジションを仕切ること」と答えている。全くその通りである。**すべての負けトレードを大引けまでに仕切ること**という考えは、直ちに自分のトレーディングに反映させるべきである。これだけで、小さな損失が致命的な額になるのを回避することになり、収益性は格段に向上する（図表27.3参照）。

2．もし株価が自分の想定した動きとは反対方向で取引を終了しようとしていたら、どんなに少額であろうと、収益を確定すること。

　デイ・トレードでの収益を確定するためのルールである。例えば、69ドルで仕掛けた株が取引終了1時間前、71ドルで取引されていたとする。この株価が、取引終了までに70 3/8ドル（1/8ポイントを加えるか、差し引いてもよい）を下回らないのが理想である。ただ、もし売り込まれたら、積極的に収益を確保しなければならな

い。この下げは明日の株価を暗示しているのかもしれないからである。

3．収益を最大化するための最も大切なルールとは、強気（売りポジションでは弱気）に引けたとき、ポジションを抱えることである。

　このルールを適用するだけでも、収益率は向上する。私の経験では、強気（売りポジションでは弱気）に引けたとき、標準以上の確率で、このセンチメントは翌朝も継続する。もちろん、１００％そうだ、という訳ではない。しかし、時を経て経験することになるこの株価の流れは、時として大きな収益を生むのである。

図表27.1　ＳＬＢ

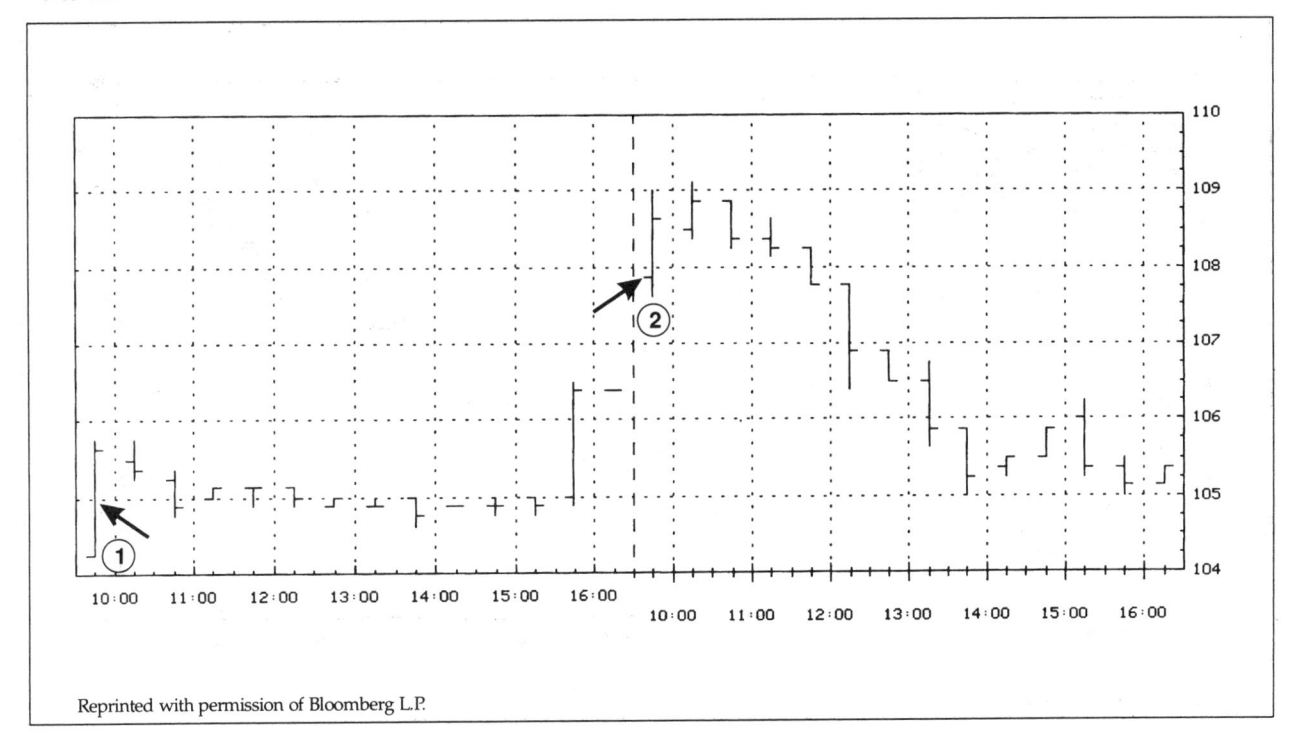

Reprinted with permission of Bloomberg L.P.

①リザーズの買いシグナルを受け、１０４ ３／４ドルで仕掛ける。最初の損切りは、１０３ ３／４ドルに置く。その後、株価は狭い値幅で保ち合いを続け、取引終了３０分前に大きく上昇。**その日に高値近辺で大引けを迎えようとしているこの株を仕切らなければならない理由はない**。ポジションを翌日まで抱えることで、

②寄り付きで１ １／２ドルの収益が追加され、さらにこの日を通して２ ３／４ドルの収益が追加される。

Chapter 27 WHEN TO HOLD 'EM AND WHEN TO FOLD 'EM

図表27.2　デル

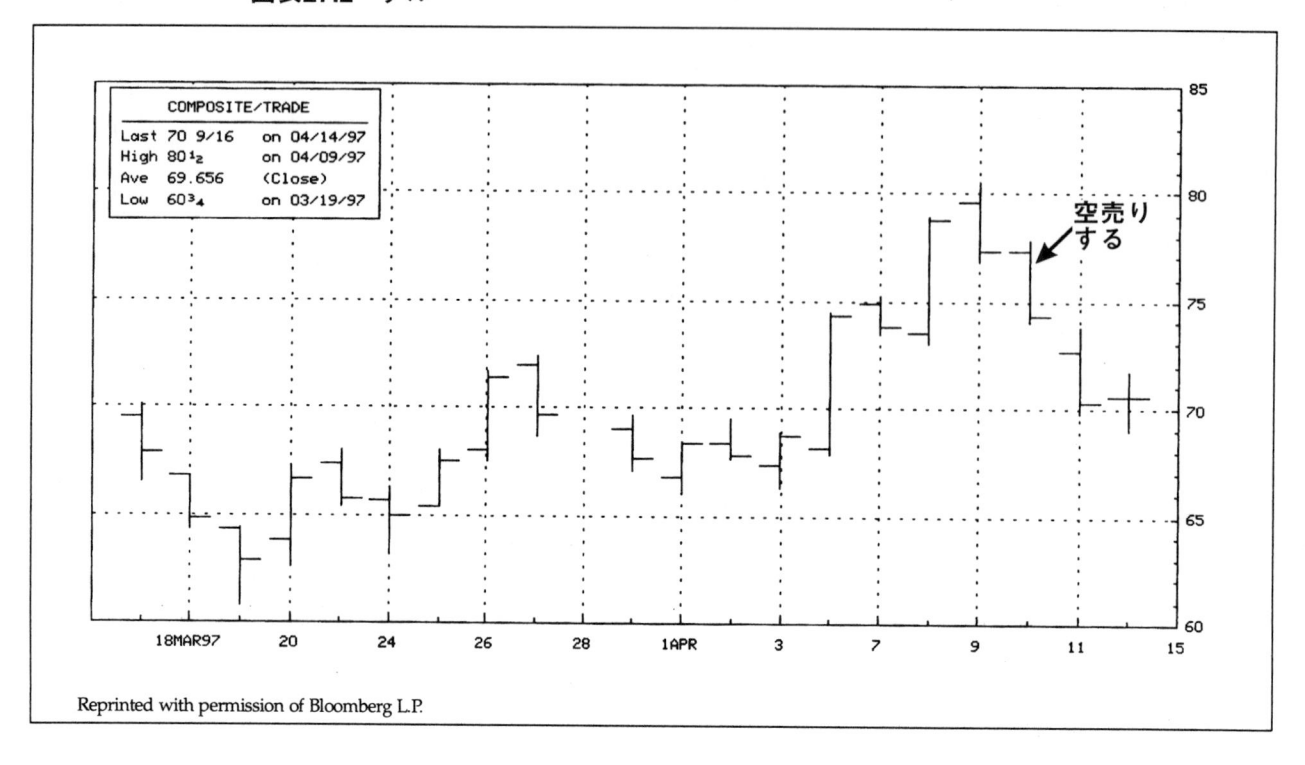

　　１９９７年４月１０日、素晴らしいギリガン・アイランドの売りサインが出た。株価は安値引けとなる。翌日の寄り付きはさらに安く、この日全体でさらに４ポイント下げる。

第27章 いつ抱え、いつ仕切るのか？

図表27.3　ＭＧＸ

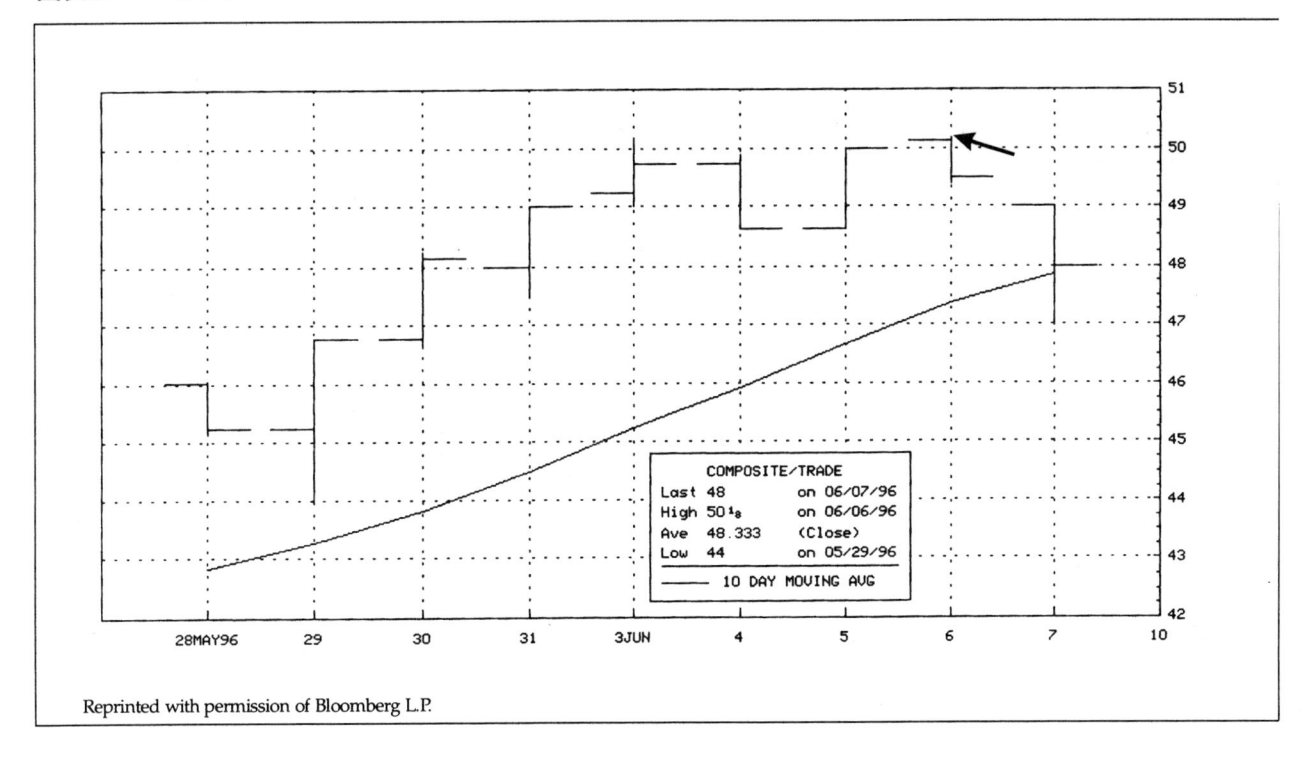

Reprinted with permission of Bloomberg L.P.

　１９９６年夏、モッシーモ株は強い上昇トレンドに乗っていた。６月６日、１８０の買いサインが出たため、５０１／８ドルで仕掛ける。ところが、１８０のパターンは完結せず、１ポイント下に置いた損切りは通らなかったが、大引けで５／８ポイントの損失。ルールを無視して、取引終了までにこのポジションを仕切らなかったとすると、翌日の寄り付きで１１／２ドルの損失が発生することになる。

　追伸
　損切りや仕切り注文を用いることがない"バイ・アンド・ホールド"している長期戦略の投資家たちが保有しているこの銘柄は、現在、５１／２ドル（！）近辺で取引されている。

図表27.4　GUC

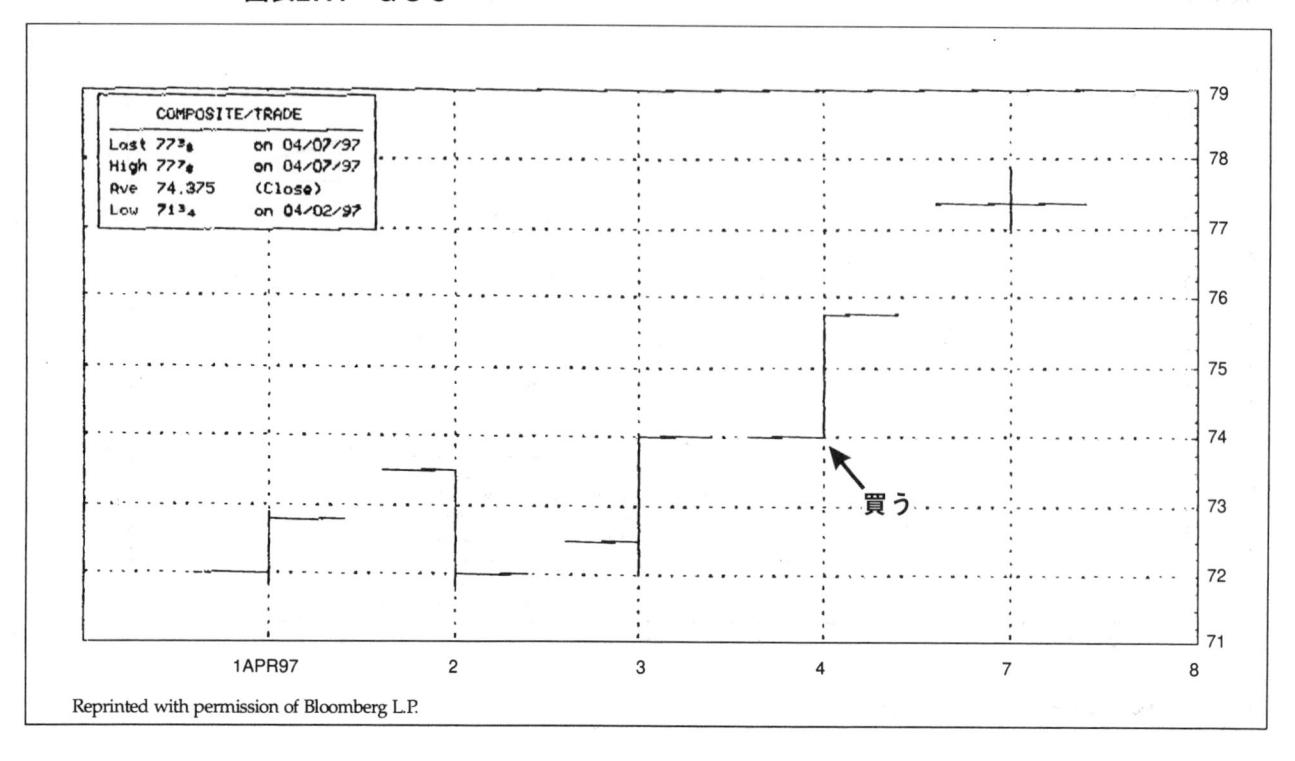

[Chart: COMPOSITE/TRADE
Last 77 3/8 on 04/07/97
High 77 7/8 on 04/07/97
Ave 74.375 (Close)
Low 71 3/4 on 04/02/97
矢印「買う」]

Reprinted with permission of Bloomberg L.P.

　グッチは、１８０の買いサインが出たため、７４ 1/8ドルで買う。大引けでの含み益は１ 5/8ドル。強く引けた翌日の寄り付きでは、含み益が３ 1/4ドルに拡大する。

まとめ

　前章とこの章で、適切な仕切りについて理解されたと思う。述べたように、紹介したのは完璧ではないが有効な手法である。もちろん、予測とは反対の展開になることもある。ただ、ルールに従い、厳格にそれを実行し、集中力を失わなければ、紹介した手法は必ずトレーディングをさらに有利なものにしてくれる。

第28章　日々の戦いに対する準備
PREPARING FOR DAILY BATTLE

　多くの方からお便りをいただくことがある。日々のマーケットに対して私はどんな準備をしているのか、私の1日はどんな流れなのか、そんな内容の質問が多いようである。実際、効率的であるということは収益に直結するので、私の場合、1日のスケジュールをきちんと決めている。この章では、そんな私の1日を紹介する。紹介することで、自分自身のスケジュールと比較して、改善するべき点を見つけていただければ幸いである。

　今日のマーケットが終了した1時間後、明日のトレーディングが始まる。トレーディングの1日は、私の場合、午後2時（西海岸時間）に始まる。

　最初にするのは、終値をコンピューターにダウンロードすることである。1時間近くかかる作業であるが、トレード上のシグナルを探すために必要であり、私が発行している日刊のニュースレターの材料にもなっている。終値をダウンロードしている間に、今日のマーケットで値動きの大きかった銘柄をチェックする。このとき認識しようとしているのは、多くの拡大ブレイクアウトや反転したパターンである。この銘柄チェックは、明日のマーケットを予測する上で最初のカギとなる。次は、売られ過ぎ／買われ過ぎ指数である。

　ここでは、極端な指数値を示している銘柄をチェックする。これによって、売り／買いのどちらに注意しなければならないかを予測するのである。例えば、マーケットが買われ過ぎていれば、明日のマーケットで売るのが理想的であり、売られ過ぎていれば買うのである。ここで、お膳立てを確認する。指数が買いバイアスを提示していれば買いパターン、売りバイアスなら売りパターンに集中することになる。また、多くが買いシグナルであれば、明日のマーケットは上昇する（売りのお膳立てが多ければ下がる）という予測が成り立つ。毎週末に作成する銘柄リストに発生しているサインを最初に確認し、その後、リストに挙げた銘柄以外のお膳立てを確認する。

　この間、テレビにはCNBC（経済専門チャンネル）を流し続け、明日のマーケットに影響を与えるようなニュースがないかをチェックする。最近の例では、マーケット終了後にシーゲート社が予想外の収益悪化を発表し、翌日のハイテク関連銘柄の弱含みを示唆したことがあった（実際にハイテク銘柄は下げた）。

　分析が終わると、収益性の高いお膳立てをトレーディング・シートに書き込む。こ

Chapter 28 Preparing for Daily Battle

れは私自身のためであり、同時にニュースレター購読者のためでもある。トレーディング・シートの銘柄は要注意銘柄であり、翌朝、仕事を始めるときにスムーズなスタートを切らせてくれるのである。ここまでの作業時間は、大体3時間である。

　翌朝、午前5時（西海岸時間）にデスクにつく。すぐにチェックするのは海外市場、（Ｓ＆Ｐ、米国債、通貨などの）夜間市場である。取引開始前に、今日のセンチメントを確認するのである。さらに、テレビのスイッチを入れＣＮＢＣのニュース、『インベスターズ・ビジネス・デイリー』紙の流し読みなど、押さえていないニュースがないかを確認する。午前6時、少なくとも1社の機関投資家と情報交換。また、抱えているポジションをブローカーと確認する。

　午前6時半、取引開始。用意はできているつもりである、しかし（いつものことだが）気が落ち着かない。緊張する一瞬である。要注意銘柄は目の前の情報端末にセットしてあり、株価が出動レベルに近づいて来れば（新規トレードのための）注文を入れる。また、既に抱えているポジションに対する仕切り注文も入れていく。

　取引開始からの1時間は忙しく、私はストレスを感じることが多い。用意していた出動は同時に発生することが多いし、私は常に警戒し、素早く動かなくてはならない。勢いのある株価の動きしかトレードの対象にしていないので、30秒遅れただけでタイミングを失い、予定の注文価格を通すことに失敗し、勝ちトレードであるべきものが負けトレードになったりする。

　外界とのコンタクトについては、私の場合、ほとんどない。（余程のことがない限り）妻は取引時間中に私の邪魔をしないし、私的なことは夜になってから対応する。午前7時半を過ぎると、1人か2人、友人のトレーダーにコンタクトし情報交換をする。ただ、それでも情報端末から私が目を離すことはない。そうしているうちに午後12時半、マーケットは再び忙しくなる。取引終了までの30分で、どのポジションを仕切り、どれを持ち越すのか決断しなくてはならない。当然、株価のトレンドの継続が強い銘柄のポジションを持ち越す訳だが、マーケット全体のトレンドが強い日など、そんなポジションが4つか、5つはある。私には抱え過ぎることになるので、残すポジションを厳選することになる。午後1時、取引終了。次の30分、ブローカーと今日の取引を確認。その後、30分で昼食を済ませ（リラックスし）、明日の用意を始める。

第28章　日々の戦いに対する準備

まとめ

　事実を知らない人の多くは、トレーダーとはいい気な家業であると思っている人が多い。例えば、私が西海岸に住んでいることから、午前６時半から午後１時までトレードし、午後１時１５分にはサーフィンでもしている、と思っているのである。私もそうであれば、と思う。しかし、実際はそうではないのである。他の専門業種と同様、トレーディングとはフルタイムの仕事なのである。私と同じことを、もっと頭脳明晰な人が、最先端のコンピューターを駆使して行おうとしているのである。１００％努力しなければ、結果は知れているのである。保証してもいい。一方、それなりの生活を成立させ、誰の命令に左右されることのないトレーディングという仕事は１００％努力する価値がある。

　私の１日を紹介したことで、私のトレーディングに対する姿勢を理解していただき、そのことで自分のトレーディングの効率を向上されることを望む。トレーディング効率を上げることは、必ず収益率に反映されるからである。

第29章　株式トレーダーの教育
THE EDUCATION OF A STOCK TRADER

　過去２年の間、私は新聞、ラジオ、ウエブのチャットなどでのインタビューに答えてきた。次に掲載するのは、あるセミナーでのＱ＆Ａである。

Q：トレードをするための準備が整っているのは大切である、とよくおっしゃいますが？

A：日々準備している、というのは非常に大切だと思います。トレードする銘柄は認識され、仕掛けるべき株価レベルは確認され、戦略も選択されている。取引開始のベルが鳴る前に、そんな準備が必要です。これを怠り、省略する人もいますが、それでうまくいくことはないのです。日々準備するのは面倒ですが、必要なことです。

Q：マネー・マネジメントや新規トレードの仕掛けはどうですか？

A：どこでトレードを仕掛けるかは大切です。しかし、マネー・マネジメントの方がもっと大切ですね。株価が不規則に動いたり、全く動かなかったり、そんなときに取引口座の残高を維持してくれるのはマネー・マネジメントですから。トレードを収支トントン（スクラッチ）にしたり、小さな損で手仕舞ったり、そんなマネー・マネジメント上のテクニックが駆使できることは称賛されるべきだと思いますね。私自身、仕掛けと同額の株価で手仕舞ったり、１／４、１／８ポイントで損切ったり、そんなことを学んでから、収益性が向上しました。新鮮な気持ちで、もっと可能性のあるトレードに移れますからね。

Q：ご自分の好きな取引手法はどれですか？

A：押し目パターンの１－２－３－４とかファイブ・デイ・モメンタム・メソッドが好きですね。寄り付きに対して複数のお膳立てが同方向への出動を示唆している、収益が比較的大きかったのは、そんな状況でのトレードでした。

Q：少なくとも２０近くの取引手法をお持ちな訳ですが、全部の手法を使っていますか？

CHAPTER 29 THE EDUCATION OF A STOCK TRADER

A：すべて同時に、というのは不可能です。ただ、長期的には、すべて使います。

Q：トレーディングでの勝率は？
A：ご想像になるより良くない、ですね。少なくとも、トレードの４０％は負けています。ここでの損失額を少額に抑えるため、損切りが必要なのです。

Q：多くの人が、最終的に勝てないのはなぜでしょう？
A：理由は２つ。まず、銘柄を間違えている。トレードするのは、トレンドがあるものと価格変動率が高い銘柄なのです。次に、負け方を知らない。小さな損を抱え続け、巨額なものにしてしまうのです。金銭的にもそうですが、精神的にもショックです。私の本を読んでも損切りを使わない多くの方々からファックスや手紙をいただきます。本を読み返して、トレードには必ず損切りや仕切り注文を使うべき、と申し上げたいですね。

Q：紹介されている取引戦略のお膳立ては多くの銘柄で発生すると思いますが、取引銘柄はどう決めるのですか？
A：金曜日の取引終了後、６時間くらいかけて、（上にしろ下にしろ）強いトレンドを示している銘柄を選び、これをリストアップします。そして、リストアップされた銘柄について、取引終了後３時間くらい、その日の値動きを調べます。このとき探しているのは、複数のお膳立てが発生している銘柄です。次に、最高の形でお膳立てが発生している銘柄。最後に、その他のお膳立てで面白そうなもの。もちろん、この辺は主観的な判断です。私と他の人では、見ている銘柄は違うと思います。

Q：カンのようなものは、トレーディング上、何か意味がありますか？
A：数銘柄には、"カン"があります。ただ取引手法を確立し、トレード上"カン"を必要とする個所が少なくなって、"カン"はよく当るようになりましたね。私の本の取引手法を初めてトレードする人より、何年もトレードしている人の方が上手ですからね。

Q：翌日まで、ポジションを持ち越す件については、どうですか？
A：引けがトレンドの継続を示しているなら、少なくともポジションの半分は、翌日まで持ち越しますね。負けポジションを抱えることはありません。大負けしたことがありますからね。

Q：マーケット全体の動きを気にしますか？
A：私がどれほど強気になるかは、マーケットのトーン次第です。どんなに明確なお膳立てが発生していようと、その示唆する方向とは反対にマーケット全体が進ん

第29章　株式トレーダーの教育

でいるときは、そのトレードがうまくいく可能性も低くなるのです。

Q：一塁打をたくさん打つような取引戦略が多いと思いますが、ときには、ホームランが打ちたくなるときもありませんか？

A：もちろん。絶えずそんな誘惑がありますね。幸運なのは、そんな気持ちをコントロールできることです。大きな収益を狙って含み益を吹き飛ばしたときなど、自分に怒りを覚えますね。

Q：１日の中で、既存のポジションに増し玉をしたりしますか？

A：あまり多くはありませんが、そんなこともありますね。出動サインが出て、例えば８５１/４ドルで１０００株仕掛けたとします。もしそれが売買高の少ない銘柄で、８５３/４ドルで１万株の注文が出たとしたら、その前を行ってもう５００株くらい仕掛けたりしますね。この大口注文が私を守ってくれますし、この状態で株を仕掛けるのは低リスクですからね。

Q：すべてのシグナルは同等なのでしょうか？

A：そうではありません。高値や安値を更新したときに発生するシグナルは、株価が収縮する中で発生するものよりもシグナルはより強いです。さらに、複数のシグナルが重なるのは、１つだけのときよりも強いシグナルを発していると言えます。

Q：ルールには、絶対服従ですか？

A：そうでもあり、そうでもありません。取引の戦略ですから、それに従うことは必要なことです。しかし、柔軟であることも大切です。例えば、拡大ブレイクアウトのお膳立てでは、今日の高値・安値が過去６０日間のものであることがルールです。ただ、もしそれが過去５８日間のものであっても、私はトレードするでしょう。お膳立ての概念は同じですが、２日間の違いはトレードのパフォーマンスにそれほど影響しないと思うからです。

Q：長期的な株価動向にも注意しますか？

A：目を配っています。ここ数年、買いの方が売りよりも有利になっています。大局的な株価が長期的な弱気サイクルに入れば、売り戦略に注意するようになります。

Q：外からの取引情報は、どんなものを使っていますか？

A：ＣＮＢＣ（経済専門チャンネル）です。総合的な株価に関するニュース・ソースとしては抜群です。

Q：ＣＮＢＣの推奨するトレードを実行したりしますか？

A：「『決して』なんて、言ってはいけない」と父に言われていますが、この場合は

Chapter 29 THE EDUCATION OF A STOCK TRADER

「決して」ありませんね。

Q：ちょっと皮肉にも聞こえますが？
A：子供のころに、父がトレードするのを見て育ちました。「この株価の動きを見てよ」なんて父に言うと、「株価は動かない。株価は動かされるんだ」と直されました。私自身、何度も株価が操作されるのを経験しました。ちょっと斜に構えて、誰がこの銘柄を動かしているのか、と考えることも必要です。また、単に売り場を提供するだけのために、証券会社が推奨銘柄を入れ替えたり、売り浴びせているのは誰か、なんてすぐ分かりますよね。

Q：時として、ある銘柄を買い、次の日に売る、ということがありますね。これは、難しくありませんか？
A：銘柄に人格がある訳ではありませんから。高くなると思うから買い、安くなると思うから売る、それだけです。難しいのは、高くなると思うから買う。ところが間違っていて、損切りに引っかかる。それから売りに入る、そんなときですね。人の心は苦痛を回避するようにできていますから、損を出した銘柄を反対方向でトレードするのは、気持ちに反することになります。ただ、それで大きな収益を稼いだこともありますね。私の最高のトレードは、株価の方向に関する判断が間違っていたとき、そのポジションを損切り、再度、反対方向で建てたトレードでした。

Q：サーフィンはなさいますか？
A：（笑いながら）トレーディングの話をしているのかと思っていました。ただ、質問の意味は分かります。その質問を受けることは多いですから。西海岸ではマーケットの取引終了時間が午後1時であることから、私が午後は遊んでいると思っている人が多いようです。私の1日は、午前5時から夕方まで続きます。成功している人たちの1日は、同じようなものです。成功するための代償があり、不幸なことですが、長い時間働くのはその一部です。

Q：取りつかれている、という訳ですか。
A：とんでもない。ただ、成功するための努力はみんな同じ、ということです。

Q：先物は、トレードしますか？
A：いいえ。私には適しませんね。ただ、マーケットの方向性を確かめるため、Ｓ＆Ｐや米国債の先物価格はチェックします。

Q：オプションはどうですか？
A：ときどき。やはり、現物株が一番です。

第29章 株式トレーダーの教育

Q：噂や人の意見など、気にしますか？
A：みんなと同様、そんなことによく飛び付いていました。ただ、損もしましたし、この悪癖とは数年前にオサラバしました。

Q：損を出したときの心理状態について、もう少し話していただけますか？
A：損を受け入れるには、そのための心理的な状態を作る必要があります。そして、残念ですが、この心理状態は通常の状態とは全く異なったものなのです。例えば、外科医はその技術の完璧性に関して訓練されています。そして、外科医の多くは、少なくとも９０％の手術を成功させるのです。外科医が「負けることを知らない」というのは素晴らしいことです。この外科医が引退し、トレーディングを始めたとします。手術のときと同様、すべてのトレードで勝とうとするでしょう。「負ける」という言葉は彼の辞書にはないのです。この引退した外科医は、うまくいかない手術と同様に、含み損が膨らんでいるポジションをなんとかしようとするでしょう。過去３５年間そうしてきたように、この負けトレードをなんとかしようと手を尽くすことになります。
成功する人たちはみんな、そうですが、「負け」を個人化し、「必ず何とかする」というアプローチで問題の処理に当たるのです。彼らがその人生で処理した他の問題と同様のアプローチです。しかし、トレーディングでは、このアプローチは致命的です。このゲームで収益を生むには、「負ける」ことを学ばなければなりません。トレードの４０％から５０％について、進んで少額の損を出せなければならないのです。勝ちトレードは黙っていてもうまくいきますが、負けトレードは集中を要するのです。負けトレードを「必ず何とかする」ことはできないのです。このことに早く気付くことが、収益性を改善するカギなのです。

Q：すると、負けることの方が収益を確保することよりも重要、ということですか？
A：その通りです。

Q：「負けること」について、他にご意見はありますか？
A：市場予測もそうですね。今でも弱気で、９０年代の強気相場を認めようとしない市場予測が散見されます。この予測に基づいてトレードをしていたとすると、歴史的な上げ相場を逃がしただけでなくて、大損をしたことになるでしょう。私も１９９５年の終わりから弱気ですが、年間最大収益の年が続いています。

Q：この相場環境の中、弱気でですか？
A：全体的な株価の流れには従っていますから。株価市場は、私が弱気であろうと、全く気にしてくれる訳ではありません。私が何と思っていようと、株価は行くべきところに行こうとするのです。そして、数時間後、数日後の株価を予測するの

CHAPTER 29 THE EDUCATION OF A STOCK TRADER

が私の仕事ですから、自分の意見でトレードしていたとしたら、過去数年間、何千ドルという収益を棒に振ったことになります。

Q：天井や底を拾いたい、という強い気持ちはありますか？
A：何年も前に、そんな気持ちは捨てました。達成できないゴールですから。

Q：それでは、プロも大衆も、なぜそのことに取りつかれているのでしょう？
A：エゴ、でしょうね。天井や底を拾うのは、気持ちがいいですから。ただ、トレンドを短期的にトレードする方が、収益性は高いですね。

Q：でも、天井（底）を拾うお膳立ても戦略の中にお持ちですよね？
A：確かに。ただ、それらの手法は１日から３日のお膳立てです。ギリガン・アイランドやリザーズのパターンの多くは目先天井や目先底ですが、大天井や大底のものは少ないのです。

Q：負け続けることはありますか？
A：次第に少なくはなっています。また、数日間負け続ける、というのはよく経験します。しかし、月間で負け続けるということはありません。

Q：具体的な話ですが、「株価に対する忍耐力がない」と言われたことがありますが、これはどういう意味ですか？
A：思った方向に株価がすぐに動かなければ、私は損切りを実際の価格の近くに移します。すぐに含み益を生む、というのが私の戦略ですから。もしそうでなければ、それに耐えることはありません。

Q：損切りや仕切り注文を動かしたため、それに引っかかり、その後、株価は仕掛けた方向に爆進を開始？
A：そんなこともありますね。仕方がありません。それもゲームも一部です。

Q：慣れましたか？
A：以前は、本当にイラつきました。今では、叫び声を上げ、冷静になって次の行動に移ります。

Q：「銘柄に対する"カン"」とおっしゃいましたが、それはどんな意味ですか？
A：すべての銘柄が同じようにトレードされる訳ではないのです。値付け業者（スペシャリスト）も違いますし、石油関連銘柄のように商品価格の影響を受ける株もあれば、トレンドがもっとスムーズな株もあるのです。

第29章　株式トレーダーの教育

Q：「銘柄に対する"カン"」は、どのように養うのでしょう？
A：何度もその銘柄をトレードすることで、でしょうね。友人と時間を共にするのと同じことです。時間をかけることで、その友人をより理解できるようになります。その友人の行動は、より予測可能になるのです。

Q：「カン」を養えない銘柄、というのもありますか？
A：あります。絶対に収益を期待できない銘柄、というのもあります。ＧＤＴ（ギィダント）は、そんな銘柄ですね。どんなに明確なお膳立てが発生していても、この銘柄は反対の動きを示すのです。ＧＤＴ以外にもそんな銘柄はありますが、トレードを敬遠するようになりますね。幸運にも、お膳立てが有効に働く銘柄はもっとありますから。

Q：１日、何回くらいトレードしますか？
A：平均して、６回から１０回です。

Q：なかなかの回数ですね。業者には好かれるでしょう。ポジションはどれくらい抱えますか？
A：もちろん、少なければ少ないほど良いですね。５つとか６つとかのトレードから発生するポジションを抱えてしまうと、集中力を失い始めますから。

Q：端末の前に、１日中、座ったままですか？
A：基本的には、そうです。

Q：ホーム・トレードされている訳ですが、集中力を保てますか？
A：問題はありませんね。マーケットが終了するまで、妻は放っておいてくれますから。

Q：マリブに家を新築されましたが、外からの邪魔はありませんか？
A：緊急ではない限り、午後１時までは電話しないでくれ、と業者には言ってあります。マーケットの終了時間まで、世の中のほとんどのことに邪魔されないようにしています。私には集中することが必要ですから。

Q：取引終了時間まで、毎日トレードしますか？
A：朝に稼いでしまえば、終了時間を待たずに止めることもあります。そうでなければ、終了時間までトレードします。

Q：長期休暇は？
A：年末に２、３週間。マーケットのことも、株価のことも、すべてを忘れます。ウ

ォール街が爆破されても構わない、そんな休暇を過ごします。

Q：日中、他のトレーダーとも情報交換しますか？
A：連絡を取り合っているトレーダーは2人います。2人とも素晴らしいトレーダーです。意見の交換をしますが、押し付けはしません。

Q：マーケットの話に戻しましょう。あなたがニュースレターで取り上げるのは主にＮＹＳＥ（ニューヨーク証券取引所）銘柄ですが、これはなぜですか？
A：ＳＯＥＳ以来、ナスダック銘柄の動きは混乱するようになりました。ＮＹＳＥ銘柄ではトレードが滑らかです。

Q：滑らか、ですか？
A：日中にトレンドが現れやすい、ということです。

Q：最後の質問です。トレードの初心者に1つだけアドバイスするとしたら、どんなアドバイスでしょう？
A：少額での損切り、ですね。プロとそうでないトレーダーとを分けるテクニックです。

第30章　終わりに
CONCLUDING REMARKS

　『回想記』という本で、作者のフィードル・ドストエフスキーは自分の友人の言葉を引用して、次のように書いている。「どんなものを書いたとしても、どんなものを描いたとしても、現実には及ばない。どんな題材であろうと、それは現実に勝ることはないのだ」

　この言葉は文学における事実を指しているが、実際には、もっと的確にトレーディングにおける事実を言い当てている。どんなに多くのお膳立てを、戦略を、取引概念を、トレードの真理を私が提供したとしても、あなた自身が実際にトレードをすることに勝るものはない。トレーディングに関しては、この本を通じて考察してきた知識があなたを有利に導いてくれることと思う。ただ、この有利さを最大限に利用するためには、実際に使ってみなければならない。そのとき初めて、あなたはマーケットを理解するのである。

　この本を読み終えた読者の方の幸運をお祈りします。

　　　　　　　　　　　　　　　　　　　　　　　　　　　　　ジェフ・クーパー

付録
APPENDIX

銘柄リスト

私の場合、市場が引けてから、大体一時間くらいをかけてリストを更新することにしている。このリストは重要である。しかし、もっと重要なのは適切な銘柄に注意を払っていることである。私のパラメータを満足する銘柄をすべて列挙する必要はない。値動きのある数銘柄に留意することが大切であることを忘れてはならない。

多くの銘柄に留意することを可能にする最も簡単な方法は、それぞれの手法を構成する指標ごとに分けて、このリスト構成を考えてみることである。

1．過去２カ月間の高値／安値更新　過去２カ月で最大の値幅
　拡大ブレイクアウト（第５章）
　ジャック・イン・ザ・ボックス（第１０章）
　スリング・ショット（第１２章）
　Ｖスラスト（第１３章）
　リバーサル・ニュー・ハイ・メソッド（第１４章）
　ＥＬＢ（第１５章）
　ギリガン・アイランド（第２０章）
　リザーズ（第２１章）
　値幅拡大ダブル・スティック（第２４章）

2．ＡＤＸが３０以上
　１－２－３－４（第６章）
　ブーマー（第１１章）
　ブーメラン（第２３章）

3．１０日移動平均と５０日移動平均
　１８０（第８章）
　フップス（第１９章）

4．５０日移動平均　値幅の拡大
　拡大ピボット（第７章）
　ノンＡＤＸ１－２－３－４（第９章）

5．20日間高値／安値更新
拡大タートル・スープ（第18章）
イグアナ（第22章）

6．その他
ホットＩＰＯプルバック（第16章）
セカンダリー（第17章）

　こうすることで銘柄リストに関する作業を簡素化できることと思うが、時を経て、この作業を自然にこなすことができるようになると思う。
　最後に、私の銘柄リストは、コンピューター上で修正が毎日行われるようにプログラムされている。そして、リストアップされている銘柄の値動きに、私は注意を絶えず払っている。こうしていると、幾つかの銘柄が何週間もリストに残っているのに気がつくようになり、そうした銘柄に慣れることによって、それらの銘柄をトレードすることはもっと簡単になる。

収益を最大化する最良の方法

　必ずしもデイ・トレードしている訳ではない読者は、次の事柄には興味を持たれるかもしれない。私の経験では、株価があなたのトレードに対して大きな含み益を残して取引を終了するようなとき、通常よりも高い確率で、この株価の動きは翌朝も継続する。このことは、買い持ちポジションのとき高値圏で引ける株は、翌日の早い段階で、さらに高くなる可能性が高い、ということである。これは、買い注文を通すことができなかった買い方が翌日になだれ込むから、と考えられる。売ったときに安値圏で引ける銘柄でも、同様のことが考えられる。

　次の2例を参照してほしい。

図表A.1　マーク

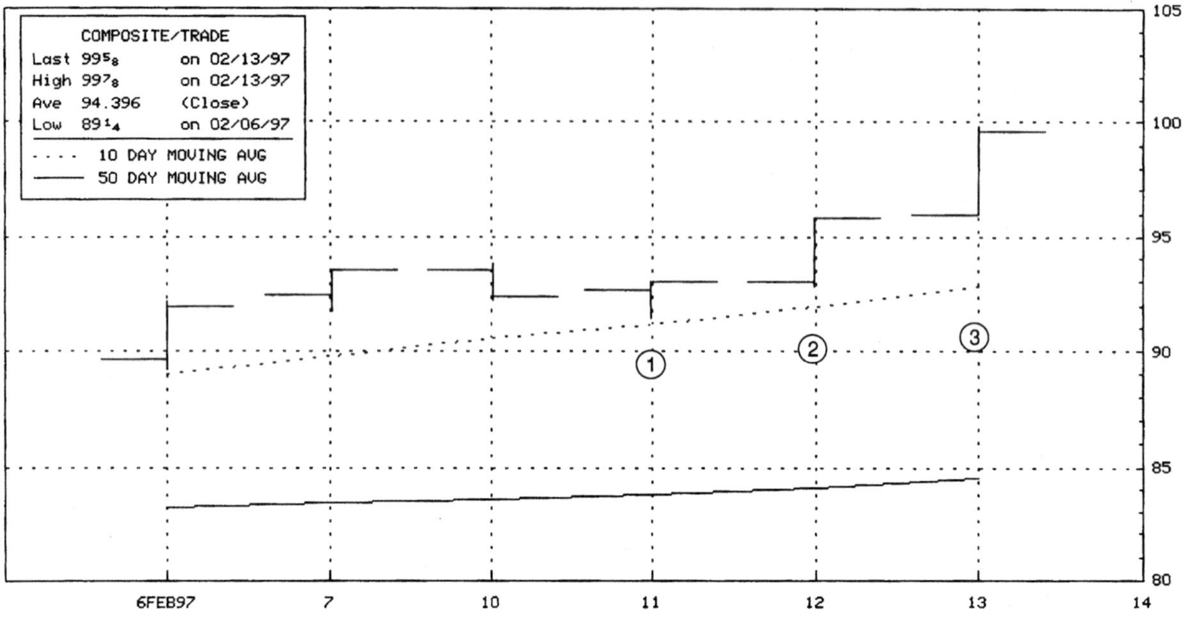
COMPOSITE/TRADE
Last 99 5/8 on 02/13/97
High 99 7/8 on 02/13/97
Ave 94.396 (Close)
Low 89 1/4 on 02/06/97
10 DAY MOVING AVG
50 DAY MOVING AVG
105
100
95
90
85
80
6FEB97
7
10
11
12
13
14
1
2
3

Reprinted with permission of Bloomberg L.P.

1．株価は１８０のパターンを形成している。

2．９３ 1/8ドルで１８０の買い注文が通る。株価がその日の高値の９５ 7/8ドルで引けていることに注意。必ずしも手仕舞う必要がないので、少なくとも半分を持ち越してみる。

3．（勢いのある）買い圧力は翌日も継続し、終値は９９ 5/8ドル。一晩、持ち越すことで、３ 3/4ドルを上乗せすることになる。

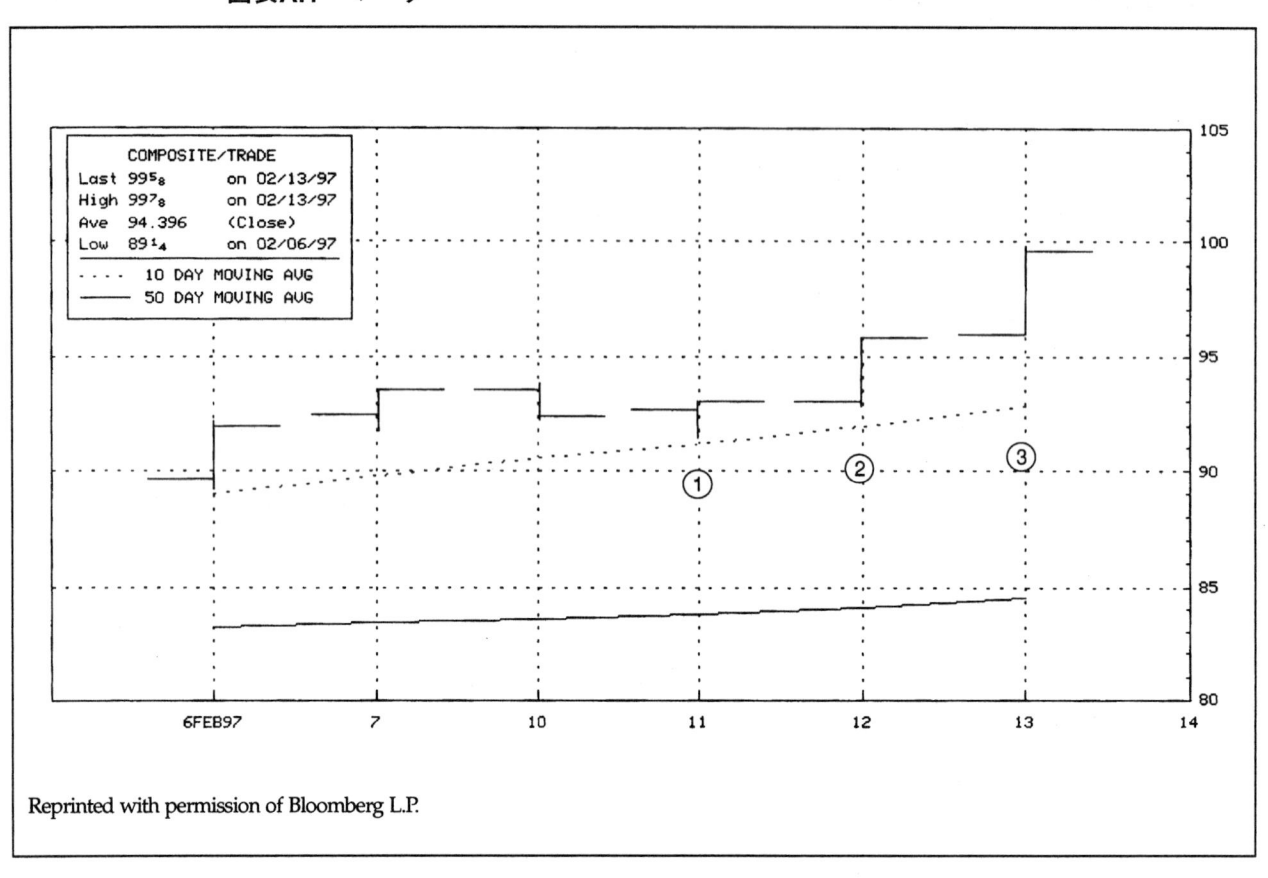

図表A.2　オライオン・キャピタル

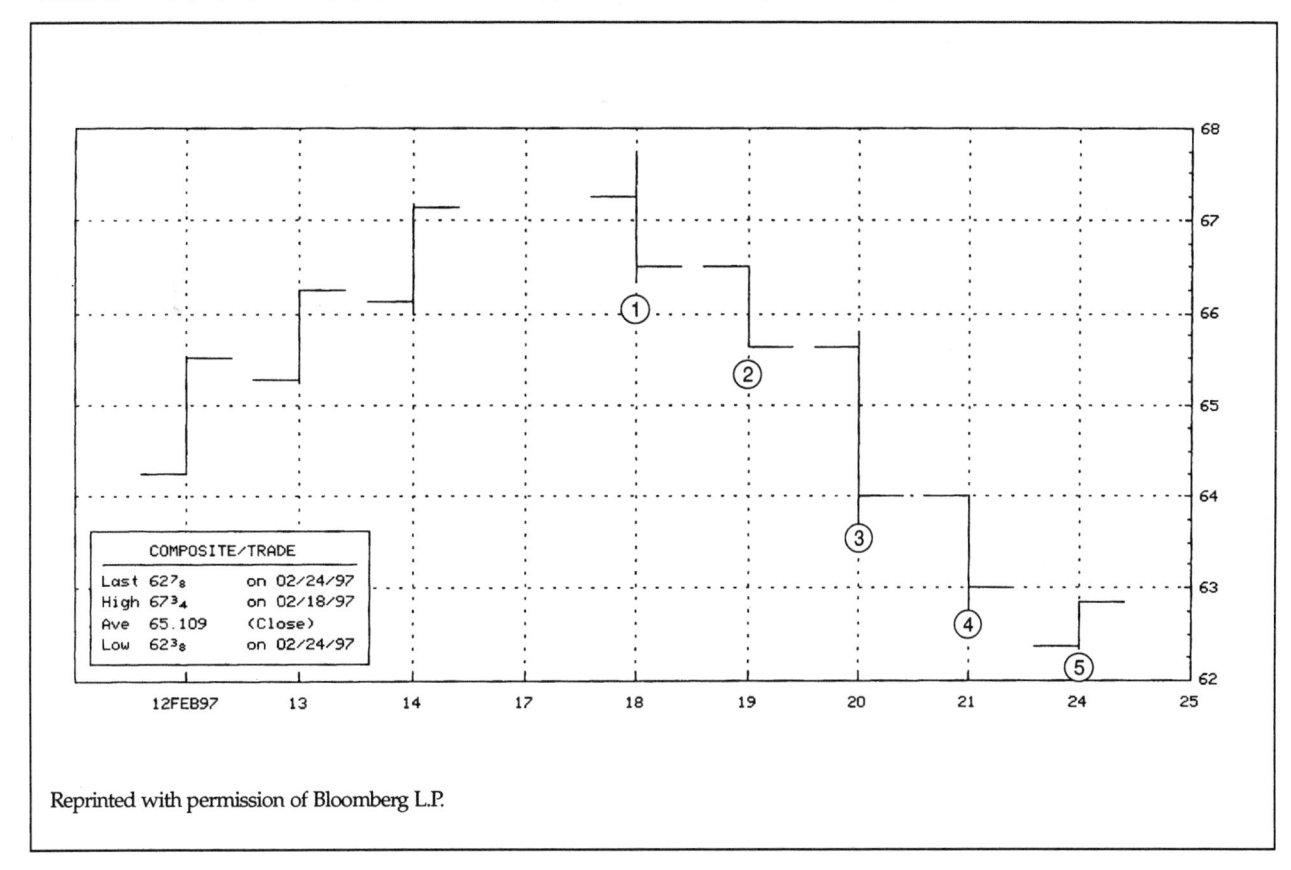

1. ギリガン・アイランドのパターン。

2. 66 1/4ドルで売る。株価は安値圏で引ける。

3. 売り圧力は続き、株価は再度その日の値幅の安値圏で引ける。

4. さらに売られ、またも弱く引ける。

5. 価格は反転。収益を確定する。

　最後に、それほど含み益が発生していないトレードは、大引けで必ず手仕舞うこと。こんなときは、収益を確定し、マル（ポジションなし）にして帰宅するのが最良の戦略なのである。

APPENDIX

いかにトレイリング・ストップを使うか

　それぞれの戦略パターンの一部として、新規のポジションを建てるときの価格は決まっている。しかし、そのポジションをどこで仕切るかは、主観的な裁量に任される決定事項である。

　ただ、読者の助けになるのならば、という意味で、利益を確保するために、トレイリング・ストップ（マーケットの動きに合わせて仕切り注文を調整すること）を私がどう使っているかをここで紹介する。注意していただきたいのは、仕切りはあくまでも主観的な作業で、ここで紹介するものはルールなどではなく、ガイドラインとして参考にしてほしい、という程度のものである。

図表A.3　ナイキ

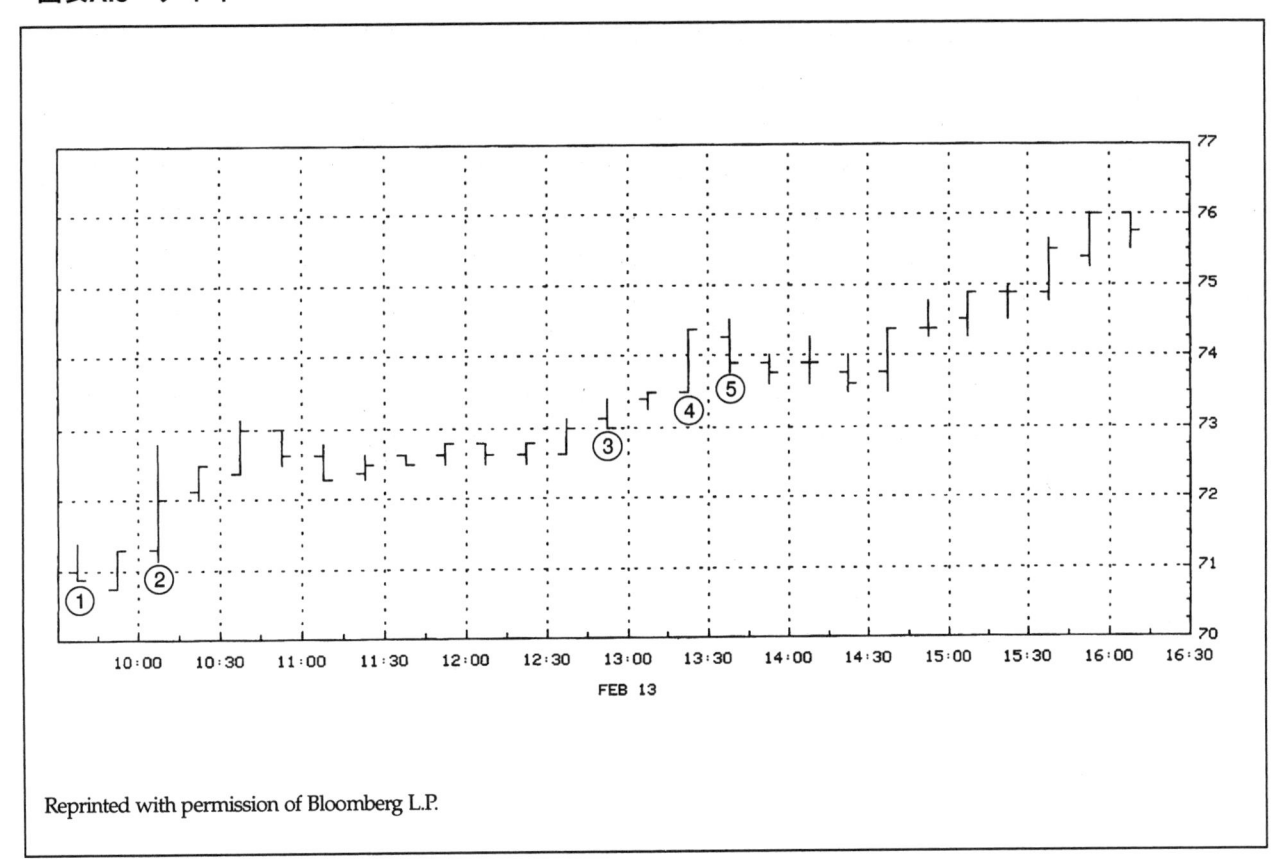

Reprinted with permission of Bloomberg L.P.

　２月１２日、ナイキは拡大ブレイクアウトのパターンを示している。

　１．翌朝、買い注文が７１ 3/8 ドルで通り、最初の損切りを７０ 1/4 ドルに置く。

　２．７２ 3/8 ドルまで上昇。仕切り注文を７１ 7/8 ドルに移動し、少額の収益を確保する（もっと重要なのは、収益が損失に変らないようにすること）。

　３．７３ 3/8 ドルまで上昇。仕切り注文をあと1/2ポイント上の７２ 3/8 ドルに移動。私はこの時点で２ポイントの収益を確保するため、ポジションの半分を仕切る。

　４．再び大きな上昇。株価は７４ 1/2 ドルになり、買値から３ 1/4 ドル上。仕切り注文は株価の現在値により近い７３ 3/4 ドルに移動。

　５．手仕舞いのときが訪れ、株価が７６ドルを付ける前に仕切り注文が通る。しかし、重要なことは収益を確保した、ということである。

APPENDIX

　読者の中には、仕切り注文をもっと離れたレベルに置き、株価上昇の波に乗れるようにした方が良いのではないか、と思われる方もいるであろう。このナイキの場合は、その通りであった。しかし、多くの場合、株価が大きく反転する前に、仕切り注文は収益を確保してくれるものなのである。

　私の経験から言わせてもらえれば、完璧な仕切りとは実行不可能なものであると思う。トレーディングで成功している私の友人のほとんどは、仕切り注文を用いるためトレード収益が最大のところで仕切れない、と異口同音に不平を言う。一方で、彼らがトレーディングで成功しているのは、仕切り注文を用いることで自らを守り、収益を確定しているからでもある。

　科学的ではなく、仕切り（手仕舞い）は芸術的な作業なのである。トレイリング・ストップを用いることの重要性は、資金を守り、最終的に収益を確保することなのである。

リスクと収益

　この本で解説した戦略は、時として、大きな収益を導く。
　当然のことながら、これらの収益は追加的なリスクを取ることによって導かれる。株価の変動率が高いとき、トレードを成功に導ければ、大きな収益を得る可能性が高くなる。しかし、同時に、仕切り注文が執行される可能性も高いのである。これは、特にナスダック銘柄について言える。
　これらの銘柄は、私の経験した中でも最大級の収益を生み出してくれたが、変動率の低いＮＹＳＥ（ニューヨーク証券取引所）上場銘柄に比べて、高い確率で仕切り注文が執行される。どの程度のリスクを甘受するかは、個人的な決断である。しかし、理解しておいてほしいのは、リスクが高ければ高いほど、それに伴う苦痛の度合いも高まるということである。

APPENDIX

ＡＤＸの計算

ここに掲載するのは、ＡＤＸ、＋ＤＩ、－ＤＩの計算方法である。
実際には、これをしてくれる計算ソフトを購入されることをお勧めする。

解釈と計算

最初に、＋ＤＩと－ＤＩ（方向性指標）は、一定期間（例えば１４日間）の値幅の総計を、その期間の真の値幅の総計で割ったものである。

＋ＤＭ（正の方向性）＝高値（今日）－　高値（前日）
－ＤＭ（負の方向性）＝安値（前日）－　安値（今日）
　今日の高値・安値が昨日を超えていない場合は、これを無視する。

もし　－ＤＭ＞＋ＤＭ　ならば　＋ＤＭ＝０
もし　＋ＤＭ＞－ＤＭ　ならば　－ＤＭ＝０

真の値幅とは、次の３つの絶対値で最大のものである。
　１．今日の高値　－　今日の安値
　２．今日の高値　－　前日の終値
　３．今日の安値　－　前日の終値

＋ＤＩは上昇を、－ＤＩは下降を意味する。
＋ＤＩ（正の方向性指標）＝
　　　｛(一定期間の＋ＤＭの総計) ÷ (一定期間の真の値幅の総計)｝ ×１００

－ＤＩ（負の方向性指標）＝
　　　｛(一定期間の－ＤＭの総計) ÷ (一定期間の真の値幅の総計)｝ ×１００

ここで＋ＤＩを確定したら、これ以降のＤＭ、真の値幅、ＤＩは平滑法を用いて計算する。
今日の＋ＤＭ＝
　　　(前日の＋ＤＭ) －｛(前日の＋ＤＭ) ÷ (一定期間)｝＋ (今日の＋ＤＩ)

今日の－ＤＩ＝
　　　(前日の－ＤＩ) －｛(前日の－ＤＩ) ÷ (一定期間)｝＋ (今日の－ＤＩ)

今日までの真の値幅＝
　　　（前日までの「真の値幅」の合計）－｛（前日までの「真の値幅」の合計）÷（一定期間）｝
　　　＋（今日の「真の値幅」）

今日の＋ＤＩ＝｛（今日までの「＋ＤＭ」の合計）÷（今日までの「真の値幅」の合計）｝×１００

今日の－ＤＩ＝｛（今日までの「－ＤＭ」の合計）÷（今日までの「真の値幅」の合計）｝×１００

　このシステムの開発者であるウェルス・ワイルダーは、＋ＤＩが－ＤＩを上回ったときに買い、＋ＤＩが－ＤＩを下回ったときに売るとした。＋ＤＩと－ＤＩの数値が等しいとき、価格は安定している。また、互いの数値が離れていれば離れているほど、価格のトレンドは強いことになる。

　ＤＸは方向性指数で、＋ＤＩと－ＤＩの差の絶対値を、＋ＤＩと－ＤＩの和で割り、１００を掛けたものである。ＤＸが高ければ方向性が強く、低ければ弱いことになる。価格が上昇しているのか下降しているのかは、ＤＸにとって関係ない。この指数は、（上であれ下であれ）価格がどれくらい動くかを表している。

ＤＸ＝｛｜（＋ＤＩ）－（－ＤＩ）｜｝÷｛（＋ＤＩ）＋（－ＤＩ）｝×１００

　ＡＤＸは方向性指数平均で、ＤＸの移動平均である。

今日のＡＤＸ＝｛（前日のＡＤＸ）×（一定期間－１）＋今日のＤＸ｝÷（一定期間）

　ＡＤＸＲは、一定期間の最初と最後のＡＤＸの平均である。

ＡＤＸＲ＝｛（今日のＡＤＸ）＋ＡＤＸ（今日－一定期間）｝÷２

　ＡＤＸＲの数値が２０以上のとき、価格の方向性は非常に強いといえる。

証券アナリストを、なぜ信じないのか？

　長年この仕事をしていて、なぜ私が証券会社のファンダメンタルズ分析を信用しないのか、尋ねられることが多い。次に掲載するニュースを見れば、分かっていただけると思う。

グランテル証券の航空株アナリストの奇妙なレポートを内部調査

　シカゴ発、8月22日（ブルームバーグ）　グランテル証券は、同社で運輸部門を担当するアナリストが発行した非公式レポートの内部調査に乗り出した。このレポートでは、先月発生したTWA800便の機墜落事故をはじめとする、米政府の陰謀の数々を報告している。

　今週、報道関係者に送付されたこの14ページのレポートは、同社のアナリスト、スティーブ・ルインズ氏が書いたもので、TWA機墜落事故の他にも、アメリカ政府は、1986年のスペース・シャトル爆破事故を未然に防ぐことができた、と主張している。また、同レポートの中で、ルインズ氏は、命を狙われているため日本刀をかたわらにおいて寝ている、とも書いている。

　このレポートに対するコメントを求めた電話に、同氏からの返答はなかった。

　グランテル証券の会長補佐長、ランディー・ブラッドレー氏は、同社がこのレポートの内容を調査中であり、レポートが同社の意見を反映しているものではない、と答えた。同氏によると、現在、ルインズ氏に対して解雇・自宅待機などの措置は取られていない。

　「ルインズ氏は何かを伝えようとした、ということだとは思いますが、それが事実であるのか想像上のものであるのか、今の段階では大きな謎です」とブラッドレー氏。同氏は続けて、「いずれにしろ、このレポートの発送は社外で行われ、当社がその発送を止めることはできなかった」。

番をするオウム

　グランテル証券の社名入りの封筒に収められたこのレポートは、普通紙に8月11日の日付け入り。余白には手書きのメモも書き込まれている。

　内容は多岐にわたるが、ルインズ氏はこの中で、過去数週間の間に殺害を予告された脅迫を15件も受けており、「夜はオウムのテイラーが番をしてくれている」と述べている。

　同レポートでは、TWA800便の墜落原因について、ジェット燃料に引火したのが原因である、と国民に信じ込ませるため、アメリカ政府が虚偽の情報を流している

と指摘。

　ルインズ氏によると、この墜落事故の前に、彼はTWAの役員に宛てた手紙の中で、ニューヨークのケネディ空港におけるTWAの警備体制には問題があり、テロリストの標的になりやすいことを指摘したという。また、同氏は、TWA８００便が空中爆発し、２３０人の死者が出た次の朝、TWAのCEO、ジェフ・エリクソン氏がこの手紙を受け取っていた、とも述べている。

数字的シンボリズム

　TWA８００便がテロリストの標的となったのは、ルインズ氏によると、８００が無限大のシンボルに似ているからだ、とのこと。また、「ゼロは○で、完璧を表し、無限大は攻撃の宗教性を表している」と、レポートの中で述べている。

　さらに飛行機が１万３０００フィートで爆破したことについて、独立当初の１３州、最初の国旗で１３の星、１３本のストライプ、アメリカン・イーグルが足で押さえているのが１３本の矢など、アメリカの国家的象徴を意味している、と。

　また、同氏はスペース・シャトルの打ち上げ失敗について、NASAは打ち上げ角度が間違っていたことを認識していたが、時の大統領、ロナルド・レーガンが記者会見を控えていたため、これを中止しなかった、とも書いている。

　また、機上でのテロリスト対策として、乗客一人一人に１リットルの水を手渡すことを、ルインズ氏はレポートの中で推奨している。同氏によると、家畜を使って、テロリストたちは人間に影響を及ぼすようなウイルスを作り出すことができる、とも。

　「ウイルスはアヒルで作られ、そしてブタに、さらに飛行機で運ばれ、人間に感染する」と同氏は書いている。また、警備員の教育についてもレポートは触れており、「自分のようなアナリストをセミナー講師にすること」を提案している。

　ルインズ氏は、運輸関連の問題ではマスコミでも有名なアナリストで、グランテル証券では航空、鉄道、輸送トラック銘柄を担当している。

　　　　　　　　　　　グレッグ・グローラー（シカゴ・ニュースルーム）

著者紹介

ジェフ・クーパー（Jeff Cooper）
プロの株式トレーダー。ニューヨーク大学卒業。本書2冊のほか、『ファイブ・デイ・モメンタム・メソッド』がある。妻のスージーとカリフォルニア州のマリブに居住。

訳者紹介

清水昭男（しみず・あきお）
1983年、南イリノイ大学コミュニケーション学部卒。
トウキョウ・フォレックス(株)、タレット・アンド・トウキョウ・インターナショナルを経て、元CBOTアジア・パシフィック代表。

2000年4月19日	初版第1刷発行
2006年2月5日	第2刷発行

ウィザードブックシリーズ⑥
ヒットエンドラン株式売買法(かぶしきばいばいほう)
超入門　初心者にもわかるネット・トレーディング投資技術

著　者	ジェフ・クーパー
訳　者	清水昭男
発行者	後藤康徳
発行所	パンローリング株式会社
	〒160-0023　東京都新宿区西新宿7-21-3-1001
	TEL　03-5386-7391　FAX　03-5386-7393
	http://www.panrolling.com/
	E-mail　info@panrolling.com
編　集	エフ・ジー・アイ（Factory of Gnomic Three Monkeys Investment）合資会社
装　丁	Cue graphic studio
組　版	マイルストーンズ合資会社
印刷・製本	株式会社シナノ

ISBN4-939103-24-2
落丁・乱丁本はお取り替えします。
また、本書の全部、または一部を複写・複製・転訳載、および磁気・光記録媒体に
入力することなどは、著作権法上の例外を除き禁じられています。

Ⓒ Akio Shimizu 2000　Printed in Japan

道具にこだわりを。

よいレシピとよい材料だけでよい料理は生まれません。
一流の料理人は、一流の技術と、それを助ける一流の道具を持っているものです。
成功しているトレーダーに選ばれ、鍛えられたチャートギャラリーだからこそ、
あなたの売買技術がさらに引き立ちます。

Chart Gallery 3.1 for Windows
Established Methods for Every Speculation

パンローリング相場アプリケーション

チャートギャラリープロ 3.1 定価**84,000**円（本体80,000円＋税5％）
チャートギャラリー 3.1 定価**29,400**円（本体28,000円＋税5％）

[商品紹介ページ] http://www.panrolling.com/pansoft/chtgal/

RSIなど、指標をいくつでも、何段でも重ね書きできます。移動平均の日数などパラメタも自由に変更できます。一度作ったチャートはファイルにいくつでも保存できますので、毎日すばやくチャートを表示できます。
日々のデータは無料配信しています。ボタンを2、3押すだけの簡単操作で、わずか3分以内でデータを更新。過去データも豊富に収録。
プロ版では、柔軟な銘柄検索などさらに強力な機能を搭載。ほかの投資家の一歩先を行く売買環境を実現できます。

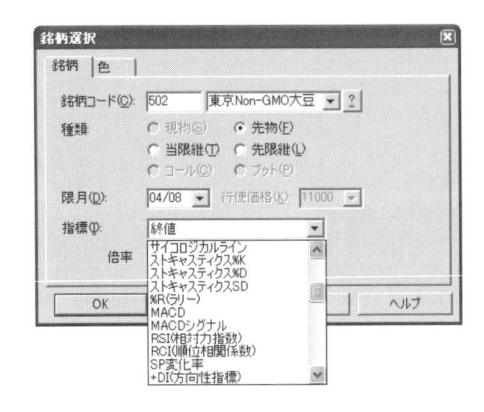

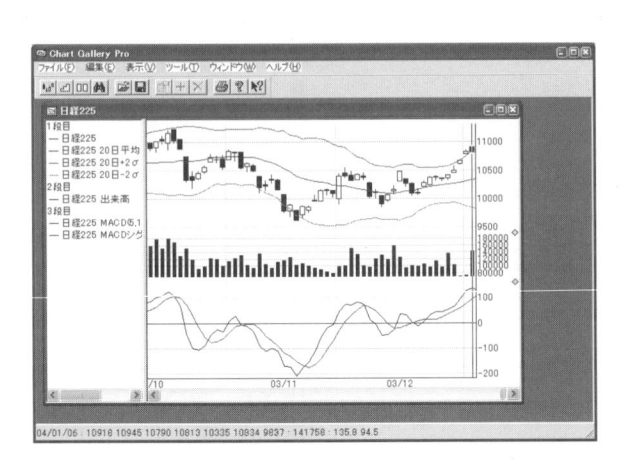

お問合わせ・お申し込みは

Pan Rolling　パンローリング株式会社

〒160-0023 東京都新宿区西新宿7-21-3-1001　TEL.03-5386-7391　FAX.03-5386-7393
E-Mail info@panrolling.com　ホームページ http://www.panrolling.com/

●売買の実践、銘柄検索方法●

パンローリングのチャートギャラリープロでは本書『ワイルダーのテクニカル分析入門』に掲載されている各指標を搭載し、それらを基に銘柄検索できます。「ストップ＆リバース」「スイングインデックス」です。その他有名な「ディレクショナル・ムーブメント」「RSI」も搭載しています。
　ここでは本書に掲載されているユニークな指標を利用して銘柄検索を実践してみます。投資は継続が重要なことは言うまでもありません。毎日簡単に実行し、簡単に条件を絞り込み、手軽にパラメータを変更して検証することができなければ長続きしないでしょう。

チャートギャラリープロ3.1でのADXを利用した検索方法のご紹介。

買い条件：ADXが40より大きい
　　　　　移動平均の5日と14日のゴールデンクロス
　　　　　出来高が10万株以上
　の3つの条件に一致した場合次の日の寄り付きで買い。

＜図1＞

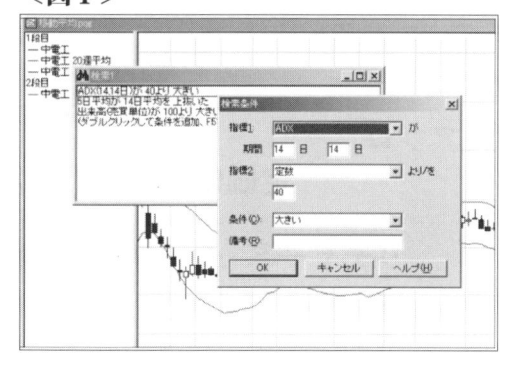

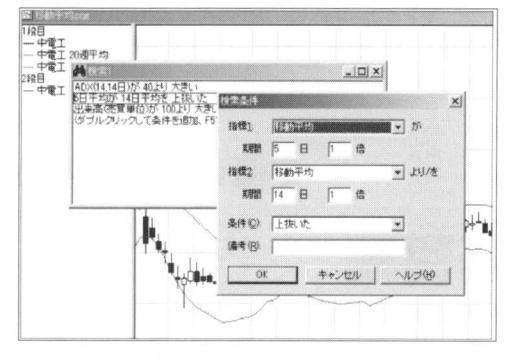

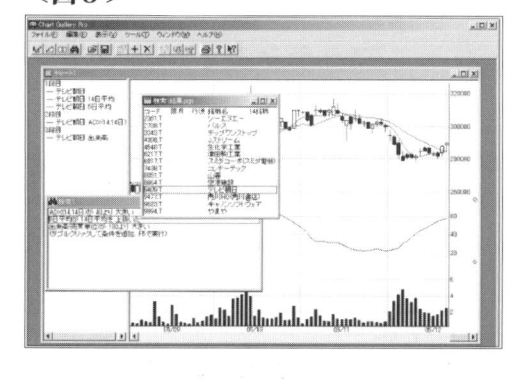

1.検索条件の設定

①チャートギャラリープロを開き、メニューバーの「新規作成 - 検索条件」を実行します。
② 検索条件ウィンドウの(ここをダブルクリックして条件を追加)をダブルクリックします。
③ [新規検索条件追加]ダイアログボックスが表示されますので条件を追加します。条件の設定方法は、指標1に「ADX(14,14)」。指標2に「定数」パラメータは40。条件に「大きい」を選択してOK

＜図2＞

④②を行い、指標1には「移動平均(5,1)」。指標2に「移動平均(14,1)」条件に「上抜いた」を選択してOK
⑤②を行い、指標1には「出来高(売買単位)」。指標2に「定数」100、条件に「大きい」を選択してOK
⑥検索を実行するには、キーボードのF5キーを押します。

＜図3＞

2.条件に合った銘柄を次々とチャート表示

検索結果が表示されますので、キーボードの「Shift＋下矢印」キーで次々とご希望のチャートに検索結果に表示された銘柄を表示し確認できます。
このような売買条件を定義し、ファイルに保存でき、毎日簡単に実行できます。

＜1＞ 投資・相場を始めたら、カモにならないために最初に必ず読む本！

マーケットの魔術師
ジャック・D・シュワッガー著

「本書を読まずして、投資をすることなかれ」とは世界的なトップトレーダーがみんな口をそろえて言う「投資業界での常識」。

定価2,940円（税込）

新マーケットの魔術師
ジャック・D・シュワッガー著

17人のスーパー・トレーダーたちが洞察に富んだ示唆で、あなたの投資の手助けをしてくれることであろう。

定価2,940円（税込）

マーケットの魔術師 株式編 増補版
ジャック・D・シュワッガー著

だれもが知りたかった「その後のウィザードたちのホントはどうなの？」に、すべて答えた『マーケットの魔術師【株式編】』増補版！

定価2,940円（税込）

マーケットの魔術師 システムトレーダー編
アート・コリンズ著

14人の傑出したトレーダーたちが明かすメカニカルトレーディングのすべて。待望のシリーズ第4弾！

定価2,940円（税込）

投資苑（とうしえん）
アレキサンダー・エルダー著

精神分析医がプロのトレーダーになって書いた心理学的アプローチ相場本の決定版！各国で超ロングセラー。

定価6,090円（税込）

ワイコフの相場成功指南
リチャード・D・ワイコフ著

日本初！ 板情報を読んで相場に勝つ！
デイトレーダーも必携の「目先」の値動きを狙え！

定価1,890円（税込）

ワイコフの相場大学
リチャード・D・ワイコフ著

希代の投資家が競って読んだ古典的名著！
名相場師による繰り出される数々の至言！

定価1,890円（税込）

ストックマーケットテクニック 基礎編
リチャード・D・ワイコフ著

初めて株投資をする人へ　相場の賢人からの贈り物。"マーケットの魔術師"リンダ・ラシュキも推薦！

定価2,310円（税込）

ピット・ブル
マーティン・シュワルツ著

習チャンピオン・トレーダーに上り詰めたギャンブラーが語る実録「カジノ・ウォール街」。

定価1,890円（税込）

ヘッジファンドの魔術師
ルイ・ペルス 著

13人の天才マネーマネジャーたちが並外れたリターンを上げた戦略を探る！　　　［改題］インベストメント・スーパースター

定価2,940円（税込）

＜2＞ 短期売買やデイトレードで自立を目指すホームトレーダー必携書

魔術師リンダ・ラリーの短期売買入門
リンダ・ラシュキ著

国内初の実践的な短期売買の入門書。具体的な例と豊富なチャートパターンでわかりやすく解説してあります。

定価29,400円（税込）

ラリー・ウィリアムズの短期売買法
ラリー・ウィリアムズ著

1年で1万ドルを110万ドルにしたトレードチャンピオンシップ優勝者、ラリー・ウィリアムズが語る！

定価10,290円（税込）

バーンスタインのデイトレード入門
ジェイク・バーンスタイン著

あなたも「完全無欠のデイトレーダー」になれる！
デイトレーディングの奥義と優位性がここにある！

定価8,190円（税込）

バーンスタインのデイトレード実践
ジェイク・バーンスタイン著

デイトレードのプロになるための「勝つテクニック」や
「日本で未紹介の戦略」が満載！

定価8,190円（税込）

ゲイリー・スミスの短期売買入門
ゲイリー・スミス著

20年間、ずっと数十万円（数千ドル）以上には増やせなかった"並み以下の男"が突然、儲かるようになったその秘訣とは！

定価2,940円（税込）

ターナーの短期売買入門
トニ・ターナー著

全米有数の女性トレーダーが奥義を伝授！
自分に合ったトレーディング・スタイルでがっちり儲けよう！

定価2,940円（税込）

スイングトレード入門
アラン・ファーレイ著

あなたも「完全無欠のスイングトレーダー」になれる！
大衆を出し抜け！

定価8,190円（税込）

オズの実践トレード日誌
トニー・オズ著

習うより、神様をマネろ！
ダイレクト・アクセス・トレーディングの神様が魅せる神がかり的な手法！

定価6,090円（税込）

ヒットエンドラン株式売買法
ジェフ・クーパー著

ネット・トレーダー必携の永遠の教科書！カンや思惑に頼らないアメリカ最新トレード・テクニックが満載!!

定価18,690円（税込）

くそったれマーケットをやっつけろ！
マイケル・パーネス著

大損から一念発起！ 15カ月で3万3000ドルを700万ドルにした驚異のホームトレーダー！

定価2,520円（税込）

<3> 順張りか逆張りか、中長期売買法の極意を完全マスターする!

タートルズの秘密
中・長期売買に興味がある人や、アメリカで莫大な資産を
築いた本物の投資手法・戦略を学びたい方必携!

ラッセル・サンズ著

定価20,790円(税込)

カウンターゲーム
ジム・ロジャーズも絶賛の「逆張り株式投資法」の決定版!
個人でできるグレアム、バフェット流バリュー投資術!

アンソニー・M・ガレア&
ウィリアム・パタロンIII世著
序文:ジム・ロジャーズ

定価2,940円(税込)

オニールの成長株発掘法
あの「マーケットの魔術師」が平易な文章で書き下ろした
全米で100万部突破の大ベストセラー!

ウィリアム・J・オニール著

定価2,940円(税込)

オニールの相場師養成講座
今日の株式市場でお金を儲けて、
そしてお金を守るためのきわめて常識的な戦略。

ウィリアム・J・オニール著

定価2,940円(税込)

ウォール街で勝つ法則
ニューヨーク・タイムズやビジネス・ウィークのベストセラーリストに載
った完全改訂版投資ガイドブック。

ジェームズ・P・
オショーネシー著

定価6,090円(税込)

ワイルダーのアダムセオリー
本書を読み終わったあなたは、二度とこれまでと同じ視点で
マーケット見ることはないだろう。

J・ウエルズ・
ワイルダー・ジュニア著

定価10,290円(税込)

トレンドフォロー入門
初のトレンドフォロー決定版!
トレンドフォロー・トレーディングに関する初めての本。

マイケル・コベル著

定価6,090円(税込)

■「相場は心理」…大衆と己の心理を知らずして、相場は張れない!

投資苑(とうしえん)
精神分析医がプロのトレーダーになって書いた心理学的アプロ
ーチ相場本の決定版!各国で超ロングセラー。

アレキサンダー・
エルダー著

定価6,090円(税込)

ゾーン～相場心理学入門
マーケットで優位性を得るために欠かせない、新しい次元の心
理状態を習得できる。「ゾーン」の力を最大限に活用しよう。

マーク・ダグラス著

定価2,940円(税込)

<4> テクニカル分析の真髄を見極め、奥義を知って、プロになる！

投資苑／投資苑2
ベストセラー『投資苑』とその続編 エルダー博士はどこで
仕掛け、どこで手仕舞いしているのかが今、明らかになる！

アレキサンダー・エルダー著

定価各6,090円（税込）

投資苑がわかる203問
投資苑2 Q&A

アレキサンダー・エルダー著

定価各2,940円（税込）

シュワッガーのテクニカル分析
シュワッガーが、これから投資を始める人や投資手法を
立て直したい人のために書き下ろした実践チャート入門。

ジャック・D・シュワッガー著

定価3,045円（税込）

マーケットのテクニカル秘録
プロのトレーダーが世界中のさまざまな市場で使用している
洗練されたテクニカル指標の応用法が理解できる。

チャールズ・ルボー&
デビッド・ルーカス著

定価6,090円（税込）

ワイルダーのテクニカル分析入門
オシレーターの売買シグナルによるトレード実践法
RSI、ADX開発者自身による伝説の書！

J・ウエルズ・
ワイルダー・ジュニア著

定価10,290円（税込）

マーケットのテクニカル百科 入門編
アメリカで50年支持され続けている
テクニカル分析の最高峰が大幅刷新！

ロバート・
D・エドワーズ著

定価6,090円（税込）

マーケットのテクニカル百科 実践編
チャート分析家必携の名著が読みやすくなって完全復刊！
数量分析（クオンツ）のバイブル！

ロバート・
D・エドワーズ著

定価6,090円（税込）

魔術師たちのトレーディングモデル
「トレードの達人である12人の著者たち」が、トレードで
成功するためのテクニックと戦略を明らかにしています。

リック・
ベンシニョール著

定価6,090円（税込）

ウエンスタインのテクニカル分析入門
ホームトレーダーとして一貫してどんなマーケットのときにも
利益を上げるためにはベア相場で儲けることが不可欠！

スタン・
ウエンスタイン著

定価2,940円（税込）

デマークのチャート分析テクニック
いつ仕掛け、いつ手仕舞うのか。
トレンドの転換点が分かれば、勝機が見える！

トーマス・
R・デマーク著

定価6,090円（税込）

＜5＞ 割安・バリュー株からブレンド投資まで株式投資の王道を学ぶ！

バフェットからの手紙
究極・最強のバフェット本――この1冊でバフェットのすべてがわかる。投資に値する会社こそ生き残る！

ローレンス・A・カニンガム

定価1,680円（税込）

賢明なる投資家
割安株の見つけ方とバリュー投資を成功させる方法。市場低迷の時期こそ、威力を発揮する「バリュー投資のバイブル」

ベンジャミン・グレアム著

定価3,990円（税込）

新賢明なる投資家　上巻・下巻
時代を超えたグレアムの英知が今、よみがえる！
これは「バリュー投資」の教科書だ！

ベンジャミン・グレアム、ジェイソン・ツバイク著

定価各3,990円（税込）

証券分析【1934年版】
「不朽の傑作」ついに完全邦訳！本書のメッセージは今でも新鮮でまったく輝きを失っていない！

ベンジャミン・グレアム＆デビッド・L・ドッド著

定価10,290円（税込）

最高経営責任者バフェット
あなたも「世界最高のボス」になれる。バークシャー・ハサウェイ大成功の秘密――「無干渉経営方式」とは？

ロバート・P・マイルズ著

定価2,940円（税込）

賢明なる投資家【財務諸表編】
ベア・マーケットでの最強かつ基本的な手引き書であり、「賢明なる投資家」になるための必読書！

ベンジャミン・グレアム＆スペンサー・B・メレディス著

定価3,990円（税込）

なぜ利益を上げている企業への投資が失敗するのか

ヒューエット・ハイゼルマン・ジュニア著

定価2,520円（税込）

投資家のための粉飾決算入門
「第二のエンロン」の株を持っていませんか？
株式ファンダメンタル分析に必携の

チャールズ・W・マルフォード著

定価6,090円（税込）

バイアウト
もし会社を買収したいと考えたことがあるなら、本書からMBOを成功させるための必要なノウハウを得られるはずだ！

リック・リッカートセン著

定価6,090円（税込）

株の天才たち
世界で最も偉大な5人の伝説的ヒーローが伝授する投資成功戦略！　　　　賢人たちの投資モデル[改題・改装版]

ニッキー・ロス著

定価1,890円（税込）

<6> 裁量を一切排除するトレーディングシステムの作り方・考え方！

究極のトレーディングガイド
ジョン・R・ヒル＆ジョージ・プルート著

トレーダーにとって本当に役に立つコンピューター・トレーディングシステムの開発ノウハウをあますところなく公開！

定価5,040円（税込）

マーケットの魔術師　システムトレーダー編
アート・コリンズ著

14人の傑出したトレーダーたちが明かすメカニカルトレーディングのすべて。待望のシリーズ第4弾！

定価2,940円（税込）

魔術師たちの心理学
バン・K・タープ著

「秘密を公開しすぎる」との声があがった偉大なトレーダーになるための"ルール"、ここにあり！

定価2,940円（税込）

トレーディングシステム徹底比較
ラーズ・ケストナー著

本書の付録は、日本の全銘柄（商品・株価指数・債先）の検証結果も掲載され、プロアマ垂涎のデータが満載されている。

定価20,790円（税込）

売買システム入門
トゥーシャー・シャンデ著

相場金融工学の考え方→作り方→評価法
日本初！これが「勝つトレーディング・システム」の全解説だ！

定価8,190円（税込）

トレーディングシステム入門
トーマス・ストリズマン著

どんな時間枠でトレードするトレーダーにも、ついに収益をもたらす"勝つ"方法論に目覚める時がやってくる！

定価6,090円（税込）

ロケット工学投資法
ジョン・F・エーラース著

サイエンスがマーケットを打ち破る！
トレーディングの世界に革命をもたらす画期的な書がついに登場！

定価7,140円（税込）

投資家のためのリスクマネジメント
ケニス・L・グラント著

あなたは、リスクをとりすぎていませんか？それとも、とらないために苦戦していませんか？リスクの取り方を教えます！

定価6,090円（税込）

投資家のためのマネーマネジメント
ラルフ・ビンス著

投資とギャンブルの絶妙な融合！
資金管理のバイブル！

定価6,090円（税込）

EXCELとVBAで学ぶ先端ファイナンスの世界
メアリー・ジャクソン＆マイク・ストーントン著

もうEXCELなしで相場は張れない！
EXCELでラクラク売買検証！

定価6,090円（税込）

<7> ファンダメンタルズやテクニカル以外にも儲かる投資法はある！

ラリー・ウィリアムズの株式必勝法
ラリー・ウィリアムズ著

話題沸騰！ ラリー・ウィリアムズが初めて株投資の奥義を
披露！弱気禁物！ 上昇トレンドを逃すな！

定価8,190円（税込）

ツバイク ウォール街を行く
マーティン・ツバイク著

いち早くマーケット・トレンドを見極め、最高の銘柄選択を
し、最小リスクで最大利益を得る方法！

定価3,990円（税込）

グリーンブラット投資法
ジョエル・グリーンブラット著

今までだれも明かさなかった目からウロコの投資法
個人でできる「イベントドリブン」投資法の決定版!

定価2,940円（税込）

ディナポリの秘数 フィボナッチ売買法
ジョー・ディナポリ著

押し・戻り分析で仕掛けから手仕舞いまでわかる"黄金率"
0.382、0.618が売買のカギ！ 押し・戻り売買の極意！

定価16,800円（税込）

カプランのオプション売買戦略
デビッド・L・カプラン著

経済情報番組ブルームバーグテレビジョンにて紹介された話題の本

定価8,190円（税込）

最強のポイント・アンド・フィギュア分析
トーマス・J・ドーシー著

「どの」銘柄を、「いつ」買えばよいかを伝授！
インターネット時代の最新ポイント・アンド・フィギュア分析法

定価6,090円（税込）

私は株で200万ドル儲けた 定価2,310円（税込）	ファンダメンタル的空売り入門 定価2,940円（税込）
市場間分析入門 定価6,090円（税込）	あなたもマーケットタイミングは読める！ 定価2,940円（税込）
魔術師たちの投資術 定価2,940円（税込）	ロスフックトレーディング 定価6,090円（税込）
アームズ投資法 定価7,140円（税込）	コーポレート・リストラクチャリングによる企業価値の創出 定価8,190円（税込）
マーケットニュートラル投資の世界 定価6,090円（税込）	ボリンジャーバンド入門 定価6,090円（税込）

●海外ウィザードが講演したセミナー・ビデオ＆DVD（日本語字幕付き）●

『オズの短期売買入門』（67分）　　　　　　　　　　　　　　　　トニー・オズ　8,190円
トレードの成功は、どこで仕掛け、どこで仕切るかがすべて。短期トレードの魔術師オズが、自らの売買を例に仕掛けと仕切りの解説。その他、どこで買い増し、売り増すのか、短期トレーダーを悩ますすべての問題に答える洞察の深いトレードアドバイス満載

『ターナーの短期売買入門』（80分）　　　　　　　　　　　　　　トニ・ターナー　9,240円
株式投資の常識（＝買い先行）を覆し、下落相場でも稼ぐことができる「空売り」と、トレーディングで最大の決断である仕切りのタイミングをを具体的な事例を示しながら奥義を解説。市場とトレーダーの心理を理解しつつ、トニ・ターナーのテクニックがここにある。

『魔術師たちの心理学セミナー』（67分）　　　　　　　　　　　　バン・K・タープ　8,190円
優秀なトレーダーとして最も大切な要素は責任能力。この責任感を認識してこそ、上のステージに進むことができる。貪欲・恐怖・高揚など、トレーディングというプロセスで発生するすべての感情を、100％コントロールする具体的な方法をタープ教授が解き明かす。

『魔術師たちのコーチングセミナー』（88分）　　　　　　　　　　アリ・キエフ　8,190円
優秀なトレーダーとは、困惑、ストレス、不安、不確実性、間違いなど、普通は避けて通りたい感情を直視できる人たちである。問題を直視する姿勢をアリ・キエフが伝授し、それによって相場に集中することを可能にし、素直に相場を「聞き取る」ことができるようになる。

『マーケットの魔術師 マーク・クック』（96分）　　　　　　　　　マーク・クック　6,090円
マーケットの魔術師で、一流のオプションデイトレーダーであるクックが、勝つためのトレーディング・プラン、相場の選び方、リスクのとり方、収益目標の立て方、自分をコントロールする方法など、13のステップであなたのためのトレードプランを完成してくれる。

『シュワッガーが語るマーケットの魔術師』（63分）　　　　　　　ジャック・D・シュワッガー　5,040円
トップトレーダーたちはなぜ短期間で何百万ドルも稼ぐことができるのか。彼らはどんな信念を持ち、どんなスタイルでトレードを行っているのか。ベストセラー『マーケットの魔術師』3部作の著者ジャック・シュワッガーが、彼らの成功の秘訣と驚くべきストーリーを公開。

『ジョン・マーフィーの儲かるチャート分析』（121分）　　　　　ジョン・J・マーフィー　8,190円
トレンドライン、ギャップ、移動平均……を、あなたは使いこなせていますか？ テクニカル分析の大家がトレンドのつかみ方、相場の反転の見分け方など主体に、簡単で使いやすいテクニカル分析の手法を解説。テクニカルの組み合わせで相場の読みをより確実なものにする！

『ジョン・ヒルのトレーディングシステム検証のススメ』（95分）　ジョン・ヒル　8,190円
トレーダーはコンピューターに何を求め、どんなシステムを選択すべきなの？ 『究極のトレーディングガイド』の著者ジョン・ヒルが、確実な利益が期待できるトレーディングシステムの活用・構築方法について語る。さらにトレンドやパターンの分析についても解説。

『クーパーの短期売買入門〜ヒットエンドラン短期売買法〜』（90分）　ジェフ・クーパー　8,190円
短期売買の名著『ヒットエンドラン株式売買法』の著者ジェフ・クーパーが自らが発見した爆発的な価格動向を導く仕掛けを次から次へと紹介。「価格」という相場の主を真摯に見つめた実践者のためのセミナー。成功に裏打ちされたオリジナルパターンが満載！

『エリオット波動〜勝つための仕掛けと手仕舞い〜』（119分）　　ロバート・プレクター　8,190円
「5波で上昇、3波で下落」「フィボナッチ係数」から成り立つエリオット波動の伝道師プレクターによる「エリオット波動による投資術（絶対勝てる市場参入・退出のタイミング戦略）」。波動理論を使った市場の変化の時とそれを支えるテクニカル指標の見方を公開。

●パンローリング発行

●海外ウィザードが講演したセミナー・ビデオ＆DVD（日本語字幕付き）●

『ガースタインの銘柄スクリーニング法』（84分）　マーク・ガースタイン　8,190円

株式投資を始めた際に、誰もが遭遇する疑問に対して、検討に値する銘柄の選別法から、実際の売買のタイミングまで、4つのステップにしたがって銘柄選択及び売買の極意をお伝えしましょう。高度な数学の知識も、専門的な経営判断の手法も必要ない。銘柄選択の極意をマスターして欲しい。

『マクミランのオプション売買入門』（96分）　ラリー・マクミラン　8,190円

オプション取引の"教授"重鎮マクミラン氏のセミナー、初めての日本語版化。オプション取引の心得から、オプションを「センチメント指標」として使う方法、ボラティリティ取引、プット・コール・レシオ（P/C R）を売買に適用するための具体的なノウハウの数々が満載。

『ネルソン・フリーバーグのシステム売買 検証と構築』（96分）　ネルソン・フリーバーグ　8,190円

ツヴァイクの4%モデル指標、ワイルダーのボラティリティ・システム、ペンタッドストックタイミング・モデル、市場間債券先物モデルのシステムなど、古くから検証され続け保証済みの様々なシステムを詳述。様々なシステムの検証結果と、具体的なハイリターン・ローリスクの戦略例をしめすオリジナルの売買システム、構築についても述べている。

『バーンスタインのパターントレード入門』（104分）　ジェイク・バーンスタイン　8,190円

簡単なことを知り、実行するだけで、必ず成功出来るやり方とはなんであろうか。それは、「市場のパターンを知ること」である。講師のジェイク・バーンスタインの説くこの季節的なパターンに従えば、市場で勝ち続けることも夢ではない。是非それを知り、実行し、大きな成功をおさめていただきたい。

『ネイテンバーグのオプションボラティリティ戦略』（96分）　シェルダン・ネイテンバーグ　8,190円

「トレーダーズ・ホール・オブ・フェイム」受賞者のシェルダン・ネイテンバーグ氏が皆さんに株のオプションの仕組みを解説している。重要なのは価格変動率とは何か、その役割を知り、オプションの価値を見極めること。そして市場が「間違った価値」をつけた時こそがチャンスなのだということをネイテンバーグ氏は語っている。

『ジョン・マーフィーの値上がる業種を探せ』（94分）　ジョン・J・マーフィー　8,190円

ジョン・マーフィーの専門であるテクニカル分析とは少し異なり、市場同士の関係とセクター循環がテーマ。また、講演の最後には「告白タイム」と称して、テクニカルとファンダメンタルズの違いや共通点についても熱く語っている。　(1) 市場の関係　(2) セクター循環　(3) ファンダメンタルズとテクニカル

『アラン・ファーレイの収益を拡大する　　（101分）　アラン・ファーレイ　8,190円
「仕掛け」と「仕切り」の法則』

スイング・トレードの巨人、アラン・ファーレイが、「仕掛け」と「仕切り」の極意を解説する。トレーディングのプロセスを確認し、有効な取引戦略を設定・遂行するためのヒントに満ちた90分だ。

『成功を導くトレーダー、10の鉄則』（99分）　ジョージ・クレイマン　5,040円

25年に及ぶ独自の経験とW.D.ギャンなどトレーディングのパイオニア達の足跡から、クラインマンが成功するためのルールを解説する。成功のための10則 取引過剰 懐疑心 ナンピン 資金管理 トレンド 含み益 相場に聞く 積極性 ピラミッド型ポジション ニュースと相場展開。

『マーク・ラーソンのテクニカル指標』（91分）　マーク・ラーソン　5,040円

移動平均、売買高、MACDなど、テクニカル指標は使いこなすことで、トレーディングに効果をもたらす。テクニカル指標を使いこなすコツの数々を、ラーソンが解説する。

『マクミランのオプション戦略の落とし穴』（106分）　ラリー・マクミラン　8,190円

オプション取引の第一人者、マクミランが基本的な戦略の問題点と改善方法を分かりやすく解説したセミナー。オプション取引とは無縁なトレーダーにとっても、P/C（プット・コール）レシオ、ボラティリティー、オプションそのものを指標にして、原市場の「売り」「買い」のサインを読み取る方法などを紹介している。

●パンローリング発行

●他の追随を許さないパンローリング主催の相場セミナーDVDとビデオ●

一目均衡表の基本から実践まで　　　　　　　　　　　　　　　川口一晃　3,990円（税込）
単に相場の将来を予想する観測法ではなく、売り買いの急所を明確に決定する分析法が一目均衡表の人気の秘密！　本DVDに収録されたセミナーでは、値動きの傾向から売買タイミングを測る「一目均衡表」を基本から応用、そしてケーススタディ（具体例）までを解説。

信用取引入門 [基礎・応用編]　　　　　　　　　　　　　　　　福永博之　2,800円（税込）
「買い」だけではなく、「売り」もできる信用取引。リスクが高いというイメージがあるかもしれませんが、仕組みさえ分かってしまえば、あなたの投資を力強くサポートしてくれます。

大化けする成長株を発掘する方法　　　　　　　　　　　　　　鈴木一之　5,040円（税込）
全米で100万部超のウルトラ大ベストセラーとなり、今もロングセラーを爆走している『オニールの成長株発掘法』から、大化けする成長株を発掘！本当は人には教えたくない投資法だ。

売買システム構築入門　　　　　　　　　　　　　　　　　　　野村光紀　3,990円（税込）
マイクロソフトエクセルを触ったことのある方なら誰でも、少し手を加えるだけで売買システムを作れる。エクセル入門書には相場への応用例が無いとお嘆きの方に最適なDVDとビデオ。エクセル入門／チャートギャラリーの紹介／自分専用の売買システムを作る／毎日の仕事の自動化！

ディナポリレベルで相場のターニングポイントをがっちりゲット！　　　　　　　　　　　　　　　ジョー・ディナポリ　5,040円（税込）
ジョー・ディナポリが株式、先物、為替市場、世界のどの市場でも通用する戦術を公開する！
※本製品は日本語吹き替え版のみとなります。

伝説の冒険投資家 ジム・ロジャーズ 投資で儲ける秘訣　　　　　ジム・ロジャーズ　3,990円（税込）
各国の長期的な経済成長を読み、自らの投資に活かす「冒険投資家」は、いま、日本をどう見ているのか？
自ら体験した経験と知識を日本の皆様へ贈ります。

カリスマ投資家一問一答　　山本有花, 東保裕之, 足立眞一, 増田丞美　1,890円（税込）
相場の良し悪しに関わらず、儲けを出している人は、どうやって利益を上げられるようになったのか？どうやってその投資スタイルを身につけたのか？投資で成功するまでにやるべきことが分かります。

短期テクニカル売買セミナー　増田正美のMM法 <上級者編>　増田正美　21,000円（税込）
統計学的に偏差値を求めるツール「ボリンジャーバンド」、相場の強弱を表す指標「RSI」、株価変動の加速度をあらわす指標「DMI」、短期相場の強弱を表す指標「MACD」。難しい数学的な理論は知る必要なく、実際の売買において、その指標の意味と利益を上げるために、これら4つの指標をどうやって使うのかということを講師の経験を元に解説。

短期売買の魅力とトレード戦略 -感謝祭2004-　　　　　　　　柳谷雅之　3,990円（税込）
日本株を対象にしたお馴染 OOPS の改良、優位性を得るためのスクリーニング条件、利益の出し方（勝率と損益率、様々な売買スタイルとその特徴）基礎戦略（TDトラップ、改良版 OOPS）応用戦略（スクリーニング、マネーマネージメント）を個人投資家の立場から詳細に解説！

一目均衡表入門セミナー　　　　　　　　　　　　　　　　細田哲生, 川口一晃　5,040円（税込）
単に相場の将来を予想する観測法ではなく売り買いの急所を明確に決定する分析法が一目均衡表の人気の秘密です。その名の由来通り、相場の状況を"一目"で判断できることが特徴です。本DVDでは、一目均衡表の計算方法からケーススタディ（具体例）まで具体的な使用法を学んでいただきます。

●パンローリング発行

ここでしか入手できないモノがある

Pan Rolling

相場データ・投資ノウハウ
実践資料…etc

今すぐトレーダーズショップに
アクセスしてみよう！

1 インターネットに接続して http://www.tradersshop.com/ にアクセスします。インターネットだから、24時間どこからでも OK です。

2 トップページが表示されます。画面の左側に便利な検索機能があります。タイトルはもちろん、キーワードや商品番号など、探している商品の手がかりがあれば、簡単に見つけることができます。

3 ほしい商品が見つかったら、お買い物かごに入れます。お買い物かごにほしい品物をすべて入れ終わったら、一覧表の下にあるお会計を押します。

4 はじめてのお客さまは、配達先等を入力します。お支払い方法を入力して内容を確認後、ご注文を送信を押して完了（次回以降の注文はもっとカンタン。最短2クリックで注文が完了します）。送料はご注文1回につき、何点でも全国一律 250 円です（1回の注文が 2800 円以上なら無料！）。また、代引手数料も無料となっています。

5 あとは宅配便にて、あなたのお手元に商品が届きます。
そのほかにもトレーダーズショップには、投資業界の有名人による「私のオススメの一冊」コーナーや読者による書評など、投資に役立つ情報が満載です。さらに、投資に役立つ楽しいメールマガジンも無料で登録できます。ごゆっくりお楽しみください。

Traders Shop

http://www.tradersshop.com/

投資に役立つメールマガジンも無料で登録できます。 http://www.tradersshop.com/back/mailmag/

パンローリング株式会社
お問い合わせは

〒160-0023 東京都新宿区西新宿7-21-3-1001
Tel：03-5386-7391 Fax：03-5386-7393
http://www.panrolling.com/
E-Mail　info@panrolling.com

携帯版